RoseLee Goldberg,
licenciada por el Courtauld Institute of Art,
fue directora del Royal College of Art Gallery, Londres, y directora de The Kitchen Center for Video, Music, and Performance, Nueva York. Vive en Nueva York, donde da conferencias y escribe acerca de la historia de la performance y el arte contemporáneo.

EL MUNDO DEL ARTE

PERFORMANCE ART

Desde el futurismo hasta el presente

ROSELEE GOLDBERG

185 ilustraciones

EDICIONES DESTINO
THAMES AND HUDSON

Para Pauline y Allan

Título original: *Perfomance Art*
Traducción: Hugo Mariani

Cubierta: Ives Klein aplicando pintura azul,
a una modelo antropométrica, 1960

Publicado originalmente en gran formato
por Thames and Hudson Ltd, Londres
con el título *Perfomance: Live Art*
1909 to the Present.

Provença, 260. 08008 Barcelona
www.edestino.es

Primera edición: septiembre 1996
Segunda edición: mayo 2002
ISBN: 84-233-2687-X
Impreso y encuadernado por C.S. Graphics, Singapur

Índice

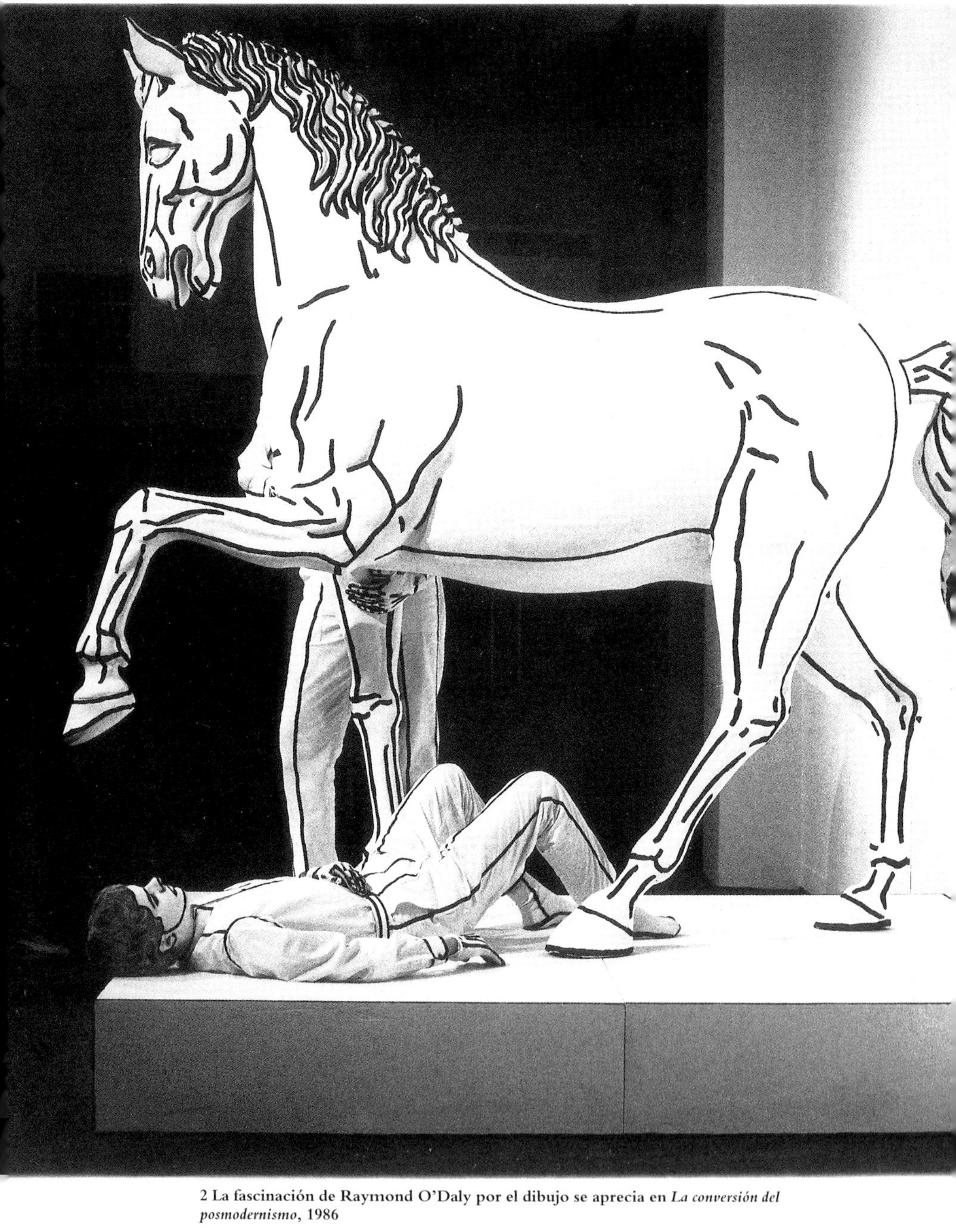

2 La fascinación de Raymond O'Daly por el dibujo se aprecia en *La conversión del posmodernismo*, 1986

Prefacio

La performance llegó a ser aceptada como medio de expresión artística por derecho propio en la década de 1970. En ese momento, el arte conceptual —que insistía en un arte de ideas por encima del producto, y en un arte que no pudiera comprarse y venderse— estaba en su apogeo y la performance fue a menudo una demostración, o una ejecución, de esas ideas. De este modo, la performance se convirtió en la forma de arte más tangible del período. Los espacios de arte dedicados a la performance surgieron rápidamente en los principales centros de arte internacionales, los museos patrocinaron festivales, las escuelas de Bellas Artes introdujeron cursos de performance y aparecieron revistas especializadas.

Durante este período se publicó la primera historia de la performance (1979), que demostraba que había una larga tradición de artistas que empezaban a trabajar en la performance viva como un medio entre muchos de expresar sus ideas, y que tales actos habían desempeñado un papel importante en la historia del arte. Es interesante señalar que la performance, hasta ese momento, había sido consistentemente dejada de lado en el proceso de evaluación del desarrollo artístico, de manera especial durante el período moderno, más a causa de la dificultad de situarla en la historia del arte que a alguna omisión deliberada.

El alcance y la riqueza de esta historia motivó que la cuestión de la omisión se hiciera incluso más urgente, pues los artistas no utilizaban simplemente la performance como un medio para atraer publicidad hacia ellos. La performance ha sido considerada una manera de dar vida a muchas ideas formales y conceptuales en las cuales se basa la creación del arte. Los gestos vivos se han utilizado constantemente como un arma contra las convenciones del arte establecido.

Una postura tan radical ha convertido a la performance en un catalizador en la historia del arte del siglo XX; todas las veces que una escuela determinada, ya sea el cubismo, el minimalismo o el arte conceptual, parecía haber llegado a un punto muerto, los artistas empezaban a trabajar en la performance como una manera de acabar con las categorías e indicar nuevas direcciones. Por otra parte, dentro de la historia de la vanguardia —queriendo decir aquellos artistas que se encontraron a la cabeza de la ruptura con cada tradición sucesiva—, la performance en el siglo XX ha estado en la primera línea de tal actividad: una vanguardia de la vanguardia. A pesar de que la mayor parte de lo que se escribe hoy en día acerca de la obra de los futuristas, constructivistas, dadaístas y surrealistas continúa concentrándose en los objetos de arte realizados en cada período, la mayor parte de las veces ésta fue la razón de que estos movimientos encontraran sus raíces e intentaran resolver las cuestiones problemáticas en la performance. Cuando los miembros de estos grupos tenían entre veinte y treinta y pocos años de edad, fue en la performance que pusieron a prueba sus ideas, y sólo más tarde las expresaron en objetos. La mayor parte de los dadaístas de Zurich, por ejemplo, eran poetas, artistas de cabaré e intérpretes de performances que, antes de crear realmente objetos dadaístas, expusieron obras de movimientos inmediatamente precedentes, como los expresionistas. De manera similar, la mayor parte de los dadaístas y surrealistas parisienses eran poetas, escritores y agitadores antes de que hicieran objetos y pinturas surrealistas. El texto *El surrealismo y la pintura* (1928) de Breton fue un intento tardío de encontrar una salida pictoricista para la idea surrealista, y como tal continuó planteando la pregunta: «¿Qué es la pintura surrealista?» durante algunos años después de su publicación. Pues ¿no fue Breton quien, cuatro años antes, había afirmado que el *acte gratuit* surrealista final sería disparar un revólver al azar a una multitud en la calle?

Los manifiestos de la performance, desde los futuristas hasta el presente, han sido la expresión de disidentes que han intentado encontrar otros medios para evaluar la experiencia del arte en la vida cotidiana. La performance ha sido una manera de apelar directamente a un público amplio, además de dar una sacudida a los espectadores para animarlos a hacer una nueva apreciación de sus propias nociones del arte y su relación con la cultura. A la inversa, el interés del público en el medio, en especial en la década de 1980, es el resultado de un aparente deseo de que el público consiga acceder al mundo del arte, ser un espectador de su ritual y su colectividad distintiva y asombrarse ante las presentaciones inesperadas y siempre nada convencionales que los artistas imaginan. El trabajo puede presentarse a solas o con un grupo, con iluminación, música o efectos visuales realizados por el propio artista de la performance, o en colaboración, y representado en lugares que varían desde una galería de arte o museo hasta un «espacio alternativo», un teatro, café, bar o esquina. A diferencia del teatro, el intérprete *es* el artista, raramente representa un personaje como un actor, y el contenido en raras ocasiones sigue un argumento o narración tradicional. La performance puede ser una serie de gestos íntimos o teatro visual a gran escala, que dura desde unos pocos minutos hasta muchas horas; puede representarse sólo una vez o repetirse varias veces, con o sin un guión preparado, improvisado de manera espontánea, o ensayado durante muchos meses.

Ya sea el ritual tribal, los dramas de la Pasión medievales, los espectáculos del Renacimiento o las «veladas» organizadas por artistas en la década de 1920 en sus estudios de París, la performance ha proporcionado al artista una presencia en la sociedad. Esta presencia, de acuerdo con la naturaleza de la representación, puede ser esotérica, chamanística, instructiva, provocadora o entretenida. Los ejemplos de Renacimiento incluso muestran al artista en el papel de creador y director de espectáculos públicos, fantásticos desfiles triunfales que a menudo requerían la construcción de elaborada arquitectura temporal, o actos alegóricos que utilizaban las habilidades de los multimedia atribuidas al hombre del Renacimiento. Una batalla naval simulada, diseñada por Polidoro da Caravaggio en 1589, tuvo lugar en el patio especialmente inundado del palacio Pitti en Florencia; Leonardo da Vinci vistió a sus intérpretes de planetas y les hizo recitar versos acerca de la Edad de Oro en una representación escénica titulada *Paradiso* (1490); y el artista barroco Gian Lorenzo Bernini escenificó espectáculos para los cuales escribió guiones, diseñó decorados y trajes, construyó elementos arquitectónicos e incluso construyó escenarios de inundación realistas, como en *L'inondazione* (*La inundación del Tíber*, 1638).

La historia del performance art en el siglo xx es la historia de un medio permisivo y sin límites fijos con interminables variables, realizadas por artistas que habían perdido la paciencia ante las limitaciones de las formas de arte más establecidas, y decidieron llevar su arte directamente al público. Por esta razón su base ha sido siempre anárquica. Por su propia naturaleza, la performance escapa a una definición exacta o sencilla más allá de la simple declaración de que es arte vivo hecho por artistas. Cualquier definición más estricta negaría de manera inmediata la posibilidad de la propia performance. Puesto que recurre libremente a cualquier número de disciplinas y medios de comunicación —literatura, poesía, teatro, música, danza, arquitectura y pintura, además de vídeo, filme, diapositivas y narración— en busca de material, los despliega en cualquier combinación. De hecho, ninguna otra forma de expresión artística tiene una manifestación tan ilimitada, puesto que cada intérprete hace su definición particular en el proceso y la manera propios de la ejecución.

La tercera edición de este libro es la actualización de un texto que, en 1978, siguió la pista de una historia jamás contada. Como primera historia planteó preguntas acerca de la naturaleza del arte y explicó el importante papel del performance art en el desarrollo del arte del siglo XX. Demostró cómo los artistas eligieron la performance para escapar de los medios dominantes, la pintura y la escultura y las restricciones de trabajar dentro de los métodos de los museos y las galerías, y el modo en que la usaron como una manera provocativa de responder al cambio... tanto en el sentido político más amplio como en el cultural. Una edición posterior reveló el papel del performance art en la ruptura de las barreras entre el gran arte y el arte popular. También demostró cómo la presencia viva del artista, y la focalización en el cuerpo del artista se volvieron fundamentales para las nociones de «lo real», y un patrón para la instalación y el vídeo arte, además del arte-fotografía de fines del siglo XX. Este último relato describe el enorme aumento del número de artistas y locales de la performance, no sólo en Europa y Estados Unidos, sino en todo el mundo, mientras que el performance art se convirtió en el medio elegido para expresar la «diferencia» en discursos sobre multiculturalismo y globalismo. Esto indica la medida en que el mundo académico se ha focalizado en el performance art como una referencia importante es los estudios culturales —ya sean de filosofía, arquitectura o antropología— y ha desarrollado un lenguaje teórico para examinar críticamente su impacto en la historia intelectual. Se mantiene la afirmación hecha en el original de que no pretende ser un registro de todos los intérpretes del siglo XX; más bien aspira al desarrollo de una sensibilidad. La meta de este libro sigue siendo la misma —plantear preguntas y conseguir nuevas percepciones—, sólo puede hacer alusión a la vida fuera de sus páginas.

Nueva York, febrero de 1978, enero de 1987 y octubre de 2000

… 15 centimes — DÉPARTEMENTS : 20 centim

Gaston CALMETTE
Directeur-Gérant

RÉDACTION — ADMINISTRATION
26, rue Drouot, Paris (9e Arrt)

POUR LA PUBLICITÉ
S'ADRESSER, 26, RUE DROUOT
À L'HÔTEL DU « FIGARO »
ET POUR LES ANNONCES ET RÉCLAMES
Chez MM. LAGRANGE, CERF & Cie
8, place de la Bourse

LE FIGARO

« Loué par ceux-ci, blâmé par ceux-là, me moquant des sots, bravant les méchants, je me hâte de rire de tout... de peur d'être obligé d'en pleurer. » (BEAUMARCHAIS.)

SOMMAIRE

Le Futurisme

M. Marinetti, le jeune poète italien et français, au talent remarquable et fougueux, que de retentissantes manifestations ont fait connaître dans tous les pays latins, suivi d'une pléiade d'enthousiastes disciples, vient de fonder l'École du « Futurisme » dont les théories dépassent en hardiesse toutes celles des écoles antérieures ou contemporaines. Le *Figaro* qui a déjà servi de tribune à plusieurs d'entre elles, et non des moindres, offre aujourd'hui à ses lecteurs le manifeste des « Futuristes ». Est-il besoin de dire que nous laissons au signataire toute la responsabilité de ses idées singulièrement audacieuses et d'une outrance souvent injuste pour des choses éminemment respectables et, heureusement, partout respectées? Mais il était intéressant de réserver à nos lecteurs la primeur de cette manifestation, quel que soit le jugement qu'on porte sur elle.

Nous avions veillé toute la nuit, mes amis et moi, sous des lampes de mosquée dont les coupoles de cuivre aussi ajourées que notre âme avaient pourtant des cœurs électriques. Et tout en piétinant notre native paresse sur d'opulents tapis persans, nous avions discuté aux frontières extrêmes de la logique et griffé le papier de démentes écritures.

Un immense orgueil gonflait nos poitrines à nous sentir debout tous seuls, comme des phares ou comme des sentinelles avancées, face à l'armée des étoiles ennemies, qui campent dans leurs bivouacs célestes. Seuls avec les mécaniciens dans les infernales chaufferies des grands navires, seuls avec les noirs fantômes qui fourragent dans le ventre rouge des locomotives affolées, seuls avec les ivrognes battant des ailes contre les murs!

Et nous voilà brusquement distraits par le roulement des énormes tramways à double étage, qui passent sursautants, bariolés de lumières, tels les hameaux en fête que le Pô débordé ébranle tout à coup et déracine, pour les entraîner, sur les cascades et les remous d'un déluge, jusqu'à la mer.

Puis le silence s'aggrava. Comme nous écoutions la prière exténuée du vieux canal et crisser les os des palais moribonds dans leur barbe de verdure, soudain rugirent sous nos fenêtres les automobiles affamées.

— Allons, dis-je, mes amis! Partons! Enfin, la Mythologie et l'Idéal mystique sont surpassés. Nous allons assister à la naissance du Centaure et nous verrons bientôt voler les premiers anges! — Il faudra ébranler les portes de la vie pour en essayer les gonds et les verrous! Partons! Voilà bien le premier soleil levant sur la terre!... Rien n'égale la splendeur de son épée rouge qui s'escrime pour la première fois dans nos ténèbres millénaires.

Nous nous approchâmes des trois machines renâclantes pour flatter leur poitrail. Je m'allongeai sur la mienne...,

Le grand balai de la folie nous arracha à nous-mêmes et nous poussa à travers les rues escarpées et profondes comme des torrents desséchés. Çà et là, des lampes malheureuses, aux fenêtres, nous enseignaient à mépriser nos yeux mathématiques.

— Le flair, criai-je, le flair suffit aux fauves!...

Sortons de la Sagesse comme d'une gangue hideuse et entrons, comme des fruits pimentés d'orgueil, dans la bouche immense et torse du vent!... Donnons-nous à manger à l'Inconnu, non par désespoir, mais simplement pour enrichir les insondables réservoirs de l'Absurde!

nos bras foulés en écharpe, parmi la complainte des sages pêcheurs à la ligne et des naturalistes navrés, nous dictâmes nos premières volontés à tous les hommes *vivants* de la terre :

Manifeste du Futurisme

1. Nous voulons chanter l'amour du danger, l'habitude de l'énergie et de la témérité.

2. Les éléments essentiels de notre poésie seront le courage, l'audace et la révolte.

3. La littérature ayant jusqu'ici magnifié l'immobilité pensive, l'extase et le sommeil, nous voulons exalter le mouvement agressif, l'insomnie fiévreuse, le pas gymnastique, le saut périlleux, la gifle et le coup de poing.

4. Nous déclarons que la splendeur du monde s'est enrichie d'une beauté nouvelle : la beauté de la vitesse. Une automobile de course avec son coffre orné de gros tuyaux, tels des serpents à l'haleine explosive... une automobile rugissante, qui a l'air de courir sur de la mitraille, est plus belle que la *Victoire de Samothrace*.

5. Nous voulons chanter l'homme qui tient le volant, dont la tige idéale traverse la terre, lancée elle-même sur le circuit de son orbite.

6. Il faut que le poète se dépense avec chaleur, éclat et prodigalité, pour augmenter la ferveur enthousiaste des éléments primordiaux.

7. Il n'y a plus de beauté que dans la lutte. Pas de chef-d'œuvre sans un caractère agressif. La poésie doit être un assaut violent contre les forces inconnues, pour les sommer de se coucher devant l'homme.

8. Nous sommes sur le promontoire extrême des siècles!... A quoi bon regarder derrière nous, du moment qu'il nous faut défoncer les vantaux mystérieux de l'impossible? Le Temps et l'Espace sont morts hier. Nous vivons déjà dans l'absolu, puisque nous avons déjà créé l'éternelle vitesse omniprésente.

9. Nous voulons glorifier la guerre, — seule hygiène du monde, — le militarisme, le patriotisme, le geste destructeur des anarchistes, les belles Idées qui tuent et le mépris de la femme.

10. Nous voulons démolir les musées, les bibliothèques, combattre le moralisme, le féminisme et toutes les lâchetés opportunistes et utilitaires.

11. Nous chanterons les grandes foules agitées par le travail, le plaisir ou la révolte; les ressacs multicolores et polyphoniques des révolutions dans les capitales modernes; la vibration nocturne des arsenaux et des chantiers sous leurs violentes lunes électriques; les gares gloutonnes avaleuses de serpents qui fument; les usines suspendues aux nuages par les ficelles de leurs fumées; les ponts aux bonds de gymnastes lancés sur la coutellerie diabolique des fleuves ensoleillés; les paquebots aventureux flairant l'horizon; les locomotives au grand poitrail qui piaffent sur les rails, tels d'énormes chevaux d'acier bridés de longs tuyaux et le vol glissant des aéroplanes, dont l'hélice a des claquements de drapeaux et des applaudissements de foule enthousiaste.

C'est en Italie que nous lançons ce manifeste de violence culbutante et incendiaire, par lequel nous fondons aujourd'hui le *Futurisme*, parce que nous voulons délivrer l'Italie de sa gangrène de professeurs, d'archéologues, de cicérones et d'antiquaires.

L'Italie a été trop longtemps le marché des brocanteurs qui fournissaient au monde le mobilier de nos ancêtres, sans cesse renouvelé et soigneusement mitraillé pour simuler le travail des tarets vénérables. Nous voulons débarrasser l'Italie des musées innombrables qui la couvrent d'innombrables cimetières.

Musées, cimetières!... Identiques vraiment dans leur sinistre coudoiement de corps qui ne se connaissent pas. Dortoirs publics où l'on dort à jamais côte à côte avec des êtres haïs ou inconnus. Férocité réciproque des peintres et des sculpteurs s'entre-tuant à coups de lignes et de couleurs dans le même musée.

Qu'on y fasse une visite chaque année comme on va voir ses morts une fois par an!... Nous pouvons bien l'admettre!... Qu'on dépose même des fleurs une fois par an aux pieds de la *Joconde*, nous le concevons!... Mais que l'on aille promener quotidiennement dans les musées nos tristesses, nos courages fragiles et notre inquiétude, nous ne l'admettons pas!...

Admirer un vieux tableau, c'est verser notre sensibilité dans une urne funéraire au lieu de la lancer en avant par jets violents de création et d'action. Voulez-vous donc gâcher ainsi vos meilleures forces dans une admiration inutile du passé, dont vous sortez forcément épuisés, amoindris, piétinés?

En vérité, la fréquentation quotidienne des musées, des bibliothèques et des académies (ces cimetières d'efforts perdus, ces calvaires de rêves crucifiés, ces registres d'élans brisés!...) est pour les artistes ce qu'est la tutelle prolongée des parents pour des jeunes gens intelligents, ivres de leur talent et de leur volonté ambitieuse.

pour accomplir notre tâche. Quand nous aurons quarante ans, que de plus jeunes et plus vaillants que nous veuillent bien nous jeter au panier comme des manuscrits inutiles!... Ils viendront contre nous de très loin, de partout, en bondissant sur la cadence légère de leurs premiers poèmes, griffant l'air de leurs doigts crochus, et humant, aux portes des académies, la bonne odeur de nos esprits pourrissants déjà promis aux catacombes des bibliothèques.

Mais nous ne serons pas là. Ils nous trouveront enfin, par une nuit d'hiver, en pleine campagne, sous un triste hangar pianoté par la pluie monotone, accroupis près de nos aéroplanes trépidants, en train de chauffer nos mains sur le misérable feu que feront nos livres d'aujourd'hui flambant gaiement sous le vol étincelant de leurs images.

Ils s'ameuteront autour de nous, haletants d'angoisse et de dépit, et, tous, exaspérés par notre fier courage infatigable, s'élanceront pour nous tuer, avec d'autant plus de haine que leur cœur sera ivre d'amour et d'admiration pour nous. Et la forte et la saine Injustice éclatera radieusement dans leurs yeux. Car l'art ne peut être que violence, cruauté et injustice.

Les plus âgés d'entre nous n'ont pas encore trente ans, et pourtant nous avons déjà gaspillé des trésors, des trésors de force, d'amour, de courage et d'âpre volonté, à la hâte, en délire, sans compter, à tour de bras, à perdre haleine.

Regardez-nous! Nous ne sommes pas essoufflés... Notre cœur n'a pas la moindre fatigue! Car il s'est nourri de feu, de haine et de vitesse! Cela vous étonne? C'est que vous ne vous souvenez même pas d'avoir vécu! — Debout sur la cime du monde, nous lançons encore une fois le défi aux étoiles!

Vos objections? Assez! assez! Je les connais! C'est entendu! Nous savons bien ce que notre belle et fausse intelligence nous affirme. — Nous ne sommes, dit-elle, que le résumé et le prolongement de nos ancêtres. — Peut-être! soit!... Qu'importe?... Mais nous ne voulons pas entendre! Gardez-vous de répéter ces mots infâmes! Levez plutôt la tête!

Debout sur la cime du monde, nous lançons encore une fois le défi insolent aux étoiles!

F.-T. Marinetti.

en poussant des vivats et des clameurs, gagna les vastes salles à manger et s'éparpilla en groupements sympathiques autour d'une multitude de tables luxueusement fleuries.

Sur ces tables chacun trouva un très joli menu orné d'un dessin de de Losques et représentant spirituellement le Roi embrassant en même temps Mlle Lavallière et Mlle Lantelme, qui furent chacune exactement cent fois de suite l'espiègle et délurée petite You-You de la comédie de MM. de Caillavet, Robert de Flers et Emmanuel Arène.

Je renonce à vous donner une idée de l'aspect féerique que présentait alors cette foule de jolies actrices aux parures brillantes et chatoyantes encadrées de dominos et de costumes masculins variés à l'infini, et échangeant d'une table à l'autre des propos joyeux et des répliques — je vous jure — le plus souvent spirituelles!

A la table d'honneur présidait Samuel le Magnifique — le Doge de face, — ayant à ses côtés Mmes Lender, Séverine, Yvette Guilbert et Mily Meyer. Beaucoup plus préoccupé de savourer l'excellent menu que de faire du reportage, j'avoue à ma honte de soiriste n'avoir pas songé à noter exactement le nom de toutes les belles invitées; au reste, mes deux manchettes et mon plastron n'y auraient pas suffi... Cependant en forçant mon souvenir, je vois passer devant mes yeux fermés, se suivant en théories suggestives et galantes :

Mmes Lavallière, en délicieux petit cow-boy; Lantelme, en mignonne bohémienne; Jeanne Saulier, charmante en toilette 1830; Germaine Gallois, si jolie en Hollandaise; Diéterle, en gitane, fraîche petite statue de Saxe; Marville, superbe en robe second Empire; Lyse Berty, ravissante en Espagnole de Zuloaga; Ginette, exquise en Mexicaine; Ugalde, si svelte en tambour royal; Juliette Clarens, toute gracieuse en Leonida de *Bohèmos*; Corciade, éclatante en fleur écarlate : Faber, très belle en dame Louis XV; Delza, toute séduisante en son originale toilette premier Empire.

Mais comment sortir de ce recensement monstre sans avoir recours à l'ordre alphabétique? Et je note :

Mmes d'Atgy, Azmiont, Raymonde Ariel, Yv. d'Arthigny, Arnoult, Lebergy, Becker, Yv. Bariel, Brasseur, Chapelas, Cézanne, Clairville, Th. Cernay, Campton, Caumont, Th. Berka, Blangot, Gaby Boissy, Barat, Baretty, Baron, Cl. Barton, Paul Boyer, Debacker, Renée Desprez, Debério, Derys, Debrenne, Deréval, Mitzy-Dalti, M. Durand, Depas, Ad. Doré, Destrelles, Delmarès, Derminy, Desbarolles, Rose Demay, Ch. Dix, Demours, Daurel, Delyane, Fursy, Gilberte, Gareda, Guillemin, Guérin, Guardia, Germaine, Heffler, M. L. Herrouët, Invernizzi, Isola, Issaurat, Ev. Janney, miss Lawler, Lender, Lukas, Henriette

maxima, 8° ; minima, 0°. Ven[t] faible. Baromètre : 768mm.
A Berlin : Temps beau.

Les Course[s]

Aujourd'hui, à 2 heures[,] Vincennes. — Gagnants du [...]

Prix Michelet : Frivole ; Frin[...]
Prix de Mayenne : Fada ; Bo[...]
Prix Léda : Farnèze ; Frégoli[...]
Prix Mambrino : Fresnay ; E[...]
Prix de Maisons-Laffitte : Éle[...]
Prix du Plateau : Fred Leybu[...]
Prix de La Varenne : Elysse[...]

A Travers Pa[ris]

Le roi des Bulgares a char[gé M. ...]cioff, ministre de Bulgarie [...] déposer en son nom une cou[ronne sur le] cercueil du marquis Costa [de Beaure]gard et d'offrir ses condoléa[nces à la fa]mille du défunt.

M. Jean Richepin a fait jeu[di son entrée] sous la Coupole au son [...] C'est le rite. Lorsqu'un nou[vel académi]cien, vêtu de son habit neuf[, se présente] devant la lourde porte ver[te, les mili]taires portent les armes et [le tambour] bat aux champs. Depuis [...] il y a toujours eu dans le [...] palais, aux jours de récepti[on académi]que, un piquet d'honneur [avec tam]bour.

Toujours, sauf une fois, [...] ans, quand M. Etienne Lam[y fit son ten]dre séance. Ce jour-là il y [avait le] piquet d'honneur, mais le ta[mbour man]quait. A sa place, il y avait [...]

Un clairon! tout le mon[de fut d'ac]cord pour le prier de se taire[. M.] Lamy fut reçu sans tambo[ur ni trom]pette.

Le secrétaire de l'Institut [...]tère de la guerre les déma[rches néces]saires pour éviter le retou[r de cet] incident. On lui promit que [désormais] on ne verrait de clairon su[r le passage] du récipiendaire. Mais, pour [plus de cer]titude, le secrétaire perpét[uel, chaque] fois qu'il écrit au ministre [pour de]mander le piquet, prend soi[n d'ajouter :] *avec un tambour.*

CAPÍTULO I

Futurismo

La performance futurista de la primera época fue más manifiesto que práctica, más propaganda que verdadera representación. Su historia comienza el 20 de febrero de 1909 en París con la publicación del primer manifiesto futurista en
el periódico de gran tirada *Le Figaro*. Su autor, el acaudalado poeta italiano Fi- *3*
lippo Tommaso Marinetti, escribiendo desde su lujosa Villa Rosa, en Milán, *4*
había escogido al público parisiense como el blanco de su manifiesto de «violencia incendiaria». Tales ataques a los valores establecidos de las academias de pintura y literatura no eran infrecuentes en una ciudad que gozaba su fama como la «capital cultural del mundo». Y no era la primera vez que un poeta italiano se había dado el lujo de una publicidad personal tan descarada: el compatriota de Marinetti, D'Annunzio, apodado el «Divine imaginifico», había recurrido a acciones similarmente extravagantes en Italia a fines de siglo.

Ubu Roi y *Le roi Bombance*

Marinetti había vivido en París desde 1893 hasta 1896. En los cafés, salones, banquetes literarios y salas de fiestas frecuentados por artistas, escritores y poetas excéntricos, el joven Marinetti, de diecisiete años, enseguida se introdujo en el círculo en torno de la revista literaria *La Plume*: Léon Deschamps, Remy de Gourmont, Alfred Jarry y otros. Ellos dieron a conocer a Marinetti los principios del «verso libre», los cuales inmediatamente adoptó en sus escritos. El 11 de diciembre de 1896, el año en que Marinetti abandonó París para trasladarse a Italia, el poeta y fanático ciclista de 23 años, Alfred Jarry, presentó una inventina y notable performance cuando
inició su absurda representación de payasadas de *Ubu Roi* (*Ubú rey*) en el *5*
Théâtre de l'Oeuvre de Lugné-Poë. La obra estaba modelada sobre farsas de colegial de los primeros tiempos de Jarry en Rennes y en los teatros de títeres que había dirigido en 1888 en el ático de su casa de la infancia bajo el título de *Théâtre des Phynances*. Jarry explicó a Lugné-Poë las características más destacadas de la representación en una carta, también publicada como prefacio a la obra. Una máscara debía distinguir al personaje principal Ubú, que debía llevar una cabeza de caballo de cartón alrededor del cuello, «como en el antiguo teatro inglés». Sólo habría un decorado, lo que eliminaba tener que levantar y bajar el telón, y a lo largo de la representación un caballero con traje de etiqueta debía sostener rótulos que indicarían la escena, como en los teatros de títeres. El personaje principal adoptaría «un tono especial de voz» y los trajes tendrían «el mínimo color y precisión histórica que sea posible». Éstos, añadió Jarry, desde luego serían modernos, «puesto

3 Página que muestra el manifiesto futurista publicado en *Le Figaro*, febrero de 1909

4 F. T. Marinetti

que la sátira es moderna», y sórdidos, «porque hacen la acción más despreciable y repugnante...».

Todo el París literario estaba instruido de antemano para la noche del estreno. Antes de que el telón se levantara, se sacó una mesa tosca, cubierta con un trozo de «sórdida» arpillera. El propio Jarry apareció con el rostro blanco, bebiendo a sorbitos de un vaso, y durante diez minutos preparó al público para lo que debían esperar. «La acción que está a punto de empezar —anunció— tiene lugar en Polonia, es decir: en ninguna parte.» Y el telón se levantó para dejar a la vista el único decorado —realizado por el propio Jarry, ayudado por Pierre Bonnard, Vuillard, Toulouse-Lautrec y Paul Sérusier— pintado para representar, en palabras de un observador británico, «interiores y exteriores, incluso las zonas tórridas, templadas y árticas a la vez». Entonces el periforme Ubú (el actor Firmin Gémier) pronunció el comienzo del texto, una sola palabra: «Merdre». Estalló un griterío infernal. Incluso con una «r» añadida, «mierda» era estrictamente tabú en la esfera pública; cada vez que, Ubú usaba la palabra, la respuesta era violenta. A medida que el Padre Ubú, el exponente de la patafísica de Jarry, «la ciencia de las soluciones imaginarias», hacía una carnicería en su camino al trono de Polonia, en el patio de butacas comenzaban luchas a puñetazos, y los manifestantes aplaudían y silbaban divididos entre apoyo y antagonismo. Con sólo dos representaciones de *Ubu Roi*, el Théâtre de l'Oeuvre se había hecho famoso.

De manera que no resulta sorprendente que Marinetti, en abril de 1909, dos meses depués de la publicación del manifiesto futurista en *Le Figaro* pre-

5 Dibujo de Alfred Jarry para el cartel de *Ubu Roi*, 1896

sentara su propia obra *Le roi Bombance* (*El rey Jolgorio*) en el mismo teatro. No enteramente sin referencias al predecesor en la provocación de Marinetti, Jarry, *Le roi Bombance* era una sátira de la revolución y la democracia. Hacía una parábola del aparato digestivo, y el poeta-héroe l'Idiot, que fue el único que reconoció la guerra entre «devoradores y devorados», desesperado, se suicidó. *Le roi Bombance* no causó menos escándalo que el patafísico de Jarry. Las multitudes alborotaban el teatro para ver cómo el autoproclamado autor futurista ponía en práctica los ideales de su manifiesto. De hecho, el estilo de la representación no era tan revolucionario; la obra ya había sido publicada algunos años antes, en 1905. Aunque contenía muchas ideas repetidas en el manifiesto, sólo hacía alusión a la clase de representaciones por las cuales el futurismo se haría famoso.

Primera velada futurista

A su regreso a Italia, Marinetti empezó a trabajar en la dirección de su obra *Poupées électriques* (*Muñecas eléctricas*) en el Teatro Alfieri de Turín. Prologada, al estilo de Jarry, con una enérgica introducción, en su mayor parte basada en el mismo manifiesto de 1909, ésta consolidaba firmemente a Marinetti como una curiosidad en el mundo del arte italiano y la «declamación» como una nueva forma de teatro que iba a convertirse en una marca de fábrica de los jóvenes futuristas en los años siguientes. Pero Italia se encontraba en medio de alborotos políticos y Marinetti reconoció las posibilidades de utilizar la inquietud pública y de casar las ideas de reforma en las artes con las conmovedoras ideas actuales de nacionalismo y colonialismo. En Roma, Milán, Nápoles y Florencia, los artistas estaban haciendo campaña a favor de una intervención contra Austria. De manera que Marinetti y sus compañeros se dirigieron a Trieste, la ciudad fronteriza fundamental en el conflicto austro-italiano, y representaron la primera velada (*serata*) futurista en esa ciudad el 12 de enero de 1910 en el Teatro Rosetti. Marinetti protestó furiosamente contra el culto a la tradición y la comercialización del arte, cantando las alabanzas del militarismo y la guerra patrióticos, en tanto que el corpulento Armando Mazza dio a conocer al público provin- 7
ciano el manifiesto futurista. La policía austríaca, o «urinarios ambulantes» como se les llamaba insultantemente, tomó nota de los procedimientos: la fama de los futuristas como alborotadores ya estaba creada. El consulado austríaco entregó al gobierno italiano una queja oficial, y las siguientes veladas futuristas estuvieron estrechamente vigiladas por grandes batallones de la policía.

Los pintores futuristas se convierten en intérpretes

Impertérrito, Marinetti congregó a pintores de Milán y sus alrededores para que se unieran a la causa del futurismo; organizaron otra velada en el Teatro Chiarella de Turín el 8 de marzo de 1910. Un mes más tarde, los pintores Umberto Boccioni, Carlo Carrà, Luigi Russolo, Gino Severini y Giacomo *10*
Balla, con el siempre presente Marinetti, publicaron el *Manifiesto técnico de la*

pintura futurista. Tras haber usado el cubismo y el orfismo para modernizar el aspecto de sus pinturas, los jóvenes futuristas convirtieron algunas de las ideas de «velocidad y afición al peligro» del manifiesto original en una cianotipia para la pintura futurista. El 30 de abril de 1911, un año después de la publicación de su manifiesto conjunto, se inauguró en Milán la primera exposición de pinturas colectiva bajo el paraguas futurista con obras de Carrà, Boccioni y Russolo entre otros. Éstas demostraban cómo un manifiesto teórico podía de hecho aplicarse a la pintura.

«El gesto para nosotros ya no será un *momento fijo* de dinamismo universal: será decisivamente la *sensación dinámica* hecha eterna», habían declarado. Con una insistencia igualmente mal definida en la «actividad» y el «cambio» y un arte «que encuentra sus componentes en sus alrededores, los pintores futuristas empezaron a trabajar en la performance como el método más directo de obligar al público a tomar nota de sus ideas. Por ejemplo, Boccioni había escrito «que la pintura ya no era una escena exterior, el escenario de un espectáculo teatral». De manera similar, Soffici había escrito «que el espectador debe vivir en el centro de la acción pintada». De modo que fue este precepto para la pintura futurista el que también justificó las actividades de los pintores como intérpretes.

La performance fue la manera más segura de trastornar a un público complaciente. Dio a los artistas autorización para ser tanto «creadores» en el desarrollo de una nueva forma de teatro de artistas como «objetos de arte» en los cuales no establecían separación entre su arte como poetas, como pintores o como intérpretes. Los manifiestos subsiguientes aclararon muy bien estas intenciones: mandaban a los artistas «salir a la calle, lanzar ataques desde los teatros e introducir los puñetazos en la batalla artística». Y fieles a la fórmula, eso es lo que hicieron. La respuesta del público no fue menos frenética: misiles

"LA TEATRAL"
Società in Accomandita - *Direttore-Gerente* Walter Mocchi
Buenos-Ayres · Rio Janeiro Santiago de Chile Roma

TEATRO COSTANZI
ROMA
Grande Stagione Lirica Carnevale-Quaresima 1912-913

Domenica 9 Marzo 1913
alle ore 21 prec.

GRANDE SERATA
FUTURISTA

PROGRAMMA

1. INNO ALLA VITA
Sinfonia futurista del maestro Balilla Pratella
eseguita dall'Orchestra del Costanzi e diretta dall'Autore

2. La Poesia nuova di *Paolo Buzzi.*
La Fontana malata di *Aldo Palazzeschi.*
L'orologio ed il suicida di *A. Palazzeschi.*
Sciopero generale di *Luciano Folgore*
Sidi Messri di *F. T Marinetti.*

Queste poesie futuriste saranno declamate del Poeta
F. T. MARINETTI

3. *Il pittore e scultore futurista*
UMBERTO BOCCIONI
parlerà della "Pittura e Scultura futurista"

CONSIGLIO AI ROMANI
di F. T. MARINETTI.

PREZZI
1 Lira · INGRESSO · Lire 1
Palchi I e II Ordine L. 25 — III Ordine L. 10
Poltrone L. 6 Sedie L. 3 Anfiteatro L. 2 (tutto oltre l'ingresso)
Galleria. Posti num. L. 1,50 · Galleria Posti non num. L. 1
(compreso l'ingresso)
Il Teatro si apre alle ore 8 ¾ · La Galleria si apre alle 8 ½

Il camerino del teatro è aperto dalle ore 10 ant. in poi nei giorni di rappresentazione e dalle ore 10 ant. alle ore 5 pom. in quelli di riposo. - *Telefono 10-27.*

Per comodità del pubblico la vendita dei biglietti verrà effettuata anche all'Ufficio Viaggi (Tourist Office) dell'Associazione Movimento Forestieri, Corso Umberto I, 234 - Telef. 32-18

ROMA Offic. Tip. dell'Impresa Generale di Affissioni e Pubblicità · Aracoeli 48

6 *Página anterior*: Umberto Boccioni, caricatura de una velada futurista, 1911

7 Umberto Boccioni, caricatura de Armando Mazza, 1912

8 Cartel para una velada futurista, Teatro Costanzi, Roma, 1913

9 Valentine de Saint-Point en *Poema de atmósfera*, bailado en la Comédie des Champs-Elysées el 20 de diciembre de 1913. Fue una de las pocas mujeres intérpretes futuristas. También fue la única futurista que actuó en Nueva York, en el Metropolitan Opera House, en 1917

10 Luigi Russolo, Carlo Carrà, F. T. Marinetti, Umberto Boccioni y Gino Severini, en París, 1912

de patatas, naranjas y cualquier otra cosa que el público entusiasta pudiera coger de los mercados cercanos volaban a raudales hacia los intérpretes. En una de esas ocasiones, Carrà se desquitó con esta frase: «¡Arrojen una idea en lugar de una patata, idiotas!».

A muchas veladas siguieron arrestos, condenas, un día o dos en la cárcel y publicidad gratis en los días inmediatos. Pero éste era precisamente el efecto que ellos pretendían: Marinetti incluso escribió un manifiesto sobre el «Placer de ser abucheado» como parte de su *Guerra, la única higiene del mundo* (1911-15). Los futuristas deben enseñar a todos los autores e intérpretes a despreciar al público, insistía. Los aplausos meramente indicaban «algo mediocre, soso, regurgitado o demasiado bien digerido». El abucheo aseguraba al actor que el público estaba vivo, no simplemente cegado por la «intoxicación intelectual». Sugería varios trucos destinados a enfurecer al público: venta del doble de las localidades de la sala, revestir las butacas con pegamento, etc. Y alentaba a sus amigos a hacer todo lo que se les ocurriera en el escenario.

De manera que en el Teatro dal Verme de Milán en 1914, los futuristas hicieron trizas y luego incendiaron una bandera austríaca, antes de llevar la refriega a las calles, donde se quemaron más banderas austríacas para «las familias de peces gordos que lamen su helado».

Manifiestos sobre la performance

Los manifiestos de Pratella sobre música futurista habían aparecido en 1910 y 1911 y uno sobre dramaturgos futuristas (obra de trece poetas, cinco pintores y un músico) en enero de 1911. Los manifiestos alentaban a los artistas a presentar performances más elaboradas y sucesivamente experimentos con la performance que condujeran a manifiestos más detallados. Por ejemplo, meses de veladas improvisadas con su amplia gama de tácticas de performance habían conducido al *Manifiesto del teatro de variedades*, cuando se hizo apropiado formular una teoría oficial del teatro futurista. Publicado en octubre de 1913 y un mes más tarde en el *Daily Mail* de Londres, no mencionaba las veladas anteriores, pero sí explicaba las intenciones de muchas de aquellas ocasiones llenas de incidentes. También en 1913, la revista *Lacerba*, con base en Florencia y anteriormente realizada por los rivales de los futuristas, se había convertido, después de muchas discusiones, en el órgano oficial de los futuristas.

Marinetti admiraba el teatro de variedades por una razón por encima de todas las otras: porque «tiene la suerte de no tener tradición, ni maestros, ni dogma». De hecho, el teatro de variedades sí tenía sus tradiciones y sus maestros, pero era precisamente su *variedad* —su mezcla de filme y acrobacia, canción y danza, payasadas y «la gama completa de estupidez, imbecilidad, tontería y absurdo, que insensiblemente empuja la inteligencia hasta el borde mismo de la locura»— lo que la hacía un modelo ideal para las performances futuristas.

Había otros factores que justificaban su alabanza. En primer lugar el teatro de variedades no tenía argumento (lo que Marinetti consideraba totalmente innecesario). Los autores, actores y técnicos del teatro de variedades sólo tenían una razón para existir, decía. Ésta era «inventar incesantemente nuevos elementos de asombro». Además, el teatro de variedades obligaba al público a colaborar, liberándolos de sus papeles pasivos como «estúpidos mirones». Y puesto que el público «coopera de este modo con la fantasía de los actores, la acción se desarrolla simultáneamente en el escenario, en los palcos y en el patio de butacas». Además, explica «rápida y mordazmente», tanto a adultos como a niños, «los problemas más abstrusos y los acontecimientos políticos más complicados».

Desde luego, otro aspecto de esta forma de cabaré que tenía atractivo para Marinetti consistía en el hecho de que era «antiacadémico, primitivo e ingenuo, por lo tanto aún más importante por lo inesperado de sus descubrimientos y la simplicidad de sus medios». En consecuencia, en el fluir de la lógica de Marinetti, el teatro de variedades «destruye lo Solemne, lo Sagrado, lo Serio y lo Sublime en Arte con A mayúscula». Y, por último, como un plus añadido, ofrecía el teatro de variedades «a todos los países (como Italia) que no tienen una sola capital como un brillante resumen de París, considerado el único centro magnético del lujo y el placer ultrarrefinado».

Una intérprete iba a personificar la destrucción última de lo Solemne y lo Sublime y ofrecer una performance del placer. Valentine de Saint-Point, la

autora del *Manifiesto de la lujuria* (1930), representada el 20 de diciembre de
9 1913 en la Comédie des Champs-Elysées de París, una danza curiosa —poemas de amor, poemas de guerra, poemas de atmósfera— delante de unas grandes piezas de tela sobre las que se proyectaban luces de colores. Sobre otras paredes se proyectaban ecuaciones matemáticas, mientras que una música de fondo de Satie y Debussy acompañaba su elaborada danza. Más tarde iba a actuar en 1917 en el Metropolitan Opera House de Nueva York.

Instrucciones sobre cómo interpretar

Una versión más cuidadosamente diseñada y elaborada de las veladas anteriores, que ejemplificaban algunas de las ideas expuestas en el *Manifiesto del teatro de variedades*, escrito por Francesco Cangiullo como un drama de «palabras en libertad» (*parole in libertà*), y representado por Marinetti, Balla y Cangiullo en la Galería Sprovieri, en Roma, el 29 de marzo y el 5 de abril de 1914. Para esta ocasión, la galería, iluminada con luces rojas, estaba decorada con pinturas de Carrà, Balla, Boccioni, Russolo y Severini. La compañía —«un diminuto grupo que se cubría con fantásticos sombreros de papel de seda» (en realidad Sprovieri, Balla, Depero, Radiante y Sironi)— ayudaba a Marinetti y Balla. Ellos «declamaban las "palabras en libertad" del futurista Cangiullo, que trabaja como independiente», mientras que el propio autor tocaba el piano. Cada uno era responsable de varios instrumentos para hacer ruidos «caseros»: grandes conchas marinas, un arco de violón (en realidad una sierra con matracas de estaño pegadas) y una pequeña caja de terracota cubierta de piel. En el interior de esta caja estaba ajustada una caña que vibraba cuando la «frotaba suavemente una mano seca». De acuerdo con la prosa «disparatada» típica de Marinetti, representaba una «ironía violenta con la cual una raza joven y sensata corrige y combate todos los venenos nostálgicos de la música celestial».

Típicamente, esta performance condujo a otro manifiesto, el de la *Declamación dinámica y sinóptica*. En esencia, instruía a los intérpretes en potencia sobre cómo representar, o «declamar» como lo expresaba Marinetti. El propósito de esta técnica de «declamación», insistía, era «liberar a los círculos intelectuales de la declamación vieja, estática, pacifista y nostálgica». Para estos fines se deseaba una nueva declamación dinámica y belicosa. Marinetti se declaraba investido de la «indisputable primacía mundial como declamador del verso libre y las palabras en libertad». Esto, decía, lo habilitaba para advertir las deficiencias de la declamación según habían sido entendidas hasta entonces. Los declamadores futuristas, insistía, debían declamar tanto con las piernas como con los brazos. Las manos del declamador debían, además, manejar diferentes instrumentos para hacer ruidos.

El primer ejemplo de una declamación dinámica y sinóptica había sido *Piedigrotta*. La segunda tuvo lugar en la Doré Gallery de Londres hacia fines de abril de 1914, poco después del regreso de Marinetti de un viaje a Moscú y San Petersburgo. Según la reseña del *Times*, la habitación estaba «decorada con muchos especímenes de la escuela de arte ultramoderna» y «Mademoiselle flicflic chapchap» —una bailarina de ballet con boquillas

11 Russolo y su ayudante Piatti con *intonarumori*, o instrumentos de ruidos, 1913

12 Marinetti hablando en una velada futurista con Cangiullo

13 Portada de *Zang tumb tumb*, 1914, de Marinetti

14 Marinetti, *Tavola parolibera*, 1919

de cigarros por piernas y cigarrillos por cuello— estaba de servicio. Dinámica y sinópticamente, Marinetti declamó varios pasajes de su performance
13 *Zang tumb tumb* (en el sitio de Adrianópolis): «En la mesa delante de mí tenía un teléfono, algunas tablas y martillos a juego que me permitían imitar las órdenes del general turco y los sonidos del fuego de la artillería y las ametralladoras», escribió. Se habían colocado pizarras en tres partes del vestíbulo, a las cuales él sucesivamente «corría o caminaba, para esbozar rápidamente una analogía con tiza. Mis oyentes, mientras se volvían para seguirme en todas mis evoluciones, participaban, sus cuerpos enteros inflamados de emoción, en los violentos efectos de la batalla descrita por mis palabras en libertad». En una habitación contigua, el pintor Nevinson golpeaba violentamente dos enormes tambores cuando Marinetti se lo indicaba por el teléfono.

Música de ruidos

Zang tumb tumb, «artillería onomatopéyica» de Marinetti como él la llamó, fue originalmente escrita en una carta desde las trincheras búlgaras al pintor Russolo en 1912. Inspirado por la descripción que Marinetti hacía de la «orquesta de la gran batalla» —«cada cinco segundos los cañones del sitio destripaban el espacio mediante un acorde: una sublevación de TAM TUUUMB de quinientos ecos para cornearlo, triturarlo y dispersarlo hasta el infinito»— Russolo comenzó una investigación del arte del ruido.

Después de un concierto de Balilla Pratella en Roma en marzo de 1913, en el atestado Teatro Costanzi, Russolo escribió su manifiesto *El arte de los ruidos*. La música de Pratella había confirmado a Russolo la idea de que los sonidos de las máquinas eran una forma viable de música. Dirigiéndose a Pratella, Russolo explicó que mientras escuchaba la ejecución orquestal de esa «vigorosa música futurista» del compositor, había concebido un arte nuevo, el arte de los ruidos, que era una consecuencia lógica de las innovaciones de Pratella. Russolo argumentó una difinición del ruido más precisa: en la antigüedad sólo había silencio, explicó, pero, con la invención de la máquina en el siglo XIX, «nació el ruido». Entonces, dijo, el ruido había llegado al dominio «supremo sobre la sensibilidad de los hombres». Además, la evolución de la música fue paralela a la «multiplicación de las máquinas», lo que proporcionó una competición de ruidos, «no sólo en la ruidosa atmósfera de las grandes ciudades, sino también en el campo que hasta ayer era normalmente silencioso», de modo que «el sonido puro, en su exigüidad y monotonía, ya no despierta emociones».

El arte de los ruidos de Russolo aspiraba a combinar el ruido de los tranvías, las explosiones de los motores, los trenes y las multitudes vociferantes. Se construyeron instrumentos especiales, que, al girar un manguito, producían esos efectos. Cajas de madera rectangulares, de unos noventa centímetros de altura con amplificadores en forma de embudo, contenían varios motores que hacían una «familia de ruidos»: la orquesta futurista. Según Russolo, eran posibles al menos treinta mil ruidos diferentes.

Las performances de música de ruidos se realizaron por primera vez en la lujosa mansión de Marinetti, Villa Rosa, en Milán, el 11 de agosto de 1913, y en junio del año siguiente en Londres, en el Coliseum. El *Times* de Londres reseñó el concierto: «Misteriosos instrumentos en forma de embudo [...] *11*
recordaban los sonidos oídos en la jarcia de un buque de vapor del canal durante un mal cruce, y quizá fue imprudencia de los músicos —¿o deberíamos decir de los "hacedores de ruidos"?— seguir adelante con la segunda pieza [...] después de los patéticos gritos de "no más" que recibieron desde todos los rincones alborotados del auditorio».

Movimientos mecánicos

La música de ruidos se incorporó a las performances, en su mayor parte como música de fondo. Pero así como el manifiesto *El arte de los ruidos* había propuesto medios para mecanizar la música, el de *Declamación dinámica y sinóptica* bosquejaba reglas para las acciones del cuerpo basadas en los movimientos de staccato de las máquinas. «Gesticulad geométricamente —había aconsejado el manifiesto—, de una manera topológica como de delineante, creando sintéticamente en el aire cubos, conos, espirales y elipses.»

La *Macchina tipografica* (*Prensa*) de Giacomo Balla de 1914 llevó a cabo *15, 16*
estas instrucciones en una representación privada realizada para Diáguilev.

Doce personas, cada una parte de una máquina, actuaban delante de un telón de fondo pintado con la única palabra «Tipografica». De pie uno detrás de otro, seis intérpretes, con los brazos extendidos, simulaban cada uno un pistón, mientras que los otros seis creaban una «rueda» movida por los pistones. Las performances se ensayaban para asegurar la precisión mecánica. Un participante, el arquitecto Virgilio Marchi, describió cómo Balla había dispuesto a los intérpretes en dibujos geométricos y ordenó a cada persona «representar el alma de las piezas individuales de una prensa rotativa». A cada intérprete se le asignó un sonido onomatopéyico para acompañar su movimiento específico. «Me dijeron que repitiera con violencia la sílaba "STA"», escribió Marchi.

Esta mecanización del intérprete imitaba ideas similares del director y teórico teatral británico Edward Gordon Craig, cuya prestigiosa revista *The Mask* (que había reimpreso el *Manifiesto del teatro de variedades* en 1914) se publicaba en Florencia. Enrico Prampolini, en sus manifiestos sobre *Escenografía futurista* y *Atmósfera escénica futurista* (ambos de 1915), exigía, como Craig lo había hecho en 1908, la abolición del intérprete. Craig había sugerido que el intérprete fuera reemplazado por un *Übermarionette*, pero de hecho nunca llevó a cabo esta teoría en una representación. Prampolini, en un ataque encubierto a Craig, hablaba de eliminar la «supermarioneta de hoy en día recomendada por intérpretes recientes». Con todo, los futuristas en efecto construyeron esas criaturas inhumanas y «representaron» con ellas.

Gilbert Clavel y Fortunato Depero, por ejemplo, presentaron en 1918 un programa de cinco performances breves en el teatro de marionetas, Te-
18 atro dei Piccoli, en el Palazzo Odelaschi de Roma. *Danzas plásticas* fue concebida para marionetas de tamaño más pequeño que el natural. Una figura, «el buen salvaje» de Depero, era más alta que un hombre; su característica especial era un pequeño escenario que caía desde el vientre del salvaje y revelaba diminutos «salvajes» bailando su propia rutina de marionetas. Una de las secuencias incluía una «lluvia de cigarrillos» y otra una «danza de sombras» —«sombras dinámicas construidas: juegos de luces»—. Representada dieciocho veces, *Danzas plásticas* fue un gran éxito en el repertorio futurista.

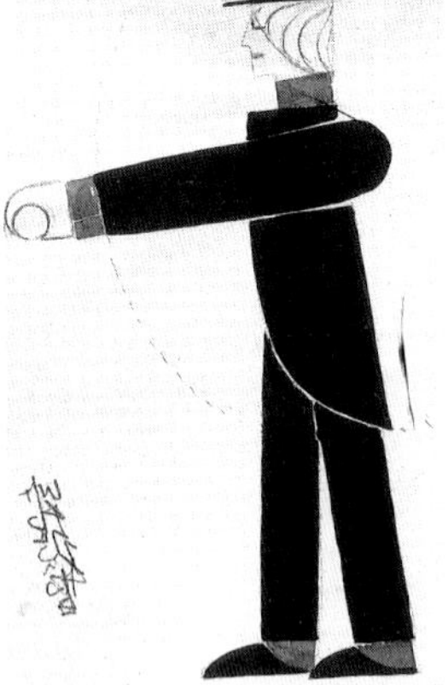

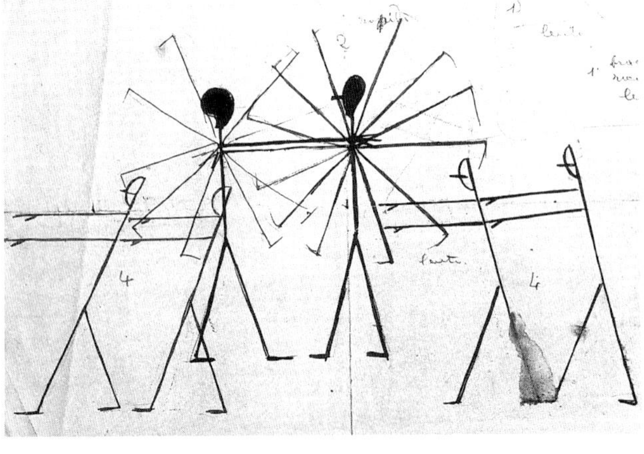

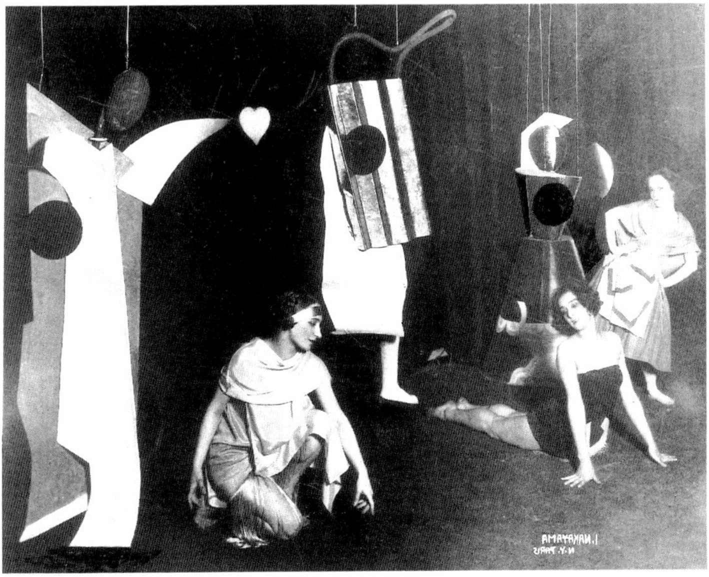

17 Enrico Prampolini
y Franco Casavola,
El mercader de corazones,
1927

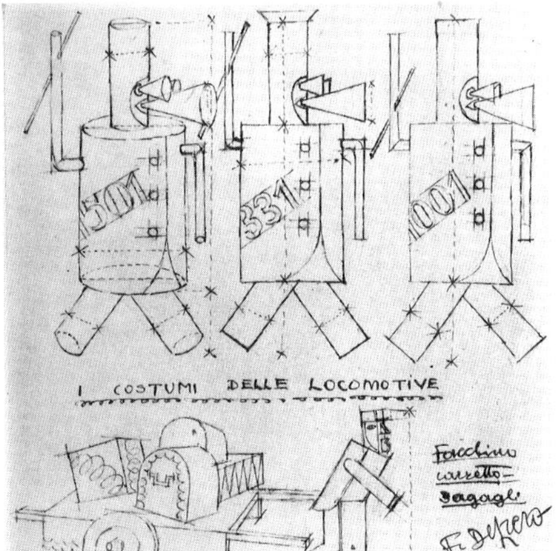

18 «El buen salvaje», uno de los títeres de Depero para *Danzas plásticas*, 1918, de él y Clavel

19 Depero, trajes para *Macchina del 3000*, un ballet mecánico con música de Casavola, 1924

15 *Página anterior*: Personaje mecánico de la composición futurista de G. Balla *Macchina tipografica*, 1914

16 *Página anterior*: Balla, dibujo del movimiento de los actores para *Macchina tipografica*, 1914

17 *El mercader de corazones* de Prampolini y Casavola, representada en 1927, combinaba títeres y figuras humanas. Los títeres de tamaño natural estaban suspendidos del cielo raso. Más abstractas en cuanto al diseño y menos movibles que las marionetas tradicionales, estas figurillas «representaban» junto con los actores vivos.

Ballets futuristas

Un motivo esencial para estos títeres mecánicos y decorados movibles fue
21 el compromiso de los futuristas a integrar figuras y decorados en un entorno continuo. Por ejemplo, en 1919 Ivo Pannaggi había diseñado trajes mecánicos para las *Balli meccanichi* (*Danzas mecánicas*), mezclando figurillas en el escenario futurista pintado, mientras que Balla, en una performance de
20 1917 basada en los *Fuegos artificiales* de Stravinski, había experimentado con la «coreografía» del propio escenario. Presentado como parte del programa de los Ballets rusos de Diáguilev en el Teatro Costanzi de Roma, los únicos «intérpretes» en *Fuegos artificiales* eran los decorados movibles y las luces. El decorado era una versión tridimensional ampliada de una de las pinturas de Balla y el propio Balla dirigía el «ballet de luces» desde un tablero de mandos de luces. No sólo el escenario, sino también el patio de butacas, eran alternativamente iluminados y oscurecidos en esta performance sin actores. En total, la performance duraba justo cinco minutos y, durante este tiempo, según las notas de Balla, el público había presenciado no menos de cuarenta y nueve escenarios diferentes.

Para aquellos «ballets» de intérpretes vivos, Marinetti esbozó instrucciones adicionales sobre «cómo moverse» en su manifiesto sobre *Danza futurista* de 1917. Allí, de manera atípica, reconoció las admirables cualidades de determinados bailarines contemporáneos, por ejemplo Nijinski, «con quien la geometría pura de la danza, libre de la imitación y sin estímulo sexual, aparece por primera vez», Isadora Duncan y Loie Fuller. Pero, advertía, uno debe ir más allá de las «posibilidades musculares» y aspirar en la danza a «ese cuerpo multiplicado ideal del motor con el que tanto tiempo hemos soñado». Marinetti explicó con mucho detalle cómo iba a hacerse. Propuso una danza de la metralla que incluía instrucciones como «con los pies marcar el *boom — boom* de los proyectiles que proceden de la boca del cañón». ¡Y para la danza de la aviadora recomendaba que la bailarina «simulara con sacudidas y zigzagues de su cuerpo los sucesivos esfuerzos de un avión tratando de despegar»!

Pero cualquiera que fuera la naturaleza de la «metalización de la danza futurista», las figuras seguían siendo sólo un componente de la performance en su conjunto. De manera obsesiva, los numerosos manifiestos sobre escenografía, pantomima, danza o teatro, insistían en combinar actor y escenografía en un espacio especialmente diseñado. Sonido, escena y gesto, había escrito Prampolini en su manifiesto de *Pantomima futurista*, «deben crear un sincronismo psicológico en el alma del espectador». Este sincronismo, explicó, respondía a las leyes de simultaneidad que ya reglamentaban «la sensibilidad futurista mundial».

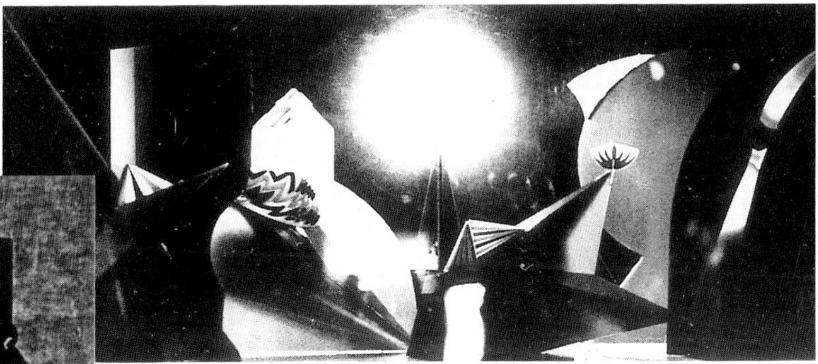

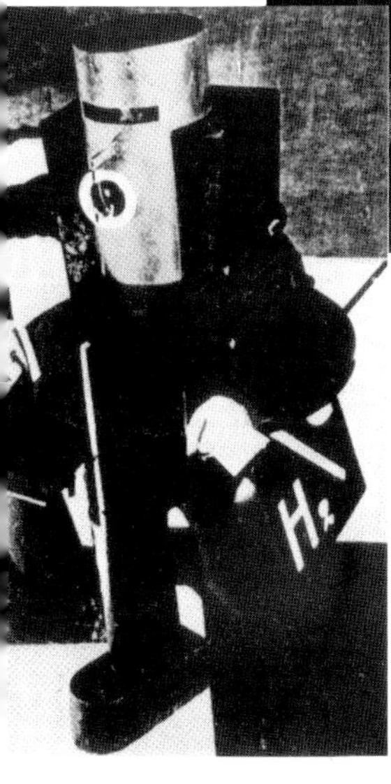

20 Diseño de 1915 de Balla para *Fuegos artificiales*, 1917, de Stravinski

21 Pannaggi, traje para un ballet de M. Michailov, h. 1919. Los trajes «deformaban toda la figura provocando movimientos mecánicos»

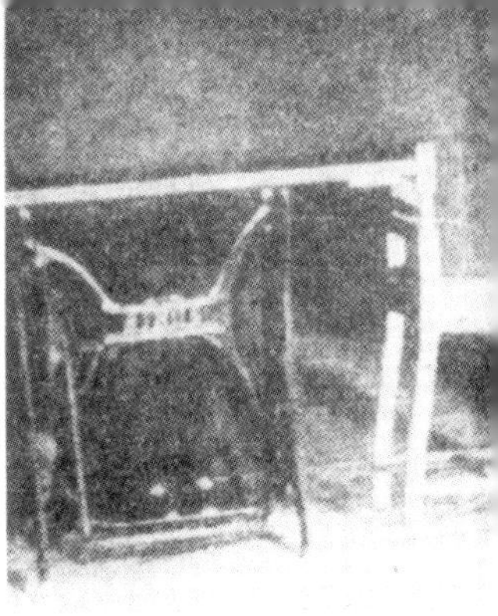

22 Salida de sillas de *Están llegando*, 1915, de Marinetti

Teatro sintético

Ese «sincronismo» había sido trazado en detalle en el manifiesto de *Teatro sintético futurista* de 1915. Esta noción fue explicada con facilidad: «*Sintético*. Es decir, muy breve. Condensa en unos pocos minutos, en unas pocas palabras y unos pocos gestos, innumerables situaciones, sensibilidades, ideas, sensaciones, hechos y símbolos». El teatro de variedades había recomendado representar en una sola velada todas las tragedias griegas, francesas e italianas condensadas y mezcladas de manera graciosa. También había sugerido reducir toda la obra de Shakespeare a un solo acto. De manera similar, la síntesis (*sintesi*) futurista constaba deliberadamente de breves performances de «una idea». Por ejemplo, la idea única en *Acto negativo* de Bruno Corra y Emilio Settimelli era precisamente esa: negativa. Un hombre entra en escena: está «atareado, preocupado [...] y camina con furia». Mientras se quita el abrigo repara en el público. «No tengo absolutamente nada que decirles [...]. ¡Bajad el telón!», grita.

El manifiesto condenaba el «teatro apegado al pasado» por su tentativa de presentar el espacio y el tiempo de manera realista: «Apretuja muchas plazas de ciudad, paisajes, calles, en la salchicha de una sola habitación», se quejaba. Por el contrario, el teatro sintético futurista debía, mecánicamente, «a fuerza de brevedad, [...] lograr un teatro por completo nuevo y perfectamente acorde con nuestra rápida y lacónica sensibilidad futurista». De modo que el escenario se reducía a un mínimo desnudo. Por ejemplo, la síntesis de
23 Marinetti *Pies* consistía sólo en los pies de los intérpretes. «Un telón ribeteado de negro debía levantarse hasta más o menos la altura del estómago de un hombre —explicaba el guión—. El público sólo ve piernas en acción. Los actores deben tratar de dar la mayor expresión a las actitudes y movimientos de sus extremidades inferiores.» Siete escenas inconexas giraban alrededor de los «pies» de los objetos, que incluían dos sillones, un sofá, una mesa y una máquina de coser a pedal. La breve secuencia acababa con un pie pateando la espinilla de otra figura incorpórea.

22 En *Están llegando*, síntesis de 1915 de Marinetti, los asientos mismos se convertían en los «personajes» principales. En una lujosa habitación iluminada por una gran araña de luces, un mayordomo simplemente anunciaba: «Están llegando». En ese momento dos criados disponían de prisa ocho sillas

23 *Pies*, 1915, de Marinetti, una *sintesi* que consistía sólo en los pies de los intérpretes y los objetos

en herradura detrás del sillón. El mayordomo atravesaba la habitación corriendo mientras gritaba «Briccatirakamekame», y salía. Repetía esta curiosa acción una segunda vez. Luego los sirvientes redisponían los muebles, apagaban las luces de la araña y los decorados permanecían débilmente iluminados «por la luz de la luna que entraba por las contraventanas». Luego los criados «apretados en un rincón, esperan temblorosos con evidente dolor, mientras las sillas abandonan la habitación».

Los futuristas rechazaron explicar el significado de estas síntesis. Resultaba «estúpido consentir el primitivismo de la multitud —escribieron—, que en el análisis último quiere ver que el individuo malo pierde y el bueno gana». No había razón alguna, continuaba el manifiesto, de que el público siempre debiera comprender de manera total los detalles de cada acción escénica. A pesar de este rechazo a dar «contenido» o «significado» a las síntesis, muchos de ellos se centraban en gags reconocibles sobre la vida artística. Su duración estaba calculada de manera muy similar a secuencias del teatro de variedades, con escena introductoria, frase clave y salida rápida.

Genio y cultura de Boccioni era un relato breve de un artista desesperado, se suicida torpemente mientras que el crítico siempre presente, que «durante veinte años había estudiado profundamente este maravilloso fenómeno (el artista)», vela su rápida muerte. En ese momento exclamaba: «Dios, ahora tendré que escribir una monografía». Luego, permaneciendo inmóvil por encima del cadáver del artista «como un cuervo cerca de la muerte», comenzaba a escribir, pensando en voz alta: «Hacia 1915, floreció un maravilloso artista [...] al igual que todos los grandes, tenía una altura de 1,68 metros, y una anchura de...», y caía el telón.

Simultaneidad

Una sección del manifiesto del teatro de síntesis estaba dedicada a explicar la idea de la simultaneidad. La simultaneidad «nace de la improvisación, de la intuición como una iluminación, de la realidad sugerente y reveladora», explicaba. Creían que una obra era valiosa sólo «en la medida que era improvisada (horas, minutos, segundos), no extensamente preparada (meses, años, siglos). Ésta era la única manera de capturar los confusos «fragmentos de actos interconectados» que se encuentran en la vida cotidiana, que para ellos era muy superior a cualquier intento de teatro realista.

La obra *Simultaneidad* de Marinetti fue la primera que dio forma a esta sección del manifiesto. Publicada en 1915, consistía en dos espacios diferentes, con intérpretes en ambos, que ocupaban el escenario al mismo tiempo. Durante la mayor parte de la obra, las diversas acciones tenían lugar en mundos separados, totalmente ignorante el uno del otro. En un momento, no obstante, la «vida de la hermosa mujer ligera» penetraba la de la familia burguesa en la escena adyacente. Este concepto lo elaboró Marinetti al año siguiente en *Los vasos comunicantes*. En ella la acción transcurría en tres lugares simultáneamente. Como en la obra anterior, la acción rompía las divisiones, y las escenas se seguían en rápida sucesión dentro y fuera de los decorados adyacentes.

La lógica de la simultaneidad también condujo a guiones escritos en dos columnas, como con «Esperando» de Mario Dessy, impreso en su libro *¿Su marido no trabaja?... ¡Cámbielo!* Cada columna describía la escena de un joven paseándose nerviosamente de un lado para otro, manteniendo un ojo atento en los varios relojes. Ambos estaban esperando la llegada de sus amantes. Ambos estaban decepcionados.

Algunas síntesis podían describirse como «obra como imagen». Por ejemplo en *No hay perro*, la única «imagen» era la breve caminata de un perro a través del escenario. Otras describían sensaciones, como en *Estados de ánimo desconcertados* de Balla. En esta obra cuatro personas vestidas de manera diferente recitaban juntas varias secuencias de números, seguidas de vocales y consonantes; luego simultáneamente representaban las acciones de quitarse el sombrero, mirar un reloj, sonarse la nariz y leer un periódico («siempre seriamente»); y, por último, pronunciaban juntos, de manera muy expresiva, las palabras «tristeza», «rapidez», «placer», «negativa». *Locura* de Dessy intentaba infundir esa misma sensación en el público. «El protagonista enloquece, el público se inquieta, y otros personajes enloquecen.» Como el guión explicaba, «poco a poco cada uno se siente trastornado, obsesionado por la idea de locura que los domina a todos. De pronto los espectadores (inculcados) se ponen de pie chillando... se dan a la fuga... confusión... LOCURA.»

Incluso otra síntesis tenía que ver con los colores. En la obra de Depero, de hecho llamada *Colores*, los «personajes» eran cuatro objetos de cartón —Gris (plástico, ovoide), Rojo (triangular, dinámico), Blanco (de rayas largas, puntiagudo) y Negro (muchos globos)— y eran movidos por cuerdas invisibles en un espacio cúbico azul. Fuera del escenario, los intérpretes proporcionaban efectos sonoros o «parolibero» como «bulubu bulu bulu bulu bulu bulu» que supuestamente correspondían a los diferentes colores.

Luz, de Cangiullo, comenzaba con el escenario y el patio de butacas completamente a oscuras, durante «tres NEGROS minutos». El guión advertía que «la obsesión por las luces debían provocarla varios actores distribuidos en el patio de butacas, hasta que se vuelve salvaje, loca, hasta que todo el espacio es iluminado de una ¡MANERA EXAGERADA!».

Últimas actividades futuristas

Hacia mediados de la década de 1920 los futuristas habían establecido completamente la performance como un medio de arte por derecho propio. En Moscú y Petrogrado, París, Zurich, Nueva York y Londres, los artistas la utilizaban como un medio para romper las fronteras de los varios géneros de arte, aplicando, en mayor o menor medida, las tácticas provocativas e ilógicas sugeridas por los diversos manifiestos futuristas. Aunque en sus años formativos el futurismo había parecido constar en su mayor parte de tratados teóricos, diez años más tarde el número total de performances en estos diversos centros era considerable.

En París, la publicación del manifiesto surrealista en 1924 introdujo una sensibilidad completamente nueva. Mientras tanto los futuristas estaban escribiendo cada vez menos manifiestos propios. Uno de los últimos, *El Teatro de la Sorpresa*, escrito en octubre de 1921 por Marinetti y Cangiullo, no iba más allá de los escritos seminales más tempranos; más bien intentaba colocar las actividades futuristas en una perspectiva histórica, dando crédito a su obra anterior, que ellos consideraban que todavía no había sido aclamada. «Si en la actualidad existe un teatro italiano joven con una mezcla de serio-cómico-grotesco, personas irreales en entornos reales, simultaneidad e interpenetración de tiempo y espacio —declararon— se debe a nuestro *teatro sintético*.»

Con todo, sus actividades no decrecieron. De hecho las compañías de intérpretes futuristas hicieron giras por todas las ciudades italianas, y se permitieron viajar a París en varias ocasiones. La compañía del Teatro de la Sorpresa estaba dirigida por el actor-empresario Rodolfo De Àngelis. Además de De Àngelis, Marinetti y Cangiullo, incluía cuatro actrices, tres actores, un niño pequeño, dos bailarines, un acróbata y un perro. Después de debutar en el Teatro Mercadante de Nápoles el 30 de septiembre de 1921, hicieron una gira por Roma, Palermo, Florencia, Génova, Turín y Milán. En 1924 De Àngelis organizó el Nuevo Teatro Futurista con un repertorio de unas cuarenta obras. Con sus limitados presupuestos, las compañías se veían obligadas a poner aún más en juego su genio para la improvisación, y recurrir a medidas aún más vigorosas para «provocar palabras y actos absolutamente improvisados» por parte de los espectadores. Al igual que en las performances más tempranas, se habían distribuido actores en el patio de butacas, de manera que en esas giras Cangiullo distribuyó instrumentos de la orquesta por toda la sala: un trombón sonaba desde un palco, un contrabajo desde una butaca de platea y un violín desde la parte posterior del patio de butacas.

No dejaron campo alguno del arte sin tocar. En 1916 habían realizado un filme futurista, *Vida futurista*, que investigaba nuevas técnicas cinematográficas: colorear el positivo para indicar, por ejemplo, «estados de ánimo»; distorsionar las imágenes mediante el uso de espejos; escenas de amor entre Balla y una silla; técnicas de pantalla partida, y una breve escena con Marinetti demostrando el andar futurista. En otras palabras, era una aplicación directa de muchas de las cualidades de la síntesis al filme, con imágenes similarmente inconexas.

Hubo incluso un manifiesto de *Teatro aéreo futurista*, que el aviador Fedele Azari escribió en abril de 1919. Esparció este texto desde el cielo en su «primer vuelo de diálogo expresivo» en medio de un ballet aéreo, produciendo al mismo tiempo *intonarumori* (entonadores de ruidos) de vuelo —controlando el volumen y el sonido del motor del aeroplano— con un mecanismo inventado por Luigi Russolo. El aviador estimó que el ballet aéreo era la mejor manera de llegar al más extenso número de espectadores en el período más breve, y en febrero de 1920 Mario Scaparro escribió su guión para la performance. Titulada *Un nacimiento*, la obra de Scaparro representaba a dos aeroplanos haciendo el amor detrás de una nube y dando a luz a cuatro intérpretes humanos: aviadores completamente equipados que saltarían del avión para concluir la performance.

Así los futuristas atacaron todos los productos posibles del arte, aplicando su genio a las innovaciones tecnológicas de la época. Esto abarcó los años entre la Primera y la Segunda Guerra Mundial, y su contribución más significativa tuvo lugar alrededor de 1933. Para ese momento, la radio ya había dado pruebas de ser un formidable instrumento de propaganda en el cambiante clima político de Europa; Marinetti reconoció su utilidad para sus propios fines. Marinetti y Pino Masnata publicaron el manifiesto *El teatro radiofónico futurista* en octubre de 1933. La radio se convirtió en el «nuevo arte que comienza donde el teatro, la cinematografía y la narración se detienen». Mediante la utilización de música de ruidos, intervalos de silencio e incluso «interferencia entre emisoras», las «performances» de radio se centraron en «la delimitación y la construcción geométrica del silencio». Marinetti escribió cinco síntesis de radio, que incluían *Los silencios hablan entre ellos* (con sonidos atmosféricos rotos por entre ocho y cuarenta segundos de «silencio puro») y *Un paisaje oye*, en el cual el sonido de fuego crepitando se alternaba con el de agua chapoteando.

Las teorías y representaciones futuristas cubrieron casi todas las áreas de la performance. Éste fue el sueño de Marinetti, pues él había exigido un arte que «debe ser un alcohol, no un bálsamo» y fue precisamente esta embriaguez lo que caracterizó a los crecientes círculos de grupos de arte que estaban empezando a trabajar en la performance como una manera de difundir sus radicales proposiciones del arte. «Gracias a nosotros —escribió Marinetti— llegará un momento en que la vida ya no será una simple cuestión de pan y trabajo, ni tampoco una vida de ociosidad, sino una *obra de arte*.» Ésta fue una premisa que iba a ser la razón fundamental de muchas performances posteriores.

CAPÍTULO II

Futurismo y constructivismo rusos

Dos factores marcaron los comienzos de la performance en Rusia: por una parte la reacción de los artistas contra el antiguo orden —tanto el régimen zarista como los estilos de pintura importados del impresionismo y comienzos del cubismo—; por la otra, el hecho de que el futurismo italiano —desconfiadamente extranjero, pero más aceptable puesto que se hacía eco de la llamada a abandonar las viejas formas de arte— fue reinterpretado en el contexto ruso, lo que proporcionó un arma general contra el arte del pasado. El año 1909 —en el cual el primer manifiesto futurista de Marinetti se publicó en Rusia y París— puede considerarse el año trascendente en cuanto a esto.

Tales ataques a los valores del arte anteriormente aceptados se expresaron entonces en el manifiesto casi futurista de 1912 de los poetas y pintores jóvenes Burliuk, Maiakovski, Livshits y Jlébnikov, titulado *Bofetada al gusto del público*. En el mismo año, la exposición «Rabo de asno» también se organizó como una protesta contra «la decadencia de París y Munich», defendiendo el compromiso de los artistas más jóvenes a desarrollar un arte esencialmente ruso siguiendo los pasos de la vanguardia rusa de la década de 1890. Puesto que los artistas rusos anteriormente habían puesto sus esperanzas en la Europa occidental, la nueva generación prometía invertir el proceso, para producir su impacto en el arte europeo desde una posición estratégica rusa enteramente nueva.

Enseguida aparecieron grupos de escritores y artistas por todos los principales centros culturales de San Petersburgo, Moscú, Kiev y Odessa. Comenzaron a organizar exposiciones y debates públicos, en los que confrontaban al público con sus provocativas declaraciones. Las reuniones pronto cobraron impulso y obtuvieron partidarios entusiastas. Un artista como David Burliuk dio una conferencia sobre *La Virgen de la Sixtina* de Rafael con fotografías de muchachos de pelo rizado, con el intento de trastornar las actitudes respetuosas hacia la historia del arte con la poco convencional yuxtaposición de una pintura seria y fotografías al azar de jóvenes locales. Maiakovski pronunció discursos y leyó su poesía futurista que proponía un arte del futuro.

Café El perro callejero

Enseguida un bar de San Petersburgo se convirtió en el lugar de reunión de la nueva elite artística. El Café El perro callejero, situado en la plaza Mijai-
24 lovskaia, atrajo a poetas como Jlébnikov, Anna Andreievna, Maiakovski y Burliuk (y su círculo) además de los directores de la joven y prometedora revista literaria *Satyricon*. Allí todos empezaron a conocer los principios del futurismo: Víktor Shklovski dio una conferencia sobre «El lugar del futurismo en la historia del lenguaje» y todos escribieron manifiestos. Los duros comentarios de los parroquianos de El perro callejero acerca del arte del pasado dio por resultado violentas peleas, exactamente como multitudes de italianos encolerizados habían disuelto las reuniones futuristas unos pocos años antes.

Los futuristas eran un espectáculo nocturno garantizado que atraía multitudes en San Petersburgo y Moscú. Muy pronto, cansados de la previsible audiencia del café, llevaron su «futurismo» al público: recorrieron las calles con vestimentas escandalosas, las caras pintadas, luciendo chisteras, americanas de terciopelo, pendientes y rábanos o cucharas en los ojales. «Por qué nos pintamos: un manifiesto futurista» aparecido en la revista *Argus* de San Petersburgo en 1913; declaraba que su autopintura era el primer «discurso

24 David Burliuk y Vladímir Maiakovski, 1914

25 El payaso Lazarenko, que trabajó estrechamente con los futuristas en numerosos espectáculos

26 *Drama en el cabaré nº 13*. Escena de un filme futurista que representa la vida «cotidiana» de los futuristas. La imagen muestra a Larionov, con Goncharova en brazos

que ha encontrado verdades desconocidas», explicaban que no aspiraban a una única forma de estética. «El arte no es sólo un monarca —rezaba—, sino que también es un periodista y un decorador. La síntesis de decoración e ilustración es la base de nuestra autopintura. Decoramos la vida y predicamos: ésa es la razón de por qué nos pintamos.» Unos pocos meses después salieron para una gira futurista de diecisiete ciudades, Vladímir Burliuk llevaba un par de pesas de nueve kilos en nombre del arte nuevo. Su hermano David llevaba el cartel «Yo: Burliuk» en la frente y Maiakovski rutinariamente apareció con su vestimenta de «abejorro» de traje de terciopelo negro y un jersey amarillo a rayas. Después de la gira, hicieron un filme *Drama en el cabaré nº 13*, que registraba su vida futurista cotidiana, se- *26*
guido por un segundo filme, *Quiero ser futurista*, con Maiakovski en el papel principal y el payaso y acróbata del Circo Estatal, Lazarenko, en el *25*
papel secundario. De esta manera establecieron el escenario para la representación del arte, y declararon que la vida y el arte iban a ser liberados de convenciones, tomando en cuenta la aplicación ilimitada de estas ideas a todos los campos de la cultura.

27 Matiushin, Malévich y Kruchenij en Uuisikirkko, Finlandia, en 1913. El compositor, el escenógrafo y el autor de la primera ópera futurista, *Victoria sobre el Sol*, representada ese mismo año

Victoria sobre el Sol

En octubre de 1913, el futurismo ruso se trasladó de las calles y las «películas caseras» al Luna Park de San Petersburgo. Maiakovski había estado trabajando en su tragedia, *Vladímir Maiakovski*, y su amigo y poeta futurista Alexei
27 Kruchenij, se encontraba planeando una «ópera», *Victoria sobre el Sol*. Una pequeña noticia apareció en el periódico *Speech* que invitaba a todos aquellos que desearan hacer una audición para las representaciones que fueran al Teatro Troiistski; «Actores, no os molestéis en acudir, gracias», rezaba. El 12 de octubre numerosos estudiantes se presentaron en el teatro. Uno de ellos, Tomachevski, escribió: «Ninguno de nosotros había considerado seriamente la posibilidad de ser contratado [...] teníamos delante la oportunidad no sólo de ver a los futuristas, sino de llegar a conocerlos, por decirlo así, en su propio entorno creativo». Y había un número de futuristas para que los estudiantes los vieran: Maiakovski, de veinte años, vestido con chistera, guantes y americana de terciopelo negro; Kruchenij bien afeitado y el bigotudo Mijaíl Matiushin que escribió la partitura de la ópera; Filonov, codiseñador del telón de fondo para la tragedia de Maiakovski, y Vladímir Rappaport, el autor y administrador futurista.

Primero, Maiakovski leyó su trabajo. No hizo intento alguno por disfrazar el tema de la obra, una celebración de su propio genio poético, con una obsesiva repetición de su propio nombre. La mayor parte de los personajes, incluso aquellos que respetaban a Maiakovski, eran «Maiakovski»: El hombre sin cabeza, El hombre con una oreja, El hombre con un ojo y una pierna, El

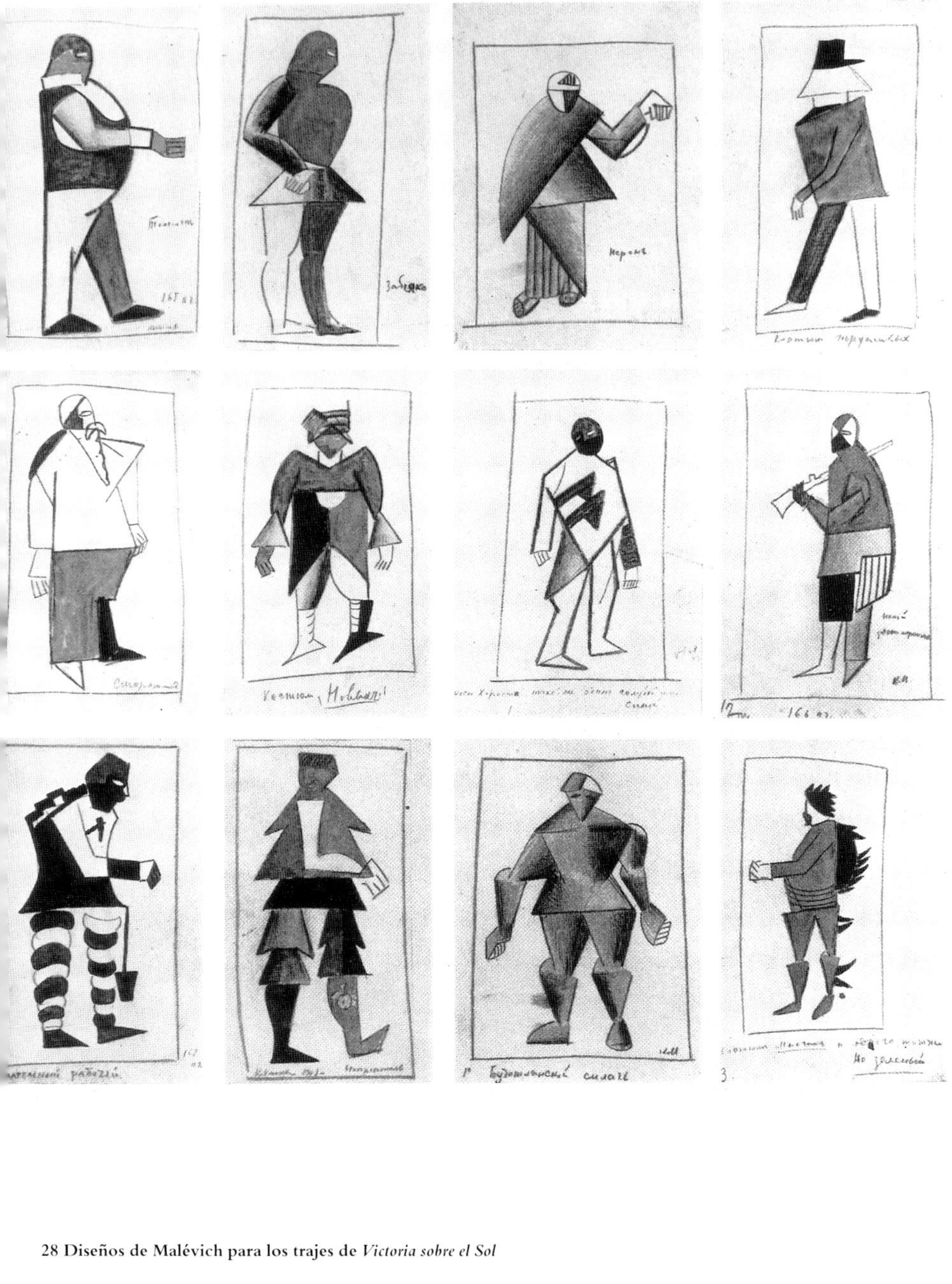

28 Diseños de Malévich para los trajes de *Victoria sobre el Sol*

hombre con dos besos, El hombre con un largo rostro estirado. Luego estaban las mujeres: La mujer con un desgarrón, La mujer con un desgarrón muy grande y La mujer enorme, cuyo velo arrancaba Maiakovski. Bajo el velo estaba una muñeca de seis metros, que era alzada y sacada. Sólo entonces Maiakovski escogió a unos pocos y selectos «actores» para que participaran en la celebración de sí mismo.

Kruchenij era más liberal. Para su ópera eligió a casi todos los que habían sido dejados fuera de la tragedia. Pidió a los que estaban haciendo la audición que pronunciaran todas las palabras con pausas entre cada sílaba: «Las fá-bri-cas si-mi-la-res a ca-me-llos ya nos a-ta-can...». Según Tomachevski, constantemente inventaba alguna cosa nueva y «estaba poniendo nervioso a todo el mundo».

Victoria sobre el Sol, en esencia un libreto que narraba cómo una banda de «futurocampesinos» se proponían conquistar el Sol, atrajo a jóvenes futuristas a los ensayos. «El teatro en el Luna Park se convirtió en una especie de salón futurista —escribió Tomachevski—. Allí uno podía encontrar a todos los futuristas, empezando con el bien parecido Kublin, y acabando con los inexpertos petimetres que persistentemente seguían a Burliuk y a los otros maestros futuristas a todas partes. Todo el mundo iba allí: poetas, críticos y pintores futuristas.»

28 Kasimir Malévich diseñó el escenario y trajes para la ópera. «El escenario pintado era cubista y no objetivo: en los telones de fondo estaban pintadas formas cónicas y espirales similares a las pintadas en el telón (que los futurocampesinos hacían trizas en la primera escena) —recordaba Tomachevski—. Los trajes estaban hechos de cartón y parecían armaduras pintadas en estilo cubista.» Los actores, que llevaban cabezas de cartón piedra más grandes que el tamaño natural, actuaban en una estrecha franja de escenario con gestos como de títeres. Kruchenij, el autor, aprobó los efectos del escenario: «Eran como yo esperaba y quería. Una luz cegadora llegaba desde los proyectores. El escenario estaba hecho de grandes planchas: triángulos, círculos, piezas de maquinaria. Las máscaras de los actores recordaban las modernas máscaras antigás. Los trajes transformaban la anatomía humana, y los actores eran movidos, sostenidos y dirigidos por el ritmo dictado por el artista y director». Después Malévich describió la primera escena: «El telón se levantaba precipitadamente, y el espectador se encontraba delante de un calicó blanco en el cual el propio autor, el compositor y el escenógrafo se encontraban representados en tres grupos distintos de jeroglíficos. Sonaba el primer acorde de música, el segundo telón se partía en dos, y aparecían un presentador y trovador y un no-sé-qué con las manos ensangrentadas y un gran cigarrillo».

Las dos representaciones fueron un enorme éxito. La policía se encontraba en gran número en el exterior del teatro. Las multitudes asistían a las más de cuarenta conferencias, discusiones y debates organizados en las semanas siguientes. Sin embargo, la prensa de San Petersburgo permaneció en un estado de completa ignorancia y perplejidad acerca de la importancia de estos actos. «¿Es posible —preguntaba Mijaíl Matiushin, compositor de la música para *Victoria sobre el Sol*— que ellos [la prensa] estén tan estrechamente trabados por su instinto gregario que no sean capaces de echar un vistazo concienzudo, para aprender y meditar acerca de qué está sucediendo en la literatura, la música y las artes visuales en el momento actual?» Los cambios que muchos encontraron tan indigestos incluían un completo reemplazo de las relaciones visuales, la introducción de nuevos conceptos de relieve y peso, algunas ideas nuevas de forma y color, de armonía y melodía y un desprendimiento del uso tradicional de las palabras.

La carencia de sentido y de realismo del libreto había sugerido a Malévich las figuras como títeres y los decorados geométricos. A su vez, las figurillas determinaban la naturaleza de los movimientos y, por lo tanto, el estilo total de la representación. En performances posteriores las figuras aparecían desarrollando los ideales de velocidad y mecanización de las pinturas rayonistas y futuristas. Cuchillas de luces rompían visualmente las figuras, privándolas por turno de manos, piernas y torso, e incluso las sometían a la disolución total. Los efectos de estos cuerpos meramente geométricos y de representación espacial abstracta fueron considerables en la obra posterior de Malévich. Malévich atribuyó a la *Victoria sobre el Sol* los orígenes de sus pinturas suprematistas, con sus característicos rasgos distintivos de formas cuadradas y trapezoidales blancas y negras. *Victoria sobre el Sol* representó una colaboración total del poeta, el músico y el artista, lo que estableció un precedente para los años venideros. Sin embargo, este completo desprendimiento del teatro o la ópera tradicionales a la larga no definió un género nuevo. Según Matiushin, presentaba la «primera representación en un escenario de la desintegración de los conceptos y las palabras, de la antigua puesta en escena y de la armonía musical». En retrospectiva: fue un acto de transición: había tenido éxito al sugerir nuevas direcciones.

Foregger y el renacimiento del circo

Victoria sobre el Sol y *Vladímir Maiakovski* habían afianzado la estrecha relación entre pintores y poetas. Alentados por su éxito, los artistas pasaron a planear nuevas representaciones que incorporarían a los artistas y escenógrafos recientemente consagrados, y los pintores organizaron nuevas exposiciones. La «Primera exposición futurista: Tranvía V» tuvo lugar en febrero de 1915 en Petrogrado. Financiada por Ivan Puni, reunió a las dos figuras clave de la ascendente vanguardia, Malévich y Tatlin. Malévich expuso obras que abarcaban desde 1911 hasta 1914 en tanto que Tatlin exhibió sus «relieves de pintura», no vistos con anterioridad en una exposición colectiva. También había obras de muchos artistas que justamente un año antes habían regresado a Moscú al comenzar la guerra en Europa; pues, a diferencia de otros centros donde la guerra separó a los diversos miembros de los grupos artísticos, Moscú disfrutó de la reunión de los artistas rusos.

Sólo diez meses más tade, Puni organizó la «Última exposición futurista de cuadros: 0,10». El *Cuadrado negro* y dos folletos suprematistas de Malévich marcaron el acto. Pero de manera más importante para la performance, después de esta exposición Tairov, el director y fundador del Teatro Kamerny de Moscú, encargó a Alexandra Exter que preparara decorados y trajes para sus representaciones. En esencia, su teoría del «teatro sintético» integraba decorado, traje, actor y gesto. Tairov elaboró su estudio de la participación del espectador citando el music-hall como el único medio verdadero de lograrla. De este modo, las primeras colaboraciones revolucionarias vieron la adaptación gradual de las ideas futuristas y constructivistas al teatro en nombre del «arte de la representación».

El arte de la representación era prácticamente una proclama ética de los constructivistas: creían que para expulsar el academicismo reinante había que rechazar las actividades especulativas como la pintura y los «instrumentos anticuados como los pinceles y la pintura». Además insistían en que los artistas usaran «espacio real y materiales reales». El circo, el music-hall y el teatro de variedades, la gimnasia rítmica de Émile Jaques-Dalcroze y la eucinética de Rudolf von Laban, el teatro japonés y el teatro de títeres fueron todos examinados con meticulosidad. Cada uno sugería posibilidades para llegar a modelos de espectáculos populares que atraerían a un público numeroso y no necesariamente culto. Reforzados de manera abundante con noticias de acontecimientos políticos y sociales, la ideología y el espíritu nuevo del comunismo, parecieron los vehículos perfectos para comunicar el arte nuevo además de la nueva ideología a un público extenso.

Un artista iba a convertirse en el catalizador de tal variedad de obsesiones. Nikolai Foregger había llegado a Moscú desde su Kiev natal en 1916 e hizo un breve aprendizaje en el Teatro Kamerni antes de su cierre en febrero de 1917. Llegó justo a tiempo para presenciar el entusiasmo de la prensa, despertado por los jóvenes rayonistas, constructivistas y activistas del arte. Fascinado por las interminables discusiones sostenidas en las exposiciones y por la mecanización y abstracción del arte y el teatro, extendió estas ideas para incluir la danza. En busca de medios físicos con los que reflejar los diseños estilizados de la vanguardia prerrevolucionaria, examinó los gestos de la actuación y los movimientos de la danza. Después de sólo un año en Moscú, fue a Petrogrado, donde montó un taller en su pequeño estudio-con-teatro para llevar a cabo estos estudios.

Para empezar, analizó los elementos tradicionales de la farsa de corte medieval francesa y de la Commedia dell'Arte de los siglos XVII y XVIII, en una serie de representaciones, como *Los gemelos* (1920) de Platuz, bajo el título global de «El teatro de las cuatro máscaras». Al comienzo, estas presentaciones tempranas en los años inmediatamentes posteriores a la Revolución tuvieron éxito, pero el público enseguida se cansó de su «clásica» y, por lo tanto, reaccionaria reinterpretación de las formas de teatro. Como resultado, Foregger trató de encontrar una forma de teatro popular más apropiada a las demandas de las nuevas actitudes socialistas, esta vez con un dramaturgo, poeta y crítico teatral, Vladímir Mass. Los dos acoplaron trenes de agitación y experimentaron con humor político antes de trasladarse a Moscú en 1921, donde continuaron desarrollando su idea de un teatro de máscaras, sus personajes en ese momento reflejaban acontecimientos actuales. Por ejemplo,

Lenin había llevado a cabo su Nueva Política Económica (NEP), que se proponía estabilizar la fluctuante economía rusa: para Foregger, el Hombrenep se convirtió en el estereotipo del burgués ruso que se aprovechaba de las políticas económicas liberales. El Hombrenep, junto con el Místico intelectual, la Comunista militante con maletín de piel y el Poeta imaginista, todos se convirtieron en los personajes de repertorio del taller de Foregger, el recientemente fundado Mastfor Studio.

Los estudiantes activos en las realizaciones de diseños para Mastfor eran cineastas jóvenes como Eisenstein, Yutkevich, Barnet, Fogel e Illinski. Yutkevich, de diecisiete años, y Eisenstein diseñaron «El show de la parodia», que constaba de tres sketches: «Para todo hombre sabio una opereta es suficiente», «No beba el agua a menos que esté hervida» y «La tragedia fenomenal de Phetra». Juntos introdujeron elaboradas técnicas nuevas, a las que hacían referencia que eran «estadounidenses» por su énfasis en los aparatos mecánicos. Yutkevich diseñó *Sed amables con los caballos* (1922) de Mass: en ella ideó un entorno completamente movible con escaleras mecánicas y ruedas de andar, trampolines, rótulos eléctricos centelleando y carteles de cine, decorados giratorios y luces volantes. Eisenstein fue el responsable de los trajes, uno de los cuales vestía a una figura femenina con una espiral de aros, sujetados por cintas multicolores y tiras delgadas de papel de colores.

En *El rapto de niños* (1922), Foregger añadió a los elementos de music-hall de las representaciones anteriores el proceso de «cineficación»: los reflectores se proyectaban sobre discos que giraban muy rápidamente, lo que producía efectos cinematográficos. Aparte estas invenciones mecánicas, Foregger introdujo dos teorías adicionales: una era su «tafiatrenage» —un método de formación nunca explícitamente codificado pero que subraya la importancia de la técnica para el desarrollo físico y psicológico del intérprete— y el otro, esbozado en su conferencia de febrero de 1919 en la Unión de Artistas Internacionales del Circo, era su creencia en «el renacimiento del circo». Ambas ideas marcaron un paso en el uso de los recursos extrapictóricos y extrateatrales en la búsqueda de nuevas modas de performance.

Foregger sostenía que el circo era el «gemelo siamés» del teatro, citando a la Inglaterra isabelina y la España del siglo XVII como combinaciones de teatro-circo perfectas. Al insistir en un nuevo sistema de danza y de formación física —«nosotros vemos el cuerpo del bailarín como una máquina y los músculos de la volición como el maquinista»— tafiatrenage no era distinto de otras teorías del cuerpo como la biomecánica de Meyerhold o la eucinética de Laban. La biomecánica era un sistema de formación de actores basado *37-40*
en dieciséis «Étude» o ejercicios que ayudaban al actor a desarrollar las habilidades necesarias para el movimiento escénico, por ejemplo moviéndose en un cuadrado, un círculo o un triángulo. Por otra parte, Foregger veía el tafiatrenage no simplemente como una formación de preperformance, sino como una forma de arte en sí mismo.

Las *Danzas mecánicas* de Foregger se representaron por primera vez en fe- *29*
brero de 1923. Una de las danzas imitaba una transmisión: dos hombres esta-

29 Compañía de danza de Foregger, fragmento de *Danzas mecánicas*, 1923. Una de las danzas imitaba una transmisión

ban de pie a unos tres metros de distancia el uno del otro y varias mujeres, cada una bien agarrada a los tobillos de la otra, se movían como una cadena alrededor de ellos. Otra danza representaba una sierra: dos hombres asían las manos y pies de una mujer, balanceándola en movimientos curvos. Los efectos sonoros, que incluían la ruptura de cristales y el golpeteo de diferentes objetos de metal entre bastidores, los proporcionaba una animada orquesta de ruidos.

Las *Danzas mecánicas* fueron recibidas con gran entusiasmo, pero enseguida se convirtieron en blanco de duras críticas procedentes de varios obreros que escribieron a la revista del gremio teatral amenazando con denunciar a la compañía de Foregger por sus representaciones «antisoviéticas» y «pornográficas». El crítico ruso Cherepnin las llamó «norteamericanismo mitad mítico, mitad legendario», pues el arte mecánico de Foregger parecía extraño a las sensibilidades rusas y aparecía como una mera curiosidad. Fue acusado de acercarse demasiado al music-hall y el espectáculo y de alejarse de las significaciones social y política exigidas a las representaciones de la época.

Performances revolucionarias

En tanto que Foregger estaba desarrollando una forma de arte puramente mecánica, que era más apreciada por su inspiración estética que por la ética, otros artistas, dramaturgos y actores eran partidarios de la máquina de propaganda, pues ésta hacía inmediatas y comprensibles las nuevas políticas y los nuevos estilos de vida de la Revolución.

Para Maiakovski, por ejemplo, «ese problema no existía —escribió—. Era mi Revolución». Junto con sus colegas, creía que la propaganda era crucial: los «periódicos hablados», los carteles, el teatro y los filmes se utilizaban todos para informar a un público en su mayor parte analfabeto. Maiakovski estaba

entre los muchos artistas que se hicieron miembros de la ROSTA, la Agen- 30
cia Telegráfica Rusa. «El Escaparate ROSTA fue una cosa fantástica —recordó—. Supuso que las noticias telegrafiadas inmediatamente eran convertidas en carteles y los decretos en eslóganes. Fue una nueva forma que tuvo su origen espontáneamente en la vida misma. Supuso que los hombres del Ejército Rojo miraran los carteles antes de una batalla y fueran a luchar no con una plegaria, sino con un eslógan en los labios.»

El éxito de los carteles de los escaparates y carteleras enseguida llevó a actos en vivo. Los carteles se proyectaron en secuencias en una serie de imágenes. Las representaciones ambulantes comenzaron con la filmación de un titular como «¡Todo el poder al pueblo!». A éste seguían imágenes estáticas que demostraban y elaboraban la idea del eslogan. El cartel se convirtió en parte de la escenografía y los intérpretes aparecían con una serie de carteles pintados sobre lona.

Los trenes y barcos de agitación, ROSTA y el teatro callejero de agita- 31, 32
ción fueron sólo algunas de las salidas disponibles para los artistas jóvenes dedicados a abandonar las «actividades [puramente] especulativas» para el arte socialmente utilitario. Las performances adquirieron un nuevo significado, muy alejado de los experimentos artísticos de los años anteriores. Los artistas planearon que el desfile del Primero de Mayo representara la toma del poder revolucionaria y decoraron las calles e incluyeron a miles de ciudadanos en dramáticas reconstrucciones de momentos culminantes de 1917.

Nathan Altman y otros futuristas organizaron una manifestación de masas para el primer aniversario de la Revolución de Octubre, en 1918. Tuvo lugar en la calle y en la plaza del Palacio de Invierno de Petrogrado; cientos de metros de pinturas futuristas cubrían los edificios y una construcción futurista movible se agregó al obelisco de la plaza. Éste y otros espectáculos extraordinarios culminaron dos años más tarde, el 7 de noviembre de 1920, en las
celebraciones del tercer aniversario. «El asalto del Palacio de Invierno» in- 33, 34
cluía una reconstrucción parcial de los acontecimientos que precedieron a la Revolución de Octubre y del asalto propiamente dicho del palacio contra el Gobierno Provisional en él atrincherado. Bajo la dirección principal de Nikolai Yevreinov, tres directores teatrales importantes, Petrov, Kugel y Annenkov (que también diseñó los decorados) organizaron a un batallón del ejército y 8.000 ciudadanos en una reconstrucción de los acontecimientos de ese día tres años antes.

El trabajo fue escenificado en tres áreas principales en los alrededores del palacio, y las calles que conducen a la plaza se llenaron de unidades del ejército, carros blindados y camiones del ejército. Dos grandes plataformas, cada una de más o menos 55 metros de longitud y 16 metros de ancho, flanqueban la entrada a la plaza delante del palacio: a la izquierda la plataforma «roja», del Ejército Rojo (el proletariado), y a la derecha la plataforma «blanca» donde el Gobierno Provisional presidía. La plataforma blanca incluía 2.685 participantes, entre ellos 125 bailarines de ballet, 100 artistas de circo y 1.750 extras. La plataforma roja era igual de grande, e incluía a todos los obreros originales que habían participado en la batalla real que Yevreinov pudo encontrar. Comenzó más o menos a las diez de la noche, la performance se

inició con un disparo, y una orquesta de quinientas músicos interpretó una sinfonía de Varlich y acabaron con *La Marsellesa*, la música del Gobierno Provisional. Cientos de voces gritaron «¡Lenin! ¡Lenin!», y mientras se repetía *La Marsellesa*, ligeramente fuera de tono, las multitudes cantaban a gritos *La Internacional*. Por último, los camiones llenos de obreros pasaban a alta velocidad bajo los arcos para entrar en la plaza y llegar a su destino, el interior del propio Palacio de Invierno. A medida que los revolucionarios se dirigían todos al edificio, el Palacio, que antes había estado oscuro, de pronto era iluminado por un torrente de luces en el edificio, fuegos artificiales y un desfile de las Fuerzas Armadas.

El magnífico cornudo

El impulso de las representaciones del aniversario habían puesto en juego casi cada técnica y estilo posible de pintura, teatro, circo y filme. Como tales, los límites de la performance eran interminables: en ninguna parte había un intento por clasificar ni limitar las diferentes disciplinas. Los artistas constructivistas encargados de la realización del arte trabajaron de manera continuada

30 *Página anterior:* Cartel del Escaparate ROSTA de Maiakovski

31-32 Barco y tren de agitación, 1919, características populares de las actividades políticas posrevolucionarias. Llevaban intérpretes y noticias a todas partes de Rusia.

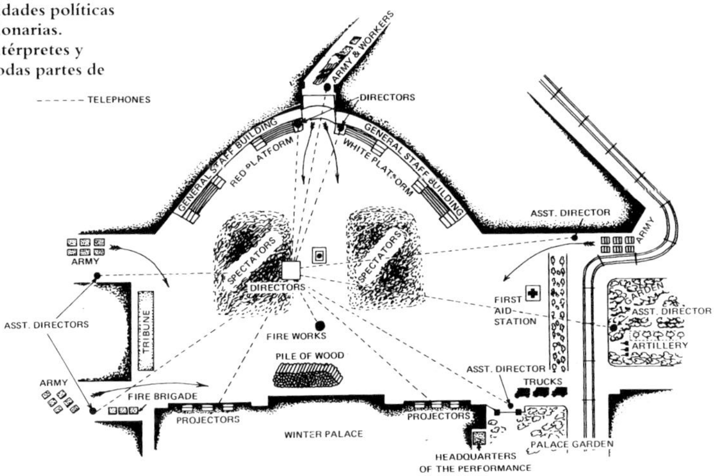

33 Diagrama para la disposición del acto «El asalto del Palacio de Invierno», 1920

34 «El asalto del Palacio de Invierno», en el tercer aniversario de la Revolución Rusa, 7 de noviembre de 1920. Fue dirigido por Yevreinov, Petrov, Kugel y Annenkov e incluía a más de ocho mil intérpretes

35 Traje de Popova para *El magnífico cornudo*, 1922

36 Dibujo para el decorado de *El magnífico cornudo*, de Popova

en el desarrollo de sus ideas de un arte en el espacio real, anunciando la muerte de la pintura.

En 1919, antes de estar al corriente de los constructivistas, el director teatral Vsevolod Meyerhold había escrito: «Hacemos bien en invitar a los cubistas a trabajar con nosotros, porque necesitamos escenarios que se parezcan a aquellos en los cuales estaremos interpretando mañana. Queremos que nuestro escenario sea un tubo de hierro, del mar abierto o algo construido por el hombre nuevo [...] erigiremos un trapecio y pondremos a nuestros acróbatas a trabajar en él, para hacer que sus cuerpos expresen la esencia misma de nuestro teatro revolucionario y nos recuerde que estamos disfrutando la lucha en que nos encontramos comprometidos». Meyerhold encontró en los constructivistas los escenógrafos que había estado anhelando. Cuando en 1921 las circunstancias lo obligaron a buscar un escenario que pudiera ser erigido en cualquier parte sin recurrir a la maquinaria de escenario convencional, Meyerhold vio en la obra de los constructivistas la posibilidad de un andamio utilitario de fines múltiples que podía ser desmontado y vuelto a montar con facilidad. Los apuntes del catálogo de Popova a la exposición «5 x 5 = 25» ese año en Moscú confirmaron la creencia de Meyerhold de que había encontrado la escenógrafa para su decorado. Ella había declarado: «Todas las construcciones dadas [en la exposición] son pictóricas y deben considerarse simplemente una serie de experimentos preparatorios para las construcciones materializadas», dejando abiertas las sugerencias acerca de cómo se lograría este fin.

Meyerhold claramente percibió que el constructivismo mostraba el camino a la militancia contra la tradición estética desarrollada del teatro, permitiéndole realizar su sueño de representaciones extrateatrales alejadas del auditorio como una caja, en cualquier lugar: el mercado, la fundición de una fábrica metalúrgica, la cubierta de un acorazado. Comentó este proyecto con varios miembros del grupo, en particular Popova. No obstante, la colaboración no fue siempre tan afable como la representación final puede sugerir. Cuando, a comienzos de 1922, Meyerhold sugirió una performance basada en las teorías espaciales de Popova, ella se negó de manera terminante: el grupo constructivista en conjunto se mostró poco dispuesto a participar en la representación. Una decisión demasiado precipitada habría significado arriesgarse a desacreditar las nuevas ideas. Meyerhold, no obstante, estaba convencido de que la obra de los constructivistas era ideal para su nueva representación, la de *El magnífico cornudo* de Crommelynck. Él, disimuladamente, se dirigió a cada uno de los artistas por separado y les pidió que presentaran estudios preparatorios, sólo por una eventual contingencia. Cada uno trabajó en secreto, sin saber que los otros estaban diseñando modelos para el espectáculo: la representación en abril de 1922 fue, por lo tanto, un esfuerzo conjunto con Popova como coordinadora. *35, 36*

El decorado de *El mangífico cornudo* consistía en marcos de paneles teatrales convencionales, plataformas unidas por peldaños, rampas y pasarelas, aspas de molinos de viento, dos ruedas y un disco grande que llevaba las letras CR-ML-NCK (que significaba Crommelynck). Los personajes usaban monos holgados, pero incluso con su cómoda vestimenta necesitaban habilidades acrobáticas para que el decorado «funcionara». De esta manera la representación se convirtió en el foro ideal para el sistema de biomecánica de Meyerhold, anteriormente descrito, que había desarrollado hacía poco tiempo. Puesto que había estudiado el taylorismo, un método de trabajo eficaz entonces muy popular en Estados Unidos, exigió un «taylorismo del teatro [que] hará posible representar en una hora lo que en la actualidad requiere cuatro». *37-40*

El éxito de *El magnífico cornudo* consolidó a los constructivistas como los líderes en escenografía. Esta obra fue la culminación de un intercambio entre

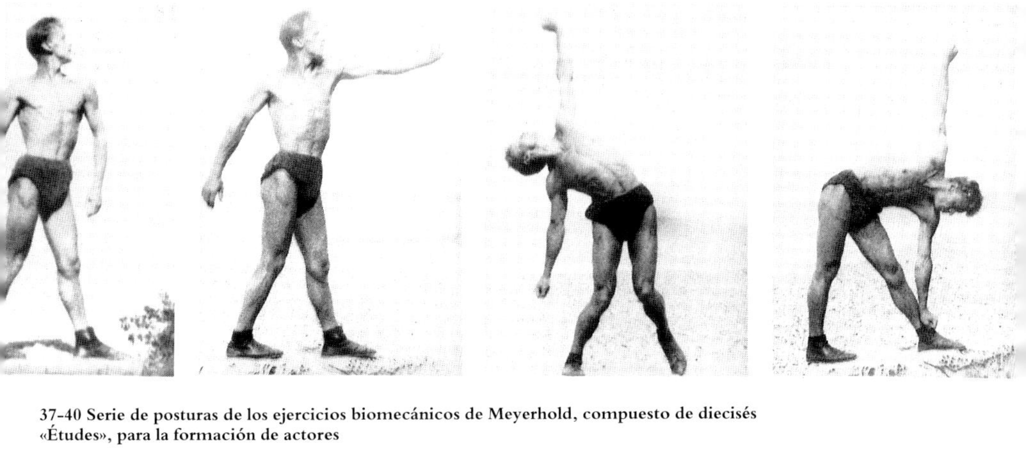

37-40 Serie de posturas de los ejercicios biomecánicos de Meyerhold, compuesto de diecisés «Études», para la formación de actores

las artes, pues en esta representación el artista no sólo respondía a las necesidades teóricas de un director innovador, sino que de hecho transformaba la naturaleza de la actuación y la propia intención de la obra mediante la invención de esas complejas «máquinas actuantes».

El Grupo Blusa Azul y la Fábrica del Actor Excéntrico

Cada año era testigo de innovaciones en el arte, la arquitectura y el teatro; se formaban nuevos grupos con tanta regularidad que se hizo imposible indicar con toda precisión las fuentes exactas de cada «manifiesto» o incluso los autores. Los artistas se trasladaban constantemente de un taller a otro: Eisenstein trabajó con Foregger, luego con Meyerhold y Tairov; Maiakovski con ROSTA, Meyerhold y el Grupo Blusa Azul.

41, 43 El Grupo Blusa Azul se formó de manera oficial en octubre de 1923; abiertamente político, empleó técnicas vanguardistas además de populares, pensado específicamente para el público de masas. En su momento culminante, es probable que incluyera a más de 100.000 personas, con sus numerosos clubes en las ciudades de todo el país. Utilizando atrezo de agitación, «periódicos en vivo» y la tradición del teatro de club, su repertorio se componía en esencia de filme, danza y carteles animados. En varios aspectos fue la realización última, a gran escala, del teatro de variedades de Marinetti, «el más vigoroso de todos los espectáculos en cuanto a su dinamismo de forma y color y el movimiento simultáneo de juglares, bailarinas de ballet, gimnastas, profesores de equitación y ciclones espirales. Otra fuente para estas obras extravagantes y fantásticas fue la escenificación de Eisenstein de *Diario de un sinvergüenza* de Ostrovski, que incluía un montaje de veinticinco atracciones diferentes: filme, actuaciones de payasos, sketches, escenas absurdas, canciones de agitación coral y actuaciones circenses. El mismo laboratorio de Mastfor sugirió recursos técnicos y el uso de collage de filmes; la biomecánica de Meyerhold también influyó mucho el estilo global de las performances del Grupo Blusa Azul.

Los recursos mecánicos empleados en el grupo, con su habilidad para montar «representaciones industriales» a gran escala, también reflejó la obra de un grupo anterior, la Fábrica del Actor Excéntrico, o FEKS. Fas-

42 (*arriba*) Escena del espectáculo de Meyerhold de *La muerte de Tarelkin*, con diseños de Varvara Stepanova, la mujer de Rodchenko, Moscú, 1922

41 (*página anterior*), 43 El Grupo Blusa Azul, fundado en 1923. En el escenario se colocaron carteles enormes, con agujeros recortados para las cabezas, brazos y piernas de los actores, que recitaban textos basados en acontecimientos políticos y sociales controvertidos

cinada por la nueva sociedad industrial que Estados Unidos ejemplificaba, FEKS promovió esos aspectos más típicos de la vida estadounidense: alta tecnología y «baja cultura» —jazz, libros de cómics, music-hall, anuncios y demás—. Especialmente notable fue la representación de la
42 obra de Sujovo-Kobilin *La muerte de Tarelkin*, para la cual Stepanova diseñó muebles plegables. Una vez más, las representaciones de performances rusas llevaron a cabo algunos de los principios establecidos en los manifiestos futuristas de casi una década antes, puesto que Fortunato Depero había pedido un teatro en el cual «todo cambia — desaparece — reaparece, se multiplica y se rompe, se pulveriza y se trastorna, tiembla y se transforman en una máquina cósmica que es vida». A pesar de que los manifiestos de FEKS trataron de refutar la influencia de los futuristas italianos, fue en sus representaciones que esas ideas anteriores se llevaron a cabo de manera consistente.

Moscú está ardiendo

El teatro había entrado en la representación del arte de la misma manera que la representación del arte había transformado el teatro. Rusia estaba experimentando un tumulto cultural tan violento como la revolución de 1905; era como si esa energía nunca se hubiera detenido. Y en 1930, en el vigésimo quinto aniversario de aquel fatídico Domingo rojo cuando los obreros protestaron en el exterior del Palacio de Invierno y les dispararon mientras huían, un período estaba acercándose a su fin. Maiakovski, en un gesto trági-
44 co final, iba a preparar la conmemoración: *Moscú está ardiendo*. Encargada por la Agencia Central Soviética de Circos Estatales, la pantomima se representó en la segunda mitad del programa circense. Se utilizaron todas las posibilidades del circo, y *Moscú está ardiendo* fue un fenómeno completamente nuevo en el campo de la pantomima circense. Una sátira política aguda, narraba la historia de los primeros días de la revolución en estilo cinematográfico. Quinientos intérpretes participaron en el espectáculo: artistas de circo, estudiantes de escuelas de arte dramático y de circo y unidades de la caballería. *Moscú está ardiendo* se estrenó el 21 de abril de 1930 en el Primer Circo Estatal de Moscú. Una semana antes, el 14 de abril, Maiakovski se había suicidado de un disparo.

Aunque 1909 marcó el comienzo de la performance de artistas, fue 1905, el año del Domingo rojo, el que puso en movimiento una revolución teatral y artística en Rusia. Pues la creciente energía de los obreros en su intento por derriban el régimen zarista llevó a un movimiento teatral de la clase obrera que pronto atrajo la participación de numerosos artistas. Por otra parte, 1934 marcó de manera dramática un segundo punto decisivo en el teatro y la performance de artistas al poner fin a casi treinta años de representaciones extraordinarias. Ese año el Festival de Teatro Soviético anual de diez días de duración se inauguró con la reposición de obras de comienzos y mediados de la década de 1920: *El magnífico cornudo*, de Meyerhold, de 1922; *El mono peludo*, de Tairov, de 1926, y *La princesa Turandot*, de Vajtangov, de 1922, bajó el telón a una época experimental. Pues, no por casualidad, fue en 1934, en el Congreso de Escritores de Moscú, que Zhdanov, el portavoz del Partido para cuestiones referentes a las artes comunicó la primera declaración definitiva sobre realismo socialista al esbozar un código oficial e inevitable para la actividad cultural.

44 Escenario piramidal de *Moscú está ardiendo*, representada en un circo de verdad, el Primer Circo Estatal de Moscú, para conmemorar el vigésimo quinto aniversario de la revolución del Domingo rojo de 1905

CAPÍTULO III

Dadá

Wedekind en Munich

Mucho antes de que las actividades Dadá comenzaran en el Cabaret Voltaire en Zurich en 1916, el teatro de cabaré ya era un espectáculo de la vida nocturna popular en las ciudades alemanas. Munich, un próspero centro artístico antes de la guerra, fue la ciudad de la cual procedían las dos personalidades clave del Cabaret Voltaire: sus fundadores la artista de night-club Emmy Hennings y su futuro marido Hugo Ball. Célebre por el grupo de pintores expresionistas Der Blaue Reiter y por sus prolíficas performances teatrales expresionistas, Munich también fue famosa por sus bares y cafés, que eran el punto focal para los artistas, poetas, escritores y actores bohemios de la ciudad. Fue en cafés como el Simplicissimus (donde Ball conoció a Hennings, una de las estrellas de cabaré) que sus manifiestos escritos a medias y sus revistas parcialmente editadas se discutían bajo la débil luz mientras, en pequeños escenarios de plataforma, bailarines y cantantes, poetas y magos representaban sus sketches satíricos basados en la vida cotidiana de la capital bávara de preguerra. En estos llamados «teatros íntimos» florecieron figuras excéntricas,
45 entre ellas Benjamin Franklin Wedekin, más conocido como Frank Wedekind.

Notorio como hombre decidido a provocar, en especial respecto de tópicos sexuales, su primera frase corriente para una joven era inevitablemente «¿Todavía eres virgen?», a lo cual solía agregar una mueca sensual, que se dice que en parte era sólo el resultado de su dentadura que no le encajaba bien. Llamado «libertino», «explotador antiburgués de la sexualidad», «amenaza para la moralidad pública», Wedekind solía interpretar cabaré cuando no tenía capital para producir sus obras o cuando era molestado por la censura oficial. Incluso solía orinar y masturbarse en el escenario y, según Hugo Ball, inducía convulsiones «en sus brazos, sus piernas, e incluso en su cerebro», en un momento en que la moralidad todavía estaba encadenada a los hábitos de los arzobispos protestantes. Un ambiente artístico igualmente antiburgués apreció la crítica mordaz incorporada en cada una de sus provocativas performances.

Sus obras no eran menos controvertidas. Después de un exilio temporal en París y varios meses en prisión por violación de la censura, Wedekind escribió su famosa sátira sobre la vida de Munich, *Der Marquis von Keith*. Recibida con mofa por el público y la prensa, replicó con la obra *König Nicolò, oder So Ist das Leben* (*Rey Nicolo, o Así es la vida*) en 1901, un relato perverso del derrocamiento por parte de sus súbditos burgueses de un rey que, tras haber fracasado en todo lo demás, es obligado a representar el papel de bufón de corte de su propio usurpador. Era como si Wedekind buscara consolación en cada performance, utilizándola como un contraataque a la crítica adversa. A su vez, cada obra era censurada por oficiales prusianos del káiser Guillermo, y a menudo abreviada por sus editores. Financieramente desangrado por las sentencias de prisión y por lo general condenado al ostracismo por los nerviosos directores, volvió a trabajar en el circuito del cabaré popular, y una vez se unió a un famoso grupo ambulante, Los Once Verdugos, con el fin de ganarse la vida.

Estas performances irreverentes, que rayaban en lo obsceno, granjearon a Wedekind las simpatías de la comunidad artística de Munich, en tanto que los juicios de la censura que inevitablemente siguieron garantizaron su importancia en la ciuddad. Ball, que frecuentó el Café Simplicissimus, comentó que desde 1910 en adelante todo en su vida giraba en torno del teatro: «Vida, gente, amor, moralidad. Para mí el teatro significaba libertad inconcebible —escribió—. Mi impresión más fuerte fue la del poeta como un horrendo espectáculo cínico: Frank Wedekind. Lo vi en muchos ensayos y en casi todas sus obras. En el teatro luchaba tanto por eliminarse a sí mismo como por eliminar los últimos restos de una civilización en otro tiempo firmemente establecida».

Die Büchse der Pandora (*La caja de Pandora*), de Wedekind, la historia de la carrera de una mujer emancipada, publicada en 1904, se consideró una eliminación. La obra fue inmediatamente excluida de la representación pública

45 Frank Wedekind en su obra *Hidalla*, 1905

en Alemania durante la vida del autor. Enfadado con el fiscal, que él sentía había distorsionado las pruebas de modo que sugirieran indecencia, Wedekind replicó con una adaptación inédita del famoso *Heidenröslein*, que parodiaba los procesos del tribunal de justicia y la jerga legal:

> El vagabundo dice: Tendré relaciones sexuales contigo, vagabunda.
> La vagabunda responde: Te contagiaré tan gravemente una enfermedad venérea que siempre tendrás motivo para recordarme.
> Evidentemente a ella no le interesaba tener relaciones sexuales en ese momento.

Las performances de Wedekind se deleitaban con la licencia dada al artista para ser un extraño loco, exento de la conducta normal de la sociedad. Pero sabía que esa licencia sólo se daba porque el papel del artista era considerado del todo insignificante, más tolerado que aceptado. Tras dedicarse a la causa del artista contra el satisfecho público en general, Wedeking enseguida se encontró acompañado por otros, en Munich y en otras partes, que comenzaron a usar la performance como un arma contra la sociedad.

Kokoschka en Viena

La notoriedad de Wedekind se extendió más allá de Munich. En tanto que el proceso del tribunal de justicia acerca de *Die Büchse der Pandora* continuaba en Alemania, la obra fue representada privadamente en Viena. Allí el propio Wedekind interpretó a Jack el Destripador, en tanto que Tilly Newes, su futura mujer, hizo el papel de Lulú. En medio de la ola popular de expresionismo en Munich, Berlín y Viena alrededor de esta época, aunque en forma escrita más bien que en auténtica performance, desaprobó de manera extrema cualquier intento de alinear su obra con el expresionismo. Después de todo, él había usado instintivamente técnicas expresionistas en su obra mucho antes de que el término y el movimiento se hubieran hecho populares.

46 En Viena se representó la prototípica obra expresionista, *Mörder, Hoffnung der Frauen* (*Asesino, esperanza de las mujeres*). Iba a llegar a Munich, vía Berlín, por medio de la revista *Der Sturm*, que publicó el texto y los dibujos poco antes de su representación en Viena en 1909. Al igual que Wedekind, Kokoschka, de veintidós años, fue considerado una especie de afrenta excéntrica a la moralidad pública y al gusto de la conservadora sociedad vienesa. «Artista degenerado», «provocador de burgueses», «criminal común», lo llamó la crítica, además de *Oberwilding* o jefe salvaje, después de la exposición de su busto de arcilla *El guerrero* en el Kunstschau de Viena de 1908.

Irritado por esos ataques primitivos, arrojó *Mörder, Hoffnung der Frauen* a la cara de los serios vieneses, en una representación en el teatro jardín del Kunstschau de Viena. El reparto, sus amigos y estudiantes de arte dramático, habían tenido sólo un ensayo antes del estreno. Improvisaron con «frases clave en papelitos», después de que Kokoschka hubiera demostrado los elementos imprescindibles de la obra, con sus correspondientes variaciones de

46 Kokoschka, dibujo de pluma y tinta para su obra *Mörder, Hoffnung der Frauen*, un espectáculo expresionista temprano, representado en Viena en 1909

tono, ritmo y expresión. En el jardín cavaron un foso para los músicos, construyeron un escenario de cartón y tablas. En el centro del escenario había una gran torre con una puerta de jaula. Alrededor de este objeto, los actores andaban a gatas, extendiendo los brazos, arqueando la espalda y realizando exageradas expresiones faciales; estas acciones se convirtieron en la característica de las técnicas de actuación expresionistas. En medio de esta atmósfera extraña representaron una batalla agresiva entre hombre y mujer, con un hombre que rasgaba el vestido de la primera actriz y la marcaba simbólicamente con su señal. Al defenderse lo atacaba con un cuchillo, y a medida que la sangre teatral manaba suavemente de sus heridas, tres hombres enmascarados lo colocaban en un ataúd y lo levantaban hasta la torre de rejas. No obstante, el «Hombre Nuevo», tan importante para los escritores expresionistas posteriores, triunfaba: al derramar su sangre, la mujer sólo había presagiado su suerte; ella moría, lenta y dramáticamente, mientras que el viril y puro Hombre Nuevo sobrevivía.

Años más tarde Kokoschka iba a contar los recuerdos de que «a partir de entonces se dieron gritos de oposición repugnante y maliciosa» contra su obra. El argumento literario habría degenerado en una guerra sangrienta si Adolf Loos, el arquitecto y mecenas de Kokoschka, «no hubiera intervenido con un grupo de sus fieles para rescatarme del destino de ser matado a golpes». Kokoschka continuó: «Lo que irritó a la gente de manera particular fue que los nervios habían sido colocados en el exterior de las figuras, sobre la piel, como si de verdad pudieran verse. Los griegos colocaban máscaras a sus actores para precisar el personaje: triste, apasionado, irritado, etc. Yo hice lo mismo a mi manera, pintándoles las caras, no como decoración sino para subrayar el personaje. Todo esto estaba pensado para resultar efectivo a una distancia, como una pintura al fresco. Traté a los miembros del reparto de manera completamente diferente. A algunos de ellos les coloqué rayas transversales, como un tigre o un gato, pero a todos les pinté los nervios. Dónde se localizaban lo sabía por mi estudio de la anatomía».

En 1912, el año en que se publicó *Der Bettler* (*El mendigo*), en general considerada la primera obra expresionista, la representación de Kokoschka fue el centro de la conversación en Munich. Aunque de hecho todavía se habían representado pocas obras explícitamente expresionistas, las nuevas nociones de la performance ya se estaban viendo como maneras posibles de destruir las anteriores tradiciones realistas de personas como Hugo Ball, de veintiséis años, que por entonces estaba profundamente dedicado a la planificación de performances propias. Para Ball, los años en Munich significaron planes para iniciar un *Künslertheater* colaborador. Formó equipo con Kandinsky quien «por su mera presencia colocó a esta ciudad muy por encima de las otras ciudades alemanas en cuanto a modernidad», y las revistas donde ellos se expresaron fueron *Der Sturm, Die Aktion, Die Neue Kunst* y, en 1913, *Die Revolution*. Según Ball, ése era un período en que había que oponerse al sentido común en todo momento, en que «los artistas se habían hecho cargo de la filosofía» y «una época de lo interesante y de chismorreo». Dentro de este ambiente inquietante, Ball imaginó que la «regeneración de la sociedad» ocurriría a través de «la unión de todos los medios y fuerzas artísticos». Creía que sólo el teatro era capaz de crear la nueva sociedad. Pero su idea del teatro no era tradicional: por una parte, había estudiado con el innovador director Max Reinhardt, y buscaba nuevas técnicas dramáticas; por otra parte, el concepto de una obra de arte total, o *Gesamtkunstwerk*, que Wagner había propuesta hacía más de medio siglo, que incluía artistas de todas las disciplinas en representaciones a gran escala, todavía le fascinaba. De manera que el teatro de Ball, si hubiera logrado abrirse camino, habría incluido a todos los artistas siguientes: Kandinsky, a quien habría designado director general, Marc, Fokine, Hartmann, Klee, Kokoschka, Yevreinov, Mendelsohn, Kubin y él mismo. En varios aspectos, este esbozo de programa prefiguró el entusiasmo con que dos años más tarde reunió a diferentes artistas en Zurich.

Pero estos planes nunca se materializaron en Munich. Ball no encontró patrocinadores, ni tuvo éxito en su solicitud del cargo de director del Staatstheater de Dresde. Desanimado, se marchó de Alemania vía Berlín hacia Suiza. Deprimido por la guerra y la sociedad alemana del momento, comenzó a ver el teatro desde otro punto de vista: «La importancia del teatro siempre es inversamente proporcional a la importancia de la moralidad social y la libertad civil». Para él la moralidad social y la libertad civil estaban reñidas y en Rusia, además de en Alemania, el teatro estaba aplastado por la guerra. «El teatro ya no tiene sentido. ¿Quién quiere actuar ahora, o siquiera ver actuar? [...] Siento el teatro como debe de sentirse un hombre que de repente ha sido decapitado.»

Ball en Zurich

Hugo Ball y Emmy Hennings llegaron a Zurich en el tranquilo verano de 1915. Hacía sólo ocho meses que Hennings había salido de la prisión por falsificar pasaportes extranjeros para aquellos que deseaban eludir el servicio militar; él llevaba documentación falsificada y vivía bajo un nombre falso.

«Resulta extraño, pero en algunas ocasiones la gente no sabe cuál es mi nombre verdadero. Luego vienen los oficiales y hacen preguntas.» Tener que cambiar de nombres para evitar ser detectados por los espías alemanes oficiales que estaban a la búsqueda de quienes habían evadido el reclutamiento era sólo la menor de sus preocupaciones. Eran extranjeros pobres, desempleados y no registrados. Hennings realizó algunos trabajos domésticas a tiempo parcial, Ball trató de continuar sus estudios. Cuando la policía suiza de Zurich descubrió que estaba viviendo bajo nombres falsos huyó a Ginebra y luego regresó a Zurich a cumplir doce días de prisión. Luego dejaron de molestarlo. Las autoridades suizas no tenían interés en entregarlo a los alemanes para el servicio militar. En el otoño su situación era seria, no tenían dinero ni adónde ir. Ball llevaba un diario en el cual hizo alusión a un intento de suicidio; se llamó a la policía para que se lo impidieran en el lago de Zurich. Su americana, que había sido salvada del lago, no resultó una compra tentadora en el night-club donde la ofreció en venta. Pero en cierto modo su suerte cambió y el night-club le firmó un contrato con un grupo ambulante llamado Flamenco. Incluso mientras se encontraba de gira con el Flamenco en varias ciudades suizas, Ball estaba obsesionado por comprender la cultura alemana de la que había huido. Empezó a hacer planes para un libro, más tarde publicado como *Zur Kritik der deutschen Intelligenz* (*Crítica de la mentalidad alemana*) y escribió interminables textos sobre la enfermedad filosófica y espiritual de la época. Se convirtió en un pacifista inveterado, experimentó con narcóticos y el misticismo, y comenzó a mantener correspondencia con el poeta Marinetti, el líder de los futuristas. Escribió para el periódico *Die Weissen Blätter* de Schickele y la revista *Der Revoluzzer* de Zurich.

No obstante, las performances de cabaré y sus escritos se hallaban en pugna. Ball estaba escribiendo acerca de una clase de arte que se impacientaba cada vez más por llevar a cabo: «En una época como la nuestra, cuando la gente es diariamente asaltada por las cosas más monstruosas sin ser capaz de llevar la cuenta de sus impresiones, en una época así la representación estética se convierte en un derrotero fijado. Pero todo arte vivo será irracional, primitivo y complejo: hablará una lengua secreta y dejará de llevar documentos, no de edificación, sino de paradoja». Ball, después de varios fatigosos meses con el Flamenco, regresó a Zurich.

Cabaret Voltaire

A comienzos de 1916 Ball y Hennings decidieron comenzar su propio café- *47, 48*
cabaré, no distinto de los que habían dejado atrás en Munich. Jan Ephraim, el propietario de un pequeño bar en Spiegelgasse, acordó con ellos utilizar su local para este fin, y luego siguieron días frenéticos para reunir obras de arte

de varios amigos para decorar el club. Se distribuyó un comunicado de prensa: «Cabaret Voltaire. Bajo este nombre se ha formado un grupo de artistas y escritores jóvenes cuya intención es crear un centro de espectáculos artísticos. La idea del cabaré será que los artistas invitados vengan a hacer interpretaciones musicales y lecturas en las reuniones diarias. Los artistas jóvenes de Zurich, cualquiera sea su orientación, están invitados a venir también con sugerencias y contribuciones de todas clases».

La inauguración atrajo a una gran multitud y el lugar se encontraba lleno a rebosar. Ball recordó: «Más o menos a las seis de la tarde, cuando todavía estábamos ocupados martilleando y colgando carteles futuristas, llegó una delegación de cuatro hombrecillos de aspecto oriental, con carpetas y cuadros debajo de los brazos, hicieron repetidas reverencias muy cortésmente. Se presentaron ellos mismos: Marcel Janco el pintor, Tristan Tzara, Georges Janco y un cuarto caballero cuyo nombre no alcancé a entender bien. Dio la casualidad de que Arp también estaba allí, y nos pusimos de acuerdo sin muchas palabras. Enseguida el suntuoso *Arcángeles* de Janco estaba colgado con otros objetos hermosos, y en esa misma velada Tzara leyó algunos poemas de estilo tradicional, que sacaba de los varios bolsillos de su americana de una manera bastante encantadora. Emmy Hennings y Madame Laconte cantaron en francés y danés; Tzara leyó algo de su poesía rumana, mientras una orquesta de balalaicas interpretó melodías populares y danzas rusas».

Así comenzó el Cabaret Voltaire el 5 de febrero de 1916. Fue un acontecimiento de todas las noches: el 6, con muchos rusos entre el público, el programa incluyó poemas de Kandinsky y Else Lasker, el «Donnerwetterlied» («Canción del trueno») de Wedekind, la «Totentanz» («Danza de la Muerte») «con la ayuda del coro revolucionario» y «A la Villete» («A Villete») de Aristide Bruant. A la noche siguiente, el 7, hubo poemas De Blaise Cendrars y Jakob von Hoddis y el 11, llegó el amigo de Ball de Munich, Richard Huelsenbeck. «Abogó por un ritmo más vigoroso (ritmo de los negros) —apuntó Ball—. Prefería hacer entrar la literatura en el suelo a fuerza del repetido golpeteo.»

Las semanas siguientes se llenaron con trabajos tan variados como poemas de Werfel, Morgensten y Lichtenstein. «Todo el mundo ha sido presa de una intoxicación indefinible. El pequeño cabaré se encuentra a punto de reventar y se está convirtiendo en el lugar favorito para las emociones locas.» Ball quedó atrapado en la excitación de preparar programas y escribir material con sus distintos colegas. Estaban menos preocupados por la creación de arte nuevo; de hecho Ball advirtió que «el artista que trabaja a partir de su imaginación espontánea está engañándose respecto de su originalidad. Usa un material que ya está formado y, así, sólo se encarga de dar más explicaciones sobre él». Disfrutó más de su papel de catalizador: «*Producere* significa "producir", "dar existencia". Esto no tiene por qué ser libros. También se pueden producir artistas».

El material para las veladas de cabaré incluía contribuciones de colaboración de Arp, Huelsenbeck, Tzara, Janco, Hennings y otros escritores y artistas de paso. Bajo la presión de entretener a un público variado, se vieron obligados a «ser incesantemente vivos, nuevos e ingenuos. Es una carrera con

Als ich das Cabaret Voltaire gründete, war ich der Meinung, es möchten sich in der Schweiz einige junge Leute finden, denen gleich mir daran gelegen wäre, ihre Unabhängigkeit nicht nur zu geniessen, sondern auch zu dokumentieren. Ich ging zu Herrn Ephraim, dem Besitzer der „Meierei" und sagte: „Bitte, Herr Ephraim, geben Sie mir Ihren Saal. Ich möchte ein Cabaret machen." Herr Ephraim war einverstanden und gab mir den Saal. Und ich ging zu einigen Bekannten und bat sie: „Bitte geben Sie mir ein Bild, eine Zeichnung, eine Gravüre. Ich möchte eine kleine Ausstellung mit meinem Cabaret verbinden." Ging zu der freundlichen Züricher Presse und bat sie: „Bringen sie einige Notizen. Es soll ein internationales Cabaret werden. Wir wollen schöne Dinge machen," Und man gab mir Bilder und brachte meine Notizen. Da hatten wir am 5. Februar ein Cabaret. Mde. Hennings und Mde. Leconte sangen französische und dänische Chansons. Herr Tristan Tzara rezitierte rumänische Verse. Ein Balalaika-Orchester spielte entzückende russische Volkslieder und Tänze.

Viel Unterstützung und Sympathie fand ich bei Herrn M. Slodki, der das Plakat des Cabarets entwarf, bei Herrn Hans Arp, der mir neben eigenen Arbeiten einige Picassos zur Verfügung stellte und mir Bilder seiner Freunde O. van Rees und Artur Segall vermittelte. Viel Unterstützung bei den Herren Tristan Tzara, Marcel Janco und Max Oppenheimer, die sich gerne bereit erklärten, im Cabaret auch aufzutreten. Wir veranstalteten eine RUSSISCHE und bald darauf eine FRANZÖSISCHE Soirée (aus Werken von Apollinaire, Max Jacob, André Salmon, A. Jarry, Laforgue und Rimbaud). Am 26. Februar kam Richard Huelsenbeck aus Berlin und am 30. März führten wir eine wundervolle Negermusik auf (toujours avec la grosse caisse: boum boum boum boum — drabatja mo gere drabatja mo bonooooooooooooo —) Monsieur Laban assistierte der Vorstellung und war begeistert. Und durch die Initiative des Herrn Tristan Tzara führten die Herren Tzara, Huelsenbeck und Janco (zum ersten Mal in Zürich und in der ganzen Welt) simultanistische Verse der Herren Henri Barzun und Fernand Divoire auf, sowie ein Poème simultan eigener Composition, das auf der sechsten und siebenten Seite abgedruckt ist. Das kleine Heft, das wir heute herausgeben, verdanken wir unserer Initiative und der Beihilfe unserer Freunde in Frankreich, ITALIEN und Russland. Es soll die Aktivität und die Interessen des Cabarets bezeichnen, dessen ganze Absicht darauf gerichtetet ist, über den Krieg und die Vaterländer hinweg an die wenigen Unabhängigen zu erinnern, die anderen Idealen leben. Das nächste Ziel der hier vereinigten Künstler ist die Herausgabe einer Revue Internationale. La revue paraîtra à Zurich et portera le nom „DADA". („Dada") Dada Dada Dada Dada.

ZÜRICH, 15. Mai 1916

47 Comunicado de prensa de Hugo Ball Para el Cabaret Voltaire, Zurich, 1916

48 Hugo Ball y Emmy Hennings en Zurich, 1916

las expectativas del público y esta carrera reclama todas nuestras fuerzas de invención y debate». Para Ball había algo especialmente agradable en el cabaré: «No se puede decir con exactitud que el arte de los últimos veinte años haya sido alegre ni que los poetas modernos sean muy entretenidos y populares». La lectura y la performance en vivo son las claves para redescubrir el placer en el arte.

Cada velada se construía en torno de un tema particular: veladas rusas para los rusos; los domingos reservados con aire protector para los suizos, «pero los jóvenes suizos son demasiado prudentes para el cabaré», pensaban los dadaístas. Huelsenbeck desarrolló un estilo de lectura identificable: «Cuando entra, sostiene en su mano el bastón de caña española y en ocasiones lo agita. Eso excita al público. Piensan que es arrogante, y él en efecto lo parece. Sus ventanas de la nariz tiemblan, sus cejas están arqueadas. Su boca con su irónico tic está cansada pero sosegada. Lee, acompañado por el gran tambor, gritos, silbidos y risas»:

> Lentamente el grupo de casas abrió su cuerpo.
> Entonces las hinchadas gargantas de las iglesias vociferaron hacia las profundidades...

En una velada francesa el 14 de marzo, Tzara leyó poemas de Max Jacob, André Salmon y Laforgue; Oser y Rubinstein interpretaron el primer movimiento de una sonata para cello de Saint-Saëns; Arp leyó trozos del *Ubu Roi* de Jarry, etc. «Mientras la ciudad entera no esté encantada, el cabaré ha fracasado», escribió Ball.

La velada del 30 de marzo marcó un nuevo desarrollo: «Según la iniciativa de Tzara, Huelsenbeck, Janco y Tzara recitaron (por primera vez en Zurich y en todo el mundo) los versos simultáneos de Henri Barzun y Fernand Divoire, y un poema simultáneo de su propia composición». Ball definió el concepto de poema simultáneo de esta manera:

> un recitativo de contrapunto en el cual tres o más voces hablan, cantan, silban, etc. al mismo tiempo, de manera que el contenido elegíaco, humorístico o estrafalario de la pieza es sacado a relucir por medio de estas combinaciones. En un poema simultáneo así, se da una poderosa expresión a la cualidad deliberada de una obra orgánica, y lo mismo sucede con la limitación por medio del acompañamiento. Los ruidos (un *rrrr* mantenido durante varios minutos, o estruendos o sirenas, etc.) son superiores a la voz humana en cuanto a energía.

En ese momento el cabaré era un éxito clamoroso. Ball se sentía agotado: «El cabaré necesita un descanso. A pesar de toda la tensión, las actuaciones diarias no son sólo agotadoras —escribió—, son demoledoras. En medio de las multitudes yo comienzo a estar todo tembloroso».

Exiliados socialistas rusos incluidos Lenin y Zinoviev, escritores como Wedekind, los expresionistas alemanes Leonhard Frank y Ludwig Rubiner y expatriados más jóvenes de Alemania y la Europa del Este, todos se apiñaron alrededor del centro de Zurich. Rudolf von Laban, el coreógrafo y pionero

49 Marcel Janco, *Cabaret Voltaire*, 1916. En el podio, *de izquierda a derecha*, Hugo Ball (al piano), Tristan Tzara (retorciéndose las manos), Jean Arp, Richard Huelsenbeck (debajo de Arp) y Marcel Janco

de la danza, prestaba atención mientras sus bailarines interpretaban. Janco
49 pintó *Cabaret Voltaire* y Arp explicó el reparto:

> En el escenario de una taberna llamativa, abigarrada de cosas y atestada de gente hay varias figuras fantásticas y peculiares que representan a Tzara, Janco, Ball, Huelsenbeck, Madame Hennings y su humilde criado. Un pandemonio total. La gente alrededor de nosotros está gritando, riendo y gesticulando. Nuestras respuestas son suspiros de amor, retahílas de hipos, poemas, mugidos, maullidos de *bruitistes* medievales. Tzara está meneando su trasero como el vientre de una bailarina oriental. Janco está tocando un violín invisible y haciendo reverencias y riñendo. Madame Hennings, con cara de Virgen, está despatarrándose. Huelsenbeck está martilleando sin parar sobre el gran tambor, con Ball acompañándolo al piano, pálido como un fantasma de creta. Nos concedieron el título honorario de nihilistas.

El cabaré también generó violencia y embriaguez en el contexto conservador de la ciudad suiza. Huelsenbeck señaló que «eran los hijos de la burguesía de Zurich, los estudiantes universitarios, los que solían ir al Cabaret Voltaire, una cervecería. Queríamos hacer del Cabaret Voltaire un punto focal del "arte más nuevo", aunque no nos olvidamos de vez en cuando de decir a los gordos y totalmente incomprensivos filisteos de Zurich que los consideramos cerdos y al káiser alemán el iniciador de la guerra».

Cada uno se hizo experto en sus especialidades: Janco hizo máscaras que Ball decía que «no eran exactamente ingeniosas. Recordaban las del teatro japonés o el griego antiguo, aunque eran absolutamente modernas». Diseñadas para ser eficaces desde una distancia en el espacio relativamente pequeño del cabaré, tenían un efecto sensacional. «Todos estábamos allí cuando Janco llegó con sus máscaras, y de inmediato todos nos pusimos una. Algo extraño sucedió. La máscara no sólo pedía inmediatamente un traje; también exigía un gesto por completo definitivo, apasionado, que rayara en la locura.»

Emmy Hennings inventaba trabajos nuevos todos los días. Excepto ella, no había intérpretes de cabaré profesionales. La prensa enseguida reconoció la cualidad profesional de su trabajo: «La estrella del cabaré —escribió el *Zür-*
50 *cher Post*— es Emmy Hennings, estrella de muchas noches de cabarés y poemas. Años atrás, ella estaba de pie junto a un susurrante telón amarillo de un cabaré de Berlín, las manos en las caderas, tan eufórica como un arbusto en flor; hoy también presenta la misma apariencia atrevida e interpreta las mismas canciones con un cuerpo que desde entonces sólo ha sido ligeramente destrozado por el pesar».

Ball inventó una nueva especie de «verso sin palabras» o «poemas de sonidos», en los cuales «el equilibrio de las vocales es estimado y distribuido sólo para el valor del primer verso». Describió el traje que había diseñado para la primera lectura de uno de esos poemas, que realizó el 23 de junio de 1916 en
51 el Cabaret Voltaire, en la anotación de su diario de ese mismo día: en la cabeza llevaba «un sombrero de hechicero alto a rayas azules y blancas»; sus

piernas estaban cubiertas con tubos de cartón «que me llegaban a las caderas, de modo que yo tenía el aspecto de un obelisco»; y llevaba un enorme cuello de cartón, escarlata el interior y dorado el exterior, que levantaba y bajaba como alas. Tenía que ser llevado al escenario a oscuras y, leyendo los textos colocados en atriles situados en los tres lados del escenario, comenzaba «lenta y solemnemente»:

gadji beri bimba
glandridi lauli lonni cadori
gadjama bim beri glassala
glandridi glassala tuffm i zimbrabin
blassa galassasa tuffm i zimbrabin

Esta recitación, sin embargo, era problemática. Dijo que enseguida se dio cuenta de que su medio de expresión no era el adecuado para la «pompa de su decorado». Como si se encontrara místicamente dirigido «le pareció que no tenía otra elección más que asumir la antiquísima cadencia de la lamentación sacerdotal, como el canto de la misa que gime por las iglesias católicas tanto de Occidente como de Oriente [...] no sé qué me inspiró a usar esta música, pero comencé a cantar mis versos vocálicos como un recitativo, en el estilo de la iglesia». Con estos nuevos poemas de sonidos, tenía la esperanza de renunciar «al lenguaje devastado y hecho imposible por el periodismo».

50 Emmy Hennings y muñeca

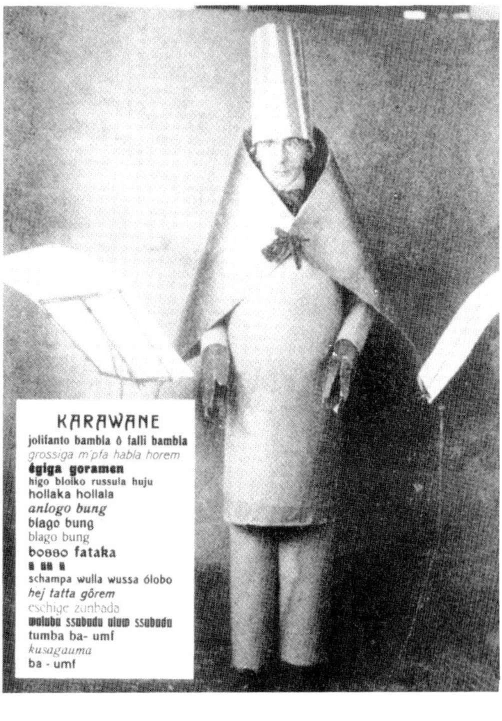
KARAWANE
jolifanto bambla ô falli bambla
grossiga m'pfa habla horem
égiga goramen
higo bloiko russula huju
hollaka hollala
anlogo bung
blago bung
blago bung
bosso fataka
schampa wulla wussa ólobo
hej tatta gôrem
eschige zunbada
wulubu ssubudu uluw ssubudu
tumba ba- umf
kusagauma
ba - umf

51 Hugo Ball recitando el poema de sonidos *Karawane*, 1916, uno de los últimos actos en el Cabaret Voltaire. Ball colocó sus textos en atriles distribuidos por el podio, y se giraba de uno a otro durante la performance, levantando y bajando las «alas» de cartón de su traje

Tzara tenía otros problemas. Seguía preocupándose por una revista y tenía planes más ambiciosos para las actividades en el Cabaret Voltaire; veía su potencial: como un movimiento, como una revista, como una manera de tomar por asalto París. Arp, por otra parte, una personalidad totalmente introspectiva, permaneció al margen del cabaré. «Arp nunca interpretó —recordó Huelsenbeck—. Nunca necesitó tumulto alguno, aunque su personalidad tenía un efecto tan fuerte que, desde el mismísimo principio, Dadá habría sido imposible sin él. Fue el espíritu en el aire y la fuerza formativa en la zarza ardiente. Su tez delicada, la delgadez propia de un bailarín de ballet de sus huesos, su modo de andar elástico, todo indicaba su enorme sensibilidad. La grandeza de Arp reside en su habilidad para limitarse al arte.»

Las veladas de cabaré continuaron. Comenzaron a encontrar una forma particular, pero, por encima de todo, siguieron siendo un gesto. Ball explicó que «cada palabra pronunciada y cantada aquí dice al menos esto: que esta época de humillación no ha logrado conseguir nuestro respeto. ¿Qué podría ser respetable e impresionante respecto de ella? ¿Sus cañones? Nuestro gran tambor apaga sus ruidos. ¿Su idealismo? Eso ha sido durante mucho tiempo un hazmerreír, en su versión popular y en la académica. ¿Las grandiosas matanzas y las hazañas de canibalismo? Nuestra espontánea estupidez y el entusiasmo por la ilusión las destruirán».

En abril de 1916 había planes para una «Sociedad Voltaire» y una exposición internacional. Los ingresos de las veladas se destinarían a la publicación de una antología. Tzara, en especial, deseaba la antología; Ball y Huelsenbeck estaban en contra. Estaban en contra de la «organización»: «La gente ya ha tenido suficiente», arguía Huelsenbeck. Él y Ball sentían que «uno no debe convertir un capricho en una escuela artística». Pero Tzara era porfiado. Fue en ese momento que Ball y Huelsenbeck habían acuñado el nombre, que habían encontrado en un diccionario alemán-francés, para la cantante Madame le Roy: «*Dadá* es "sí, sí" en rumano, "caballito de balancín" o "caballito de juguete" en francés». «Para los alemanes —dijo Ball—, es un signo de ingenuidad estúpida, alegría en procreación y preocupación por el cochecito del bebé.»

El 18 de junio de 1916, Ball escribía: «Ahora hemos llevado la plasticidad de la palabra hasta el punto en que apenas puede ser igualada. Lo logramos a expensas de la oración racional, lógicamente construida y también mediante el abandono de la obra documental...». Citó dos factores que habían hecho posible ese pensamiento: «Ante todo, la circunstancia especial de estos tiempos, que no permiten al talento verdadero descansar ni madurar y así pone a prueba sus capacidades. Después estaba la energía enfática de nuestro grupo...». Reconocía que su punto de partida era Marinetti, cuyas palabras-en-libertad sacaba la palabra del marco de la oración (la imagen del mundo) «y alimentaba los demacrados vocablos de la gran ciudad con luz y aire y les devolvía su calor, su emoción y su tranquila libertad original».

52 Sophie Taeuber y Jean Arp con títeres hechos por Taeuber utilizados en varias performances, Zurich, 1918

Meses de revuelo nocturno en el cabaré comenzaron a alterar al propietario, Ephraim. «El hombre nos dijo que debíamos ofrecer un espectáculo mejor y atraer una multitud más grande o cerrar el cabaré», escribió Huelsenbeck. Los distintos dadaístas reaccionaron de manera característica ante este ultimátum: Bal estaba «dispuesto a cerrar el negocio», en tanto que Tzara, señaló cínicamente Huelsenbeck, «se concentró en su correspondencia con Roma y París, para continuar siendo el intelectual internacional que juega con las ideas del mundo». Reservado como siempre, «Arp en todo momento mantuvo una cierta distancia. Su programa era claro. Quería revolucionar el arte y acabar con la pintura y la escultura objetivas».

El Cabaret Voltaire, después de sólo cinco meses, cerró sus puertas.

Dadá: revista y galería

Una nueva etapa comenzó cuando Dadá se dio a conocer al público en el Waag Hall de Zurich el 14 de julio de 1916. Ball vio el acto como el fin de su compromiso con Dadá: «Mi manifiesto sobre la primera velada Dadá *pública* fue una ruptura ligeramente disfrazada con los amigos». Fue una declaración que tenía que ver con la absoluta primacía de la palabra en el lenguaje. Pero de manera más particular, fue la oposición declarada de Ball a la idea de

Dadá como una «tendencia en arte». «Hacer de él una tendencia artística debe significar que uno está anticipando complicaciones», escribió Ball. Tzara, no obstante, se hallaba en su elemento. En su *Zurich Chronicle*, Tzara describió su propio papel.

> 14 de julio de 1916 — Por primera vez en todas partes. Waag Hall: primera velada Dadá
>
> (Música, danzas, teorías, manifiestos, poemas, pinturas, trajes, máscaras)
>
> En presencia de una compacta multitud Tzara manifiesta, exigimos exigimos el derecho a orinar en diferentes colores, Huelsenbeck manifiesta, Ball manifiesta, *Erklärung* [declaración] de Arp, *meine Bilder* [mis cuadros] de Janco, *eigene Kompositionen* [composiciones originales] de Heusser el ladrido del perro y la disección de Panamá sobre el piano sobre el piano y foso —Poema gritado— gritando y luchando en el vestíbulo, la primera fila aprueba la segunda fila se declara incompetente para juzgar el resto grita, que es el más fuerte, el gran tambor es entrado, Huelsenbeck contra 200, Hoosenlatz intensificado por el gran tambor y cascabeles en su pie izquierdo: la gente protesta grita rompe cristales se matan se destruyen pelean aquí llega la policía interrupción.
>
> Boxeo reanudado: danza cubista, trajes de Janco, cada hombre su propio gran tambor sobre la cabeza, ruido, música negra/trabatgea bonoooooo oo ooooo/5 experimentos literarios. Tzara de frac delante del telón, seriedad de piedra para los animales, y explica la nueva estética: poema gimnástico, concierto de vocales, poema *bruitiste*, poema estático disposición química de ideas, *Biriboom biriboom saust der Ochs im Kreis herum* [el buey da vueltas alrededor de un anillo] (Huelsenbeck), poema de vocales aaò, ieo, aïï, nueva interpretación la estupidez subjetiva de las arterias la danza del corazón en los edificios ardiendo y acrobacia en el público. Más protesta clamorosa, el gran tambor piano y cañón impotente, trajes de cartón arrancados el público se arroja a una fiebre puerperal para interrumpir. Los periódicos insatisfechos poema simultáneo para 4 voces + obra simultánea para 300 idiotas irremediables.

Los cinco principales leyeron varios manifiestos. Ese mismo mes *Colección Dadá* publicó su primer volumen, que incluía *La première aventure céleste de M. Antipyrine* (*La primera aventura celeste del señor Antipirina*). A éste siguieron, en septiembre y octubre del mismo año dos volúmenes de poesía de Huelsenbeck. Mientras Tzara creaba un movimiento literario originado en la idea Dadá, estaba ganándose la antipatía de Ball. Huelsenbeck colaboró durante un tiempo, pero compartía las reservas de Bal acerca de en qué se estaba convirtiendo Dadá, si bien por diferentes razones. Huelsenbeck veía que el movimiento estaba codificando a Dadá, en tanto que Ball simplemente quería apartarse de él para concentrarse en su propia escritura.

Como consecuencia de la reunión pública hasta la revista, el paso siguiente era un lugar propio, una galería Dadá. Primero fue un local alquilado: en enero de 1917 se inauguró la primera exposición de Dadá pública en la Galerie Corray, que incluía obras de Arp, Van Rees, Janco y Richter, arte negro y charlas de Tzara sobre «Cubismo», «Arte viejo y arte nuevo» y «Arte del presente». Enseguida Ball y Tzara compraron la Galerie Corray y la abrieron

53 Arp, Tzara y Hans Richter, Zurich, 1917 o 1918

el 17 de marzo como la Galerie Dada con una exposición de pinturas de *Der Sturm*. Ball escribió que era «una continuación de la idea del cabaré del año anterior». Fue un acontecimiento hecho de prisa con sólo tres días entre la propuesta y la inauguración. Ball recordó que más o menos cuarenta personas llegaron a la inauguración, donde anunció el plan de «formar un pequeño grupo de personas que se apoyarían y estimularían mutuamente».

No obstante, la naturaleza de la obra había cambiado, de la performance espontánea a un programa de galería más organizado y didáctico. Ball escribió que habían «superado los barbarismos del cabaré. Hay un espacio de tiempo entre Voltaire y la Galerie Dada en el cual todo el mundo ha trabajado muy duro y reunido nuevas impresiones y experiencias». Hubo, además, una nueva concentración en la danza, posiblemente debido a la influencia de Sophie Taeuber, que trabajó con Rudolf von Laban y Mary Wigman. Ball *52* escribió acerca de la danza como un arte del material más próximo y más directo: «Está muy próximo al tatuaje y a todos los esfuerzos representativos primitivos que aspiran a la personificación; ésta a menudo se convierte en ellos». *Gesang der Flugfische und Seepferdchen* (*Canción del pez volador y los caballitos de mar*) de Sophie Taeuber fue «una danza de destellos y agudezas, llena de luces deslumbradoras y penetrante intensidad», según Ball. Una segunda exposición de *Der Sturm* se inauguró el 9 de abril de 1917 y el 10 Ball ya estaba preparando la segunda velada: «Estoy ensayando una nueva danza con damas de Laban como negras con largos caftanes negros y máscaras. Los movimientos son simétricos, el ritmo está muy recalcado, la imitación es de una estudiada fealdad deformada».

Cobraron entrada, pero, a pesar de esto, señala Ball, la galería resultó demasiado pequeña para el número de visitantes. La galería tenía tres facetas: durante el día era una especie de cuerpo docente para colegialas y damas de la clase alta. «Al atardecer, la habitación de Kandinsky iluminada con velas es un club para las filosofías más esotéricas. En la velada, sin embargo, las fiestas tienen una brillantez y un frenesí como Zurich nunca había visto antes.» Lo que resultó interesante fue la «ilimitada disponibilidad para el embuste y la exageración, una disponibilidad que se ha convertido en principio. Danza absoluta, poesía absoluta, arte absoluto; lo que significa que un mínimo de impresiones es suficiente para evocar imágenes inusuales».

La Galerie Dada duró exactamente once semanas. Había sido premeditada y educativa en su intento con tres exposiciones a gran escala, numerosas conferencias (incluida una de Ball sobre Kandinsky), veladas y manifestaciones. En mayo de 1917 hubo una merienda gratuita para grupos escolares y el 20 una visita de la galería para obreros. Según Ball, sólo acudió un obrero. Entretanto, Huelsenbeck perdió interés en la cuestión en general, reclamando que era un «pequeño asunto de arte tímido, caracterizado por damas ancianas que toman el té tratando de revivir su evanescente energía sexual con la ayuda de "algo loco"». Pero para Ball, que al poco tiempo iba a dejar Dadá para siempre, proporcionó el más serio intento todavía para revivir las tradiciones de arte y literatura y para establecer una dirección positiva para el grupo.

Incluso antes de que la Galerie Dada hubiera cerrado oficialmente, Ball se había marchado de Zurich a los Alpes y Huelsenbeck había partido para Berlín.

Huelsenbeck en Berlín

«La razón directa de mi regreso a Alemania en 1917 —escribió Richard Hueselbenck—, fue el cierre del cabaré. Tratando de pasar inadvertido en Berlín durante los siguientes trece meses, Huelsenbeck reflexionó acerca del Dadá de Zurich, y más tarde publicó sus escritos en *En avant Dada: Eine Geschichte des Dadaismus* (1920), donde analizaba algunos de los conceptos que éste había intentado desarrollar. La simultaneidad, por ejemplo, había sido usada por primera vez por Marinetti en un sentido literario, pero Huelsenbeck insistió en su naturaleza abstracta: «La simultaneidad es un concepto», escribió.

> al hacer referencia al acontecimiento de diferentes actos al mismo tiempo, convierte la secuencia de a = b = c = d en una a — b — c — d, e intenta transformar el problema de la oreja en un problema de la cara. La simultaneidad está en contra de lo que ha llegado a ser, y a favor de lo que está llegando a ser. Mientras tanto yo, por ejemplo, sucesivamente me doy cuenta de que di un cachete a una anciana ayer y me lavé las manos hace una hora, el chirrido de un tranvía rompe el si-

lencio y el estrépito de un ladrillo que cae del techo en la casa de al lado llegan a mi oído y a mi ojo (exterior o interior) se despierta para asir, en la simultaneidad de estos actos, un rápido significado de la vida.

Asimismo introducido en el arte por Marinetti, el *bruitisme* puede describirse como «ruido con efectos imitativos» como el oído en un «coro de máquinas de escribir, timbales, maracas y tapas de cacerolas».

Estas preocupaciones teóricas iban a adquirir un nuevo significado en el contexto de Berlín. Los primeros intérpretes estaban lejos. Ball y Emmy Hennings se habían ido a Agnuzzo en el Ticino, donde Ball intentaba vivir una vida solitaria, mientras que Tristan Tzara se había quedado en Zurich, manteniendo viva la revista Dadá con manifiestos adicionales. Pero los bohemios literarios de Berlín tenían poco en común con los exiliados pacifistas de Zurich, menos inclinados a una actitud del arte por el arte, pronto iban a influir a Dadá hacia una postura política que no había conocido antes.

No obstante, las primeras performances Dadá de Berlín se parecían a las de Zurich. La clientela literaria del Café des Westens de hecho había estado ansiosa por ver materializarse la leyenda de Dadá y, en febrero de 1918, Huelsenbeck dio su primera lectura. Con él estaban Max Herrmann-Neise y Theodor Däuber, dos poetas expresionistas, y Goerge Grosz, su viejo amigo escritor satírico y activista; esta primera performance Dadá de Berlín tuvo lugar en una pequeña habitación en la galería de I. B. Neumann. Huelsenbeck una vez más reasumió su papel de «tambor Dadá», blandiendo su bastón, violento, «quizás arrogante y sin pensar en las consecuencias», en tanto que Grosz recitaba su poesía: «Vosotros-hijos-de-puta, materialistas/comedores de pan, ¡¡carne = comedores = vegetarianos!!/profesores, aprendices de carniceros, ¡alcahuetes!/¡vosotros, holgazanes!». Luego Grosz, entonces un esperanzado suscriptor a la anarquía de Dadá, orinaba sobre una pintura expresionista.

Para rematar esta provocación, Huelsenbeck se volvía hacia otro objeto tabú, la guerra, diciendo a gritos que la última no había sido lo suficientemente sangrienta. En ese momento, un veterano de guerra con una pierna de madera abandonaba la habitación en señal de protesta, acompañado por un aplauso de apoyo del irritado público. Impertérrito, Huelsenbeck leía sus *Phantastiche Gebete* (*Oraciones fantásticas*) por segunda vez esa velada y Däubler y Herrmann-Neisse continuaban con sus lecturas. El director de la galería amenazó con llamar a la policía, pero varios dadaístas persuasivos consiguieron detenerlo. Al día siguiente los periódicos tenían historias de titulares de primera página que cubrían el escándalo. La escena para numerosas performances Dadá de éxito se había establecido.

Cuando, sólo dos meses más tarde, el 12 de abril de 1918, Huelsenbeck y una banda de parroquianos del Café des Westens constituida de manera diferente —Raoul Hausmann, Franz Jung, Gerhard Preiss y George Grosz— presentaron la segunda velada Dadá, que fue planeada con mucha meticulosidad. A diferencia del primer acto improvisado, se distribuyeron ampliamente comunicados de prensa, se solicitaron cofirmantes para el manifiesto

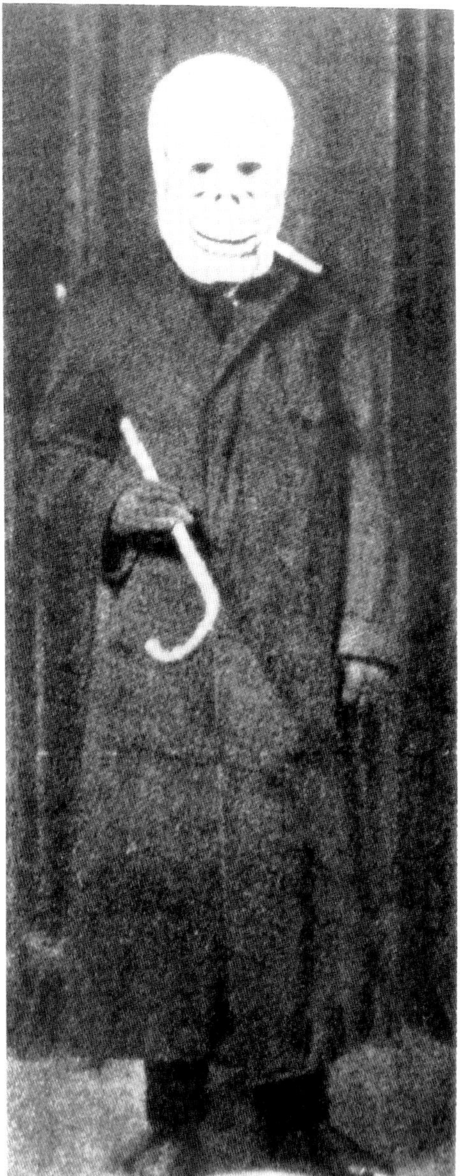

Durch Post u. Buchhandel à Nummer 40 Pf.

Preis 40 Pf.

"Jedermann sein eigner Fussball"

Jllustrierte Halbmonatsschrift

1. Jahrgang — Der Malik-Verlag, Berlin-Leipzig — Nr. 1, 15. Februar 1919

Sämtliche Zuschriften betr. Red. u. Verl. an: Wieland Herzfelde, Berlin-Halensee, Kurfürstendamm 76. Sprechst.: Sonntags 12–1 Uhr

Preisausschreiben!

Wer ist der Schönste??

Deutsche Mannesschönheit 1

Die Sozialisierung der Parteifonds

Eine Forderung zum Schutze vor allgemein üblichem Wahlbetrug

DADA-TROTT — DADA-TROTT

Der dadaistische Holzpuppentanz, vorgeführt vom Musikdada PREISS.

Wenn Hausmann die unangenehmste Fresse des Dadaismus hat, so hat Picabia die angenehmste Dada-Visage. George Grosz

sodann hui scheel war Hai X ‖ { Dalypi Daripi } ; aufatmen abbh Selter oder **Das Dadalyripipidon.**

Johannes B. Krystaus, der erste ungarische Dadaist.

Den Dadalyden lotselt Pipikotzmos,
Die Pipiratten späheln nach dem Dadalon.
Sieh! Da & Pi, Dapi, Pida, Pidadapi.
Auch der Mestrieze Dapidapi frosig bahreln.
Zuvörderst darfst dem Daad du fröhnen,
Junger Pipi (so pipida und dapipi dada).
Dem Dadaphon entströmeln sanfte Jamben.
Wer könnte — ohne Dadanent des Pipidroms zu sein.
Darob: Das Ganze stillgestanden (Mittelding),
Datater: dat!
Sprecht Dadamuden.
Der Laubfrosch säugelt euch mit Pipirin?
Der du die Dha von Daad stets peinlich weißt zu scheiteln,
Auf, auf, an's Dadapult, sag's nicht dem Gnömmel-Bömmel.
Gewissenlose Pipidranten flöteln,
Zumal Fritz Friedrich Sunlight (v. Sonderscheunochzagen),
Die mistverpichten Präpipister töteln.
Deromaleinst Milliarden Dadaisten ragen.

PROGRESS-DADA
WIELAND HERZFELDE

1 mm

54 George Grosz vestido de Muerte Dadá, un traje con el cual recorrió el Kurfürstendamm de Berlín, en 1918

55 John Heartfield, cubierta de *Jedermann sein eigner Fussball* (*Cada hombre tiene su propio fútbol*), nº 1, 15 de febrero de 1919

56 Gerhard Preiss, también conocido como Musik Dada, ejecutando su famoso «Dada-Trott», de *Der Dada*, nº 3

de Huelsenberg *Dadaísmo en la vida y el arte* y una elaborada introducción preparada para familiarizar al público de Berlín con las ideas de Dadá. Tras comenzar con un frenético ataque al expresionismo, la velada continuó con una predecible minuta Dadá: Grosz recitó sus poemas en rápida sucesión; Else Hadwiger leyó la poesía de Marinetti que ensalzaba las virtudes de la guerra; mientras que Huelsenbeck tocaba una trompeta y una matraca de juguete. Otro veterano de guerra, todavía de uniforme, respondió a la enérgica demostración con un ataque epiléptico. Pero Hausmann simplemente aumentó el tumulto al continuar su conferencia sobre «Los nuevos materiales en pintura». No obstante su diatriba contra el arte respetable fue efímera. Preocupado por los cuadros distribuidos por las paredes, el empresario apagó las luces en mitad del discurso. Esa noche Huelsenbeck fue a esconderse en su ciudad natal de Brandemburgo.

Pero Dadá estaba decidido a conquistar Berlín, a desterrar el expresionismo de los límites de la ciudad y a establecerse como un adversario del arte abstracto. Los dadaístas de Berlín pegaron sus eslóganes por toda la ciudad —«Dadá te patea el trasero y te gusta»—. Usaban estrafalarios uniformes teatrales —Grosz recorrió el Kurfürstendamm vestido de Muerte— y adoptaron nombres «revolucionarios»: Huelsenbeck era Weltdada, Meisterdada; 54
Hausmann era Dadasoph; Grosz de diversos modos Böff, Dadamarschall o Propagandada; y Gerhard Preiss, que inventó el «Dada-Trott», Musik- 56
Dada.

57 Inauguración de la Primera Exposición Dadá, 5 de junio de 1920, en la Galería Burchard. *De izquierda a derecha*, Raoul Hausmann, Hannah Höch (sentada), Otto Burchard, Johannes Baader, Wieland Herzfelde, la señora de Herzfelde, Otto Schmalhausen, George Grosz, John Heartfield. En la pared de la izquierda, *Mutilados de guerra* de Otto Dix; en la pared del fondo, *Deutschland, ein Wintermärchen* (1917-19) de Grosz; suspendido en lo alto, el muñeco uniformado que condujo al procesamiento de Grosz y Herzfelde

Los manifiestos aparecieron en rápida sucesión. Pero el estado de ánimo había cambiado; Berlín había transformado a Dadá al añadirle un espíritu más agresivo que antes. Además del comunismo radical, los dadaístas de Berlín exigían «la introducción del desempleo progresivo a través de la mecanización completa de cada campo o actividad», pues, «sólo mediante el desempleo llega a ser posible para el individuo lograr seguridad como ante la verdad de la vida y finalmente acostumbrarse a la experiencia». Además de la «requisición de las iglesias para la performance de poemas *bruitistes*, simultaneístas y dadaístas», exigían la «inmediata organización de una campaña de propaganda dadaísta a gran escala con 150 circos para la ilustración del proletariado». Las matinés y veladas tuvieron lugar por toda la ciudad, algunas veces en el Café Austria, y los recién llegados a Berlín se unían a las abultadas filas del creciente grupo Dadá militante. Efim Golyschef, que acababa de llegar de Rusia, añadió su *Antisinfonía en tres partes (La guillotina circular)* al repertorio Dadá, mientras que Johannes Baader, que había sido declarado loco por la policía de Berlín, añadió su propia marca de locura Dadá.

En mayo de 1918, se pegaron enormes carteles pintados de manera elaborada en cientos de paredes y vallas de Berlín que anunciaban el «Primer renacimiento de las artes de la posguerra alemana». El 15 de mayo se inauguró un «Gran festival de las artes» en la gran Meister-Saal en el Kurfürstendamm con una competición entre una máquina de escribir y una máquina de coser. Allí siguió un «Concurso de poesía pangermánica», que tomó la forma de una competición, arbitrada por Grosz, entre doce poetas leyendo su obra a la vez.

Dadá estaba en la cima de su notoriedad y la gente acudía en tropel a Berlín para experimentar la rebelión Dadá directamente. Pedían a voces la «Conversación privada de dos hombres seniles detrás de una mampara de chimenea» de Grosz y Mehring, el «Dada-Trott» de Gerhard Preiss y la danza de «sesenta-y-un-pasos». Los dadaístas de Berlín también hicieron una gira checoslovaca, Huelsenbeck comenzaba cada acto con una alocución al público típicamente provocativa.

Su regreso a Berlín a fines de 1919 estuvo marcado por la aparición en el escenario Dadá del director teatral Erwin Piscator. En Die Tribüne, Piscator dirigió el primer fotomontaje vivo con uno de los sketches de Huelsenbeck. Dirigiendo la acción desde la cima de una alta escalera, Piscator ocupaba el escenario en tanto que, entre bastidores, los dadaístas gritaban palabras groseras al público. *Simplemente clásica: una Orestíada con final feliz* de Mehring, que satirizaba los acontecimientos económicos, políticos y militares, tuvo lugar en el sótano del teatro de Max Reinhardt, el Schall und Rauch. Empleaba marionetas de sesenta centímetros de altura diseñadas por Grosz y realizadas por Heartfield y Hecker, además de muchas innovaciones técnicas que más tarde usarían Piscator y Brecht en sus representaciones.

57 El Dadá de Berlín estaba acercándose al fin. La Primera Exposición Dadá Internacional en la Galería Burchard en junio de 1920 de manera irónica reveló el agotamiento de Dadá. Grosz y Heartfield, al volverse cada vez más politizados por la amenaza de los acontecimientos actuales, se unieron al más

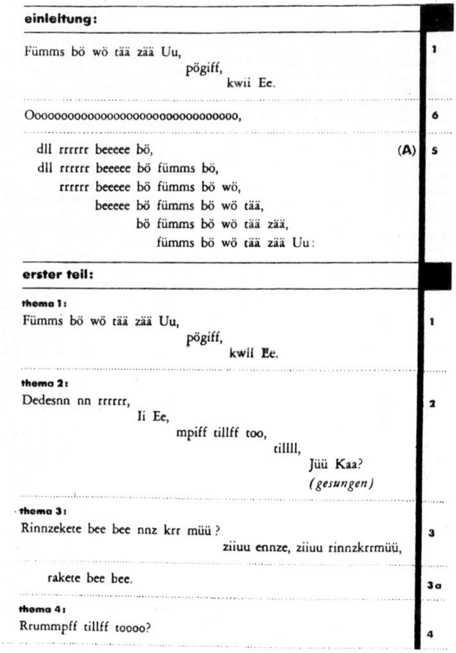

einleitung:

Fümms bö wö tää zää Uu, 1
pögiff,
kwii Ee.

Oooooooooooooooooooooooooooooooo, 6

dll rrrrr beeeee bö, (A) 5
dll rrrrr beeeee bö fümms bö,
rrrrr beeeee bö fümms bö wö,
beeeee bö fümms bö wö tää,
bö fümms bö wö tää zää,
fümms bö wö tää zää Uu:

erster teil:

thema 1:
Fümms bö wö tää zää Uu, 1
pögiff,
kwii Ee.

thema 2:
Dedesnn nn rrrrrr, 2
Ii Ee,
mpiff tillff too,
tillll,
Jüü Kaa?
(gesungen)

thema 3:
Rinnzekete bee bee nnz krr müü? 3
ziiuu ennze, ziiuu rinnzkrrmüü,

rakete bee bee. 3a

thema 4:
Rrummpff tillff toooo? 4

58 Texto de *Die Ursonate* de Kurt Schwitters

59 Kurt Schwitters

programático Teatro Proletario de Schüller y Piscator, en tanto que Husmann abandonó Berlín para unirse al Dadá de Hannover. Mehring, por otra parte, regresó al siempre popular «cabaré literario». Huelsenbeck continuó hasta completar sus estudios de medicina y en 1922 se marchó a Dresde donde fue ayudante de un neuropsiquiatra y más tarde se hizo psicoanalista.

Las ciudades alemanas, holandesas, rumanas y checoslovacas se vieron igualmente asediadas por dadaístas extranjeros de visita y grupos localmente formados. Kurt Schwitters viajó a Holanda en 1923 y ayudó a formar un «Dadá de Holanda»; también hizo regulares visitas a la Bauhaus donde hipnotizó a su público con su voz de staccato entonando su famoso poema *Anna Blume* o su *Die Ursonate*. Schwitters incluso propuso un teatro *Merz* en *58, 59* un manifiesto titulado «A todos los teatros del mundo les reclamo el teatro Merz», exigiendo «igualdad en principio de todos los materiales, igualdad entre todos los seres humanos, idiotas, tela metálica y bombas de ideas silbantes».

En Colonia, Max Ernst organizó un «Dada-Vorfrühling» con Arp y Baargeld, que se inauguró el 20 de abril de 1920. Antes de la exposición, la policía la cerró temporalmente, los que tuvieron la oportunidad de visitarla entraron a través del urinario de una cervecería. Allí encontraron el *Fluidoskeptrik* de Baargeld: un acuario de agua coloreada con sangre, un despertador en el fondo, una peluca de mujer flotando en la superficie y un brazo de madera asomándose del agua. Encadenada a un objeto de Ernst había un hacha, que proporcionaba una abierta invitación a cualquier viandante que quisiera destruir el objeto. Una joven con un vestido de comunión recitó poemas «obscenos» de Jacob van Hoddis. En 1921 el Dadá de Colonia había recorrido su camino; al igual que muchos dadaístas en Europa, Ernst también se encaminó a París ese año.

Dadá en Nueva York y Barcelona

Entretanto, los últimos años de Dadá en Zurich estuvieron en manos de Tristan Tzara. Allí había transformado a Dadá de una serie fortuita de actos en su mayor parte improvisados en un movimiento con su propio portavoz, la revista *Dada* (primer número en julio de 1917), que pronto llevaría con él a París. Algunas de las figuras del Cabaret Voltaire más reticentes, como el médico vienés, Walter Serner, empezaron a destacar, y recien llegados como Francis Picabia pasaron brevemente por Zurich para conocer a los partidarios leales de Dadá.

Picabia, un acaudalado cubano nacido en París y temporalmente residente en Nueva York, París y Barcelona, en 1918 se presentó él mismo al contingente Dadá en una fiesta de Champaña en el Hotel Elite de Zurich. Ya conocido por sus «pinturas de máquina» en negro y oro en la exposición Dadá en la Galerie Wolfsberg en septiembre de 1918, publicó un nú-

60 Cartel que anuncia la pelea entre el escritor Arthur Cravan y el campeón del mundo de boxeo Jack Johnson, Madrid, 23 de abril de 1916

mero especial de Zurich de su revista *391*. Picabia estaba más que familiarizado con el estilo del Dadá de Zurich. En Nueva York, él y Duchamp habían estado en la primera línea de las actividades de vanguardia. Con Walter Arensberg y otros organizaron la importante exposición de los Independientes de 1917, marcada por el intento de Duchamp de exponer su conocida *Fuente*: un orinal. Por consiguiente, el material publicado de Picabia —poemas y dibujos— le precedió en Zurich, donde fue recibido por Tzara: «Viva Descartes, viva Picabia el antipintor que acaba de llegar de Nueva York».

Entre aquellos que estaban comprometidos con *391* en Barcelona figuraba el escritor y boxeador amateur Arthur Cravan (nombre verdadero Fabian Lloyd), que ya había adquirido seguidores en París y Nueva York con su polémico *Maintenant* (1912-15). Autoproclamado campeón de Francia, timador, mulero, encantador de serpientes, ladrón de hoteles y sobrino de Oscar Wilde, había desafiado al campeón del mundo de los pesos pesados, Jack Johnson, a una pelea, que tuvo lugar en Madrid el 23 de abril de 1916.
La actividad amateur de Cravan además de su estado de embriaguez asegu- *60*
raban que sería noqueado en el primer round; no obstante, este acto algo breve constituyó una sensación en Madrid y fue muy apreciado por los seguidores de Cravan. Un año más tarde, en la exposición de los Independientes en Nueva York, fue arrestado por ofender a una reunión de mujeres y hombres de la sociedad. Invitado por Duchamp y Picabia a pronunciar una conferencia la noche de la inauguración, Cravan llegó evidentemente borracho y enseguida comenzó a despotricar obscenidades contra el público. Luego pasó a desnudarse. Fue en este momento que la policía se lo llevó a la rastra a la cárcel local, sólo para ser rescatado por Walter Arensberg. El fin de Cravan fue igualmente extraño: se lo vio por última vez en 1918 en una pequeña ciudad en la costa de México, transportando provisiones a un pequeño yate que iba a llevarlo a Buenos Aires para reunirse con su mujer Mina Loy. Partió en su embarcación y nunca más se supo de él.

El fin de Dadá en Zurich

Con sus colaboradores, Tzara organizó una noche de Tristan Tzara en la Salle zur Meize el 23 de julio de 1918, cuando aprovechó la ocasión de leer el primer manifiesto Dadá verdadero: «Dejadnos destruir dejadnos ser buenos dejadnos crear una nueva forma de gravedad NO = SÍ Dadá significa nada —decía—. La ensalada burguesa en el eterno cuenco es insípida y odio el sentido común». Esto causó el inevitable tumulto y, en rápida sucesión, siguieron una gran cantidad de actos Dadá.

La velada Dadá final tuvo lugar en Zurich el 9 de abril de 1919 en la Saal zur Kaufleuten. Un acontecimiento ejemplar que iba a establecer el formato para las veladas subsiguientes en París, que Walter Serner dirigió y Tzara coordinó de manera precisa. Como Tzara aliteradamente señaló: «1.500 personas llenaban el vestíbulo bullendo en las burbujas de las bambulas». Hans Richter y Arp pintaron los decorados para las danzas de Suzanne Perrottet y

Käthe Wulff, que consistía en formas abstractas negras —«como pepinos»— sobre largas tiras de papel de más o menos dos metros de ancho. Janco construyó enormes máscaras de salvajes para las danzas y Serner se pertrechó de varios apoyos curiosos, entre ellos un muñeco sin cabeza.

La performance comenzó con una nota sombría: el cineasta sueco Viking Eggeling pronunció un serio discurso sobre la «Gestaltung» elemental y el arte abstracto. Esto sólo irritó al público preparado para la usual confrontación combativa con los dadaístas. La danza de Perrottet para Schönberg y Statie tampoco pacificó a la desasosegada multitud. Sólo el poema simultáneo de Tzara *La fièvre du mâle* (*La fiebre del macho*), leído por veinte personas, proporcionó la absurdidad que el público esperaba. «Se desencadenó un tumulto infernal —apuntó Richter—. Gritos, silbidos, cantos al unísono, risas, todo lo cual se confundía más o menos armoniosamente con los bramidos de los veinte en la plataforma.» Luego Serner llevó su muñeco sin cabeza al escenario, presentándolo con un ramo de flores artificiales. Cuando comenzó a leer su manifiesto anarquista, *Letzte Lockerung* (*Disolución final*) —«una reina es un sillón y un perro es una hamaca»— la multitud respondió violentamente y rompió el muñeco, lo que obligó a un intervalo de veinte minutos en el acto. La segunda parte del programa fue un poco más sosegada: cinco bailarines de Laban interpretaron *Nor Nakadu*, los rostros cubiertos con máscaras de Janco y los cuerpos ocultos en extraños objetos en forma de embudo. Tzara y Serner leyeron más poemas. A pesar del final pacífico, Tzara escribió que la performance había tenido éxito al establecer «el circuito de la inconsciencia absoluta en el público que olvidó las fronteras de la educación de los prejuicios, experimentó la conmoción de lo NUEVO». Fue, dijo, la victoria final de Dadá.

De hecho, la performance de la Kaufleuten sólo marcó la «victoria final» del Dadá de Zurich. Para Tzara resultaba evidente que después de cuatro años de actividades en esa ciudad, se había vuelto necesario encontrar un terreno nuevo para la anarquía de Dadá si es que iba a seguir siendo al menos eficaz. Había estado preparando una partida a París durante algún tiempo: en enero de 1918 había comenzado a mantener correspondencia con el grupo que en marzo de 1919 iba a fundar la revista literaria *Littérature* —André Breton, Paul Eluard, Philippe Soupault, Louis Aragon y otros— con la esperanza de obtener colaboraciones para *Dada 3* y su apoyo tácito a Dadá. Sólo Soupault respondió con un breve poema, y aunque todo el grupo de París, incluidos Pierre Reverdy y Jean Cocteau, envió material para *Dada 4-5* (mayo de 1919), se había hecho evidente que desde tanta distancia ni siquiera el enérgico Tzara podía lograr que los parisienses tuvieran una participación mayor. Así, en 1919, Tzara se marchó a París.

CAPÍTULO IV

Surrealismo

Primera performance de París

Tzara llegó sin anunciarse a la casa de Picabia y pasó su primera noche en París en un sofá. La noticia de que estaba en la ciudad se extendió rápidamente y enseguida se convirtió en el centro de atención de los círculos de vanguardia, tal como había previsto. En el Café Certà y su anexo el Petit Grillon, conoció al grupo de *Littérature*, con el cual había estado manteniendo correspondencia, y no pasó mucho tiempo antes de que organizaran el primer acto Dadá en París. El 23 de enero de 1920, tuvo lugar el primer Viernes de *Littérature* en el Palais des Fêtes en la rue Saint-Martin. André Salmon inició la performance con un recital de sus poemas, Jean Cocteau leyó poemas de Max Jacob, y el joven André Breton algunos de Reverdy, su favorito. «El público estaba encantado —escribió Ribemont-Dessaignes—. Esto, después de todo era "moderno", a los parisienses les encanta eso.» Pero lo que siguió puso al público de pie. Tzara leyó un artículo de periódico «vulgar» y a manera de prólogo anunció que era un «poema» y lo acompañó con «un infierno de cascabeles y matracas» agitados por Eluard y Fraenkel. Figuras enmascaradas recitaron un poema inconexo de Breton, y luego Picabia realizó grandes dibujos en tiza en una pizarra, borrando cada sección antes de pasar a la siguiente.

La matiné terminó en un tumulto. «Para los propios dadaístas éste fue un experimento extremadamente fructuoso —escribió Ribemont-Dessaignes—. El aspecto destructivo de Dadá se les presentaba más claramente; la indignación resultante del público que había asistido para solicitar una miseria artística, no importaba cuál, mientras que fuera arte, el efecto producido por la presentación de los cuadros y particularmente del manifiesto, les demostraron lo inútil que era, en comparación, que Jean Cocteau hubiera leído poemas de Max Jacob.» Una vez más, Dadá había triunfado. A pesar de que los ingredientes de Zurich y París eran los mismos —las provocaciones contra un público respetuoso— estaba claro que el transplante había tenido éxito.

Al mes siguiente, el 5 de febrero de 1920, las multitudes se reunieron en el Salon des Indépendants, atraídos por un anuncio que declaraba que Charles Chaplin se presentaría allí. Cosa nada sorprendente, Chaplin ignoraba por completo su supuesta presencia. Igualmente ignorante de la falsedad de la publicidad previa a la performance permanecía el público, que tuvo que aguantar a treinta y ocho personas leyendo varios manifiestos. Siete intérpretes leyeron el manifiesto de Ribemont-Dessaignes que advertía al público que les arrancarían sus «putrefactos dientes, orejas y lenguas llenas de llagas» y les romperían sus «podridos huesos». Después de este aluvión de insultos la compañía de Aragon cantó «no más pintores, no más músicos, no más escultores, no más republicanos... no más de estas imbecilidades, ¡NADA, NADA, NADA!». Según Richter: «Estos manifiestos se cantaron como salmos, en medio de un alboroto tal que hubo que apagar las luces de vez en cuando y suspender la reunión mientras el público arrojaba toda clase de basuras al escenario». La reunión se disolvió de una manera emocionante para los dadaístas.

Performance pre-Dadá en París

A pesar del aparente atropello a los parisienses, el público de la década de 1920 no desconocían por completo esos actos provocativos. Por ejemplo, *Ubu Roi* de Alfred Jarry de veinticinco años antes aún conservaba un lugar especial en la historia de escándalos de performance y, es innecesario decirlo, Jarry era una especie de héroe para los dadaístas parisienses. La música del excéntrico compositor francés Erik Satie, por ejemplo la comedia en un acto *La piège de Méduse* y su concepto de «música de mobiliario» (*musique d'ameublement*) también contenía muchas anticipaciones de Dadá, en tanto que Raymond Roussel captó la imaginación de los surrealistas futuros. La famosa
61 *Impressions d'Afrique*, una adaptación de su fantasía en prosa del mismo nom-

61 Escena de *Impressions d'Afrique* de Raymond Roussel, representada durante una semana en el Théâtre Fémina, 1911. La escena muestra el debut de la Lombriz Tocadora de Cítara, cuyas secreciones golpeaban las cuerdas del instrumento y producían «música»

bre de 1910, con su ataque a «El club de los incomparables» incluyendo el debut de la Lombriz Tocadora de Cítara —una lombriz entrenada cuyas gotas de «sudor», similar al mercurio, al bajar deslizándose por las cuerdas de un instrumento producían sonido— fue la favorita particular de Duchamp, que asistió a la serie de representaciones durante una semana en el Théâtre Fémina (1911) con Picabia.

También el ballet *Parade*, la obra de colaboración de cuatro artistas, cada uno maestro en su propio campo —Erik Satie, Pablo Picasso, Jean Cocteau y Léonide Massine— en mayo de 1917 había sido blanco de su propia oposición escandalosa por parte de la crítica e igualmente del público. Empleando de manera indirecta tácticas del estilo de Jarry, *Parade* proporcionó al público parisiense, que precisamente se estaba recuperando de la larga crisis de la guerra, una muestra de lo que Guillaume Apollinaire describió como el «Espíritu Nuevo». *Parade* prometía «convertir las artes y la conducta de vida de arriba abajo en una alegría universal», escribió en el prefacio del programa. Aunque sólo representado en raras ocasiones, entonces y ahora, el ballet estableció el tono para la performance de los años de posguerra.

Satie trabajó durante todo un año en el texto proporcionado por Jean
Cocteau. «Una simple acción esbozada de manera preliminar que combina
las atracciones del circo y el music-hall», se leía. «Parade», según el diccionario Larousse y las notas de Cocteau, significaba un «acto cómico, representado a la entrada de un teatro ambulante para atraer una multitud». De manera que el guión giraba en torno de la idea de un grupo ambulante cuya
«parade» la multitud confunde con la verdadera actuación del circo. A pesar
de las desesperadas súplicas de los intérpretes, la multitud nunca entra a la
carpa del circo. Para preparar la escena, Picasso pintó un telón de boca: una
representación cubista de un paisaje urbano con un teatro en pequeña escala
en el centro. El Preludio del telón rojo de Satie daba inicio a la representación. La acción comenzaba con el Primer empresario vestido con un traje
de Picasso de tres metros de altura bailando un tema rítmico simple, repeti- *63*
do sin parar. Al Prestidigitador chino, representado con mímica por el propio Massine con coleta y un traje vivamente coloreado de bermellón, amarillo y negro, seguía la aparición de un segundo empresario, el Empresario *62*
estadounidense. Vestido como un rascacielos, caracterizado por «un acento
organizado [...] con la exactitud de una fuga». Los pasajes de jazz, descritos
en la partitura como «triste», acompañaban la danza de la Niñita estadounidense, que representaba con mímica las acciones de tomar un tren, conducir
un coche y frustrar el robo a un banco. El Tercer empresario interpretaba
en silencio montado en un caballo e introducía el acto siguiente, dos Acróbatas daban tumbos al compás de un rápido vals de xilófonos. El final recordaba varios temas de las secuencias precedentes y acababa con la Niñita estadounidense llorando mientras la multitud se negaba a entrar en la carpa del
circo.

Parade fue recibido con escándalo. Los críticos conservadores rechazaron la representación completa: la música, instrumentada por Satie para incluir algunas de las sugerencias de Cocteau para «instrumentos músicos», como

62 Traje de Picasso para el Empresario estadounidense de *Parade*, 1917

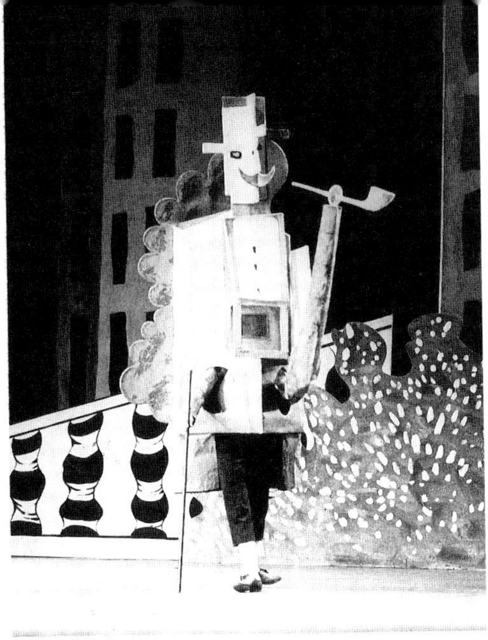

63 Traje de Picasso para el Primer empresario de *Parade*, 1917

máquinas de escribir, sirenas, hélices de aeroplanos, transmisores telegráficos de Morse y ruedas de lotería (sólo unos pocos de los cuales se utilizaron realmente en la representación), se consideró «ruido insoportable». La réplica de Satie a una crítica de esas —«vous n'êtes qu'un cul, mais un cul sans musique»— acabó en un juicio y luego una larguísima apelación para reducir la dura sentencia que le habían impuesto. Además, los críticos se opusieron a los trajes que consideraban que convertían en un sin sentido los movimientos del ballet tradicional. Con todo, el escándalo de *Parade* confirmó la fama de Satie a los cincuenta años (igual que *Ubu Roi* había hecho con la de Jarry a sus veintitrés años), y estableció un espíritu para futuras representaciones de Apollinaire y Cocteau entre otros.

Apollinaire y Cocteau

El prefacio de Apollinaire a *Parade* había anticipado correctamente la aparición de este Espíritu Nuevo; además, sugería que el Espíritu Nuevo contenía una noción de «surrealismo [*surréalisme*]». En *Parade* había, escribió, una «especie de surrealismo en el cual veo el punto de partida para una serie de manifestaciones del Espíritu Nuevo». Alentado por esta atmósfera, Apollinaire finalmente añadió la última escena del segundo acto y un pró-
65 logo a su obra *Les mamelles de Tirésias* (*Las tetas de Tiresias*), escrita de hecho en 1903, el año en que conoció a Alfred Jarry, y la representó un mes después de *Parade*, en junio de 1917, en el Conservatoire René Maubel. En su introducción Apollinaire amplió su idea de surrealismo: «He inventado

64 Escenario para *Les mariés de la Tour Eiffel*, 1921

65 Una escena de *Les mamelles de Tirésias* de Apollinaire, 24 de junio de 1917

66 Cocteau recitando a través de un megáfono en su espectáculo *Les mariés de la Tour Eiffel*, 1921

el adjetivo *surrealista* [...] que define completamente bien una tendencia en arte, que si bien no es lo ultimísimo bajo el sol, al menos nunca ha sido formulado como credo, una fe artística y literaria». Este «surrealismo» protestaba contra el «realismo» del teatro, escribió. Apollinaire pasó a explicar que esta idea se había desarrollado de manera natural a partir de sensibilidades contemporáneas: «Cuando el hombre necesitó imitar el caminar creó la rueda, que no se parece a una pierna. De la misma manera, ha creado el surrealismo».

Empleando algunas ideas propias de Jarry, como representar al pueblo entero de Zanzíbar (donde transcurre la acción) en un actor, también incluyó entre el atrezo un quiosco de periódicos, que «hablaba, cantaba e incluso bailaba». La obra era en esencia un llamamiento a las feministas que «no reconocen la autoridad del hombre» para que en el proceso de su emancipación no abandonaran sus facilidades de productoras de niños. «Que me hayas hecho el amor en Connecticut/no significa que tenga que cocinar para ti en Zanzíbar» gritaba la heroína Thérèse a través de un megáfono. Entonces se abría la blusa y dejaba volar sus pechos —dos enormes globos, uno rojo y uno azul— que permanecían sujetos a su cuerpo por cuerdas. Con estos signos demasiado prominentes de su sexo, decidía que sería mejor sacrificar la belleza «que puede ser causa de pecado» desembarazándose de sus pechos por completo, y los hacía explotar con un mechero. Con un desarrollo total de barba y bigote, anunciaba que cambiaría su nombre a masculino «Tirésias».

Les mamelles de Tirésias fue proféticamente subtitulada un «drame sur-réaliste». Apollinaire advirtió que «al extraer de los movimientos literarios contemporáneos una tendencia mía propia, de ninguna manera me estoy comprometiendo a formar una escuela»; no obstante, siete años más tarde, el término «surrealismo» llegó a describir exactamente eso.

Sólo cuatro años más tarde, en 1921, Cocteau elaboró esta nueva estética
64, 65 en su primer trabajo en solitario, *Les mariés de la Tour Eiffel* (*Los novios de la torre Eiffel*). Parecida tanto a *Ubu Roi* como a *Les mamelles de Tirésias*, ésta usaba muchas de las mismas técnicas de las obras anteriores, en particular la costumbre de representar a las multitudes en una sola persona, como si ésta fuera la manera más básica y eficaz de contrarrestar el teatro realista tradicional. También empleaba la costumbre del vodevil de un maestro y una maestra de ceremonias que anunciaban cada una de las secuencias y explicaban la acción al público. Los intérpretes, miembros de los Ballets Suédois, hacían mímica en dirección a figuras vestidas como fonógrafos con bocinas para micrófonos. Contra un decorado pintado de la torre Eiffel, la obra según Cocteau tendría el «espantoso aspecto de una gota de poesía vista con el microscopio». Esta «poesía» acababa con un niño disparando a todos los que se encontraban en la fiesta de boda en un intento por conseguir algunos macarrones.

Típicamente, la acción estaba acompañada por música de ruidos. Pero Cocteau había anticipado un nuevo género de medios de comunicación mixtos que permanecerían en los límites del teatro, el ballet, la luz, la ópera, la danza y el arte. Esta «revolución abre las puertas de golpe y de par en par...», escribió, permitiría a la «nueva generación continuar sus experimentos en los cuales se combinan lo fantástico, la danza, la acrobacia, el mimo, el drama, la sátira, la música y la palabra hablada». *Les mariés de la Tour Eiffel*, con su mezcla de music-hall y disparate, parecía haber llevado la irracionalidad de la patafísica de Jarry tan lejos como podía llegar. Todavía, al mismo tiempo, la profusión de tales performances proporcionó una excelente excusa para que los dadaístas idearan nuevas estrategias.

Dadá-surrealismo

Los directores de *Littérature* dedicaron considerable espacio a estos actos contemporáneos, a Jarry y el vigésimo quinto aniversario de su *Ubu Roi*. Además, proporcionaron su propia lista de antihéroes, entre ellos Jacques Vaché, un joven soldado nihilista y amigo de Breton. La negativa de Vaché a «realizar nada en absoluto» y su creencia en el hecho de que el «arte es una imbecilidad», expresado en cartas a Breton, le granjeó la simpatía de los dadaístas. Allí escribió que se oponía a que lo mataran en la guerra y que moriría sólo cuando deseara morir, «y entonces moriré con alguien más». Poco tiempo después del armisticio, Vaché, de veintitrés años, fue encontrado muerto de un disparo con un amigo. El epitafio de Breton igualaba la breve vida y la muerte premeditada de Vaché con las proclamas Dadá de Tzara de unos pocos años antes. «Jacques Vaché confirmó de manera totalmente independiente la tesis principal de Tzara —escribió—. Vaché siempre dejó la obra de arte a un lado: la bola y la cadena que refrena el alma incluso después de la muerte.» Y el comentario final de Breton —«No creo que la naturaleza del producto acabado sea más importante que la elección entre tarta y cerezas para postre»— resumía el espíritu de las performances Dadá.

En consecuencia Breton y sus amigos vieron las veladas Dadá como un vehículo para tales creencias además de como una manera de recrear algunos de los sensacionales escándalos que el muy admirado Jarry había logrado. De modo nada sorprendente, su búsqueda del escándalo los llevó a atacar en aquellos lugares donde los insultos serían más sentidos; por ejemplo, en el exclusivo Club du Faubourg de Leo Poldes, en febrero de 1920. En esencia una versión aumentada del anterior fiasco de los Indépendants, su público cautivo incluía personas famosas como Henri-Max, Georges Pioch y Raymond Duncan, hermano de Isadora. La Université Populaire du Faubourg Saint-Antoine fue otro baluarte de la elite intelectual y adinerada que supuestamente representaba la «cima de la actividad revolucionaria» en los círculos cultos de Francia. Cuando los dadaístas representaron allí unas pocas semanas más tarde, Ribemont-Dessaignes señaló que los únicos atractivos de Dadá para estas reuniones informadas eran su anarquía y su «revolución de la mente». Para ellos Dadá representaba la destrucción del orden establecido, que era aceptable. Lo inaceptable, no obstante, era el hecho de que no veían «algún valor nuevo que estuviera surgiendo de las cenizas de los valores viejos».

Pero eso era precisamente lo que los dadaístas de París se negaban a proporcionar: un anteproyecto para algo mejor que lo que había desaparecido antes. No obstante, esta cuestión causó una escisión en el nuevo contingente de Dadá. Habría sido claramente inútil, arguían, continuar con veladas basadas en la fórmula de Zurich. Algunos incluso sentían que corrían el riesgo de «comenzar a trabajar con la propaganda y, en consecuencia, volverse codificados». De manera que decidieron poner en escena una gran demostración delante de una multitud menos homogénea, en la Salle Berlioz en la famosa Maison de l'Oeuvre; el 27 de marzo de 1920 representaron una performance cuidadosamente planeada que, según Ribemont-Dessaignes, estaba dispuesta en un estado de ánimo de entusiasmo colectivo. «La actitud del público fue de una violencia asombroso y sin precedentes —escribió—, que habría parecido pacífica al lado de la interpretación de Madame Lara de *Les mamelles de Tirésias*.» El grupo dadá-surrealista de Breton, Soupault, Aragon, Eluard, Ribemont-Dessaignes, Tzara y otros, representó sus propias obras en lo que, en muchos aspectos, no era distinto de un gran espectáculo de variedades.

El programa incluía el éxito de Zurich *La première aventure céleste de M. Antipyrine* de Tzara, *Le serin muet* de Ribemont-Dessaignes, *Le ventriloque désaccordé* de Paul Dermée y *Manifeste cannibale dans l'obscurité* de Picabia. También se representó *S'il vous plaît* de Breton y Soupault, uno de los primeros guiones que utilizó la escritura automática antes de que se convirtiera en una de las técnicas preferidas de los surrealistas. Una performance en tres actos, cada uno completamente inconexo con los otros, el primero narra la historia de Paul (el amante), Valentine (su amante) y François (el marido de Valentine) que a causa de «una gota de leche en una taza de té» pone fin a su relación con un disparo mientras que Paul dispara a Valentine. El segundo acto tiene lugar, según el guión, en «un despacho a las cuatro de la tarde» y el tercero en «un café a las tres de la tarde», que incluye frases como «Los automóviles permanecen silenciosos. Lloverá sangre», y que acaba con: «No insistas, mi amor. Lo lamentarías. He cogido la sífilis». La última frase del guión dice: «Los autores de *S'il vous plaît* no desean el cuarto acto impreso».

Salle Gaveau, mayo de 1920

La performance de la Salle Berlioz había sido un intento de dar una nueva dirección a las actividades de Dadá. Pero nada hizo por aplacar a aquellos del grupo que se oponían con energía a la inevitable estandarización de las performances Dadá. Picabia en especial era sumamente crítico; estaba en contra de todo arte que atacara a los círculos oficiales; fuera André Gide —«si usted lee a André Gide en voz alta durante diez minutos su boca olerá mal»—, o Paul Cézanne —«Odio las pinturas de Cézanne, me irritan»—. Tzara y Breton, Los miembros más enérgicos del grupo, que equipararon el destino de Dadá a los suyos propios, estaban decididamente en desacuerdo en cuanto adónde llegaría Dadá y cómo. Pero se las arreglaron para mantener una cierta clase de relación laboral, que duró lo suficiente para planear la próxima em-

67 Festival Dadá en la Salle Gaveau

68 Programa del Festival Dadá, 26 de mayo de 1920, en la Salle Gaveau, París

69 Breton con un cartel de Picabia en el Festival Dadá

67-9 bestida de Dadá: el Festival Dadá celebrado en la elegante Salle Gaveau el 26 de mayo de 1920.

Una gran multitud, atraída por las performances anteriores y el anuncio de que los dadaístas se afeitarían la cabeza en el escenario, se reunió en la sala. Aunque el corte de pelo no tuvo lugar, se habían preparado de antemano un programa variado y unos trajes curiosos para su diversión. Breton apareció con un revólver atado a cada sien, Eluard con tutú de bailarina de ballet, Fraenkel con guardapolvo, y todos los dadaístas llevaban «sombreros» en forma de embudo en las cabezas. A pesar de los preparativos, las performances no se habían ensayado, de modo que muchos actos fueron demorados y disueltos por los gritos del público mientras que los intérpretes intentaban desenmarañar sus ideas. Por ejemplo, *Vaseline symphonique* de Tzara presentó la orquesta de veinte músicos con considerables dificultades. Breton, que, según su propia confesión, tenía horror a la música, se mostró abiertamente hostil a los intentos de orquestación de Tzara, y la familia Gaveau se dice que se sintió igualmente ultrajada al oír el resonar de los grandes órganos al ritmo de un fox-trox popular, *Le pélican*. Luego Soupault, en una pieza titulada *Le célèbre illusionniste*, soltó globos multicolores que llevaban escritos los nombres de personas famosas, y Paul Dermée presentó su poema *Le sexe de Dada*. *La deuxième aventure de Monsieur Aa, l'Antipyrine* produjo que huevos, chuletas de
70 ternera y tomates llovieran sobre los intérpretes, y el sketch *Vous m'oublierez* de Breton y Soupault recibió similar tratamiento. No obstante, la locura manifestada esa noche en la elegante sala creó un enorme escándalo, que por supuesto el grupo, un tanto desencantado, consideró un gran logro, a pesar de que para entonces estaban considerablemente reñidos entre ellos.

La excursión y el juicio de Barrès

Los intérpretes tardaron en recuperarse del festival de la Salle Gaveau. Se reunían en la casa de Picabia o en los cafés para discutir una salida al punto muerto de las veladas regulares. Se había hecho evidente que para entonces

70 Escena de *Vouz m'oublierez* en el Festival Dadá, con Paul Eluard (de pie), Philippe Soupault (de rodillas), André Breton (sentado) y Théodore Fraenkel (con guardapolvo)

71 *Página siguiente*: La excursión de Dadá a la iglesia de Saint Julien le Pauvre, 1920. *De izquierda a derecha*, Jean Crotti, un periodista, André Breton, Jacques Rigaut, Paul Eluard, Georges Ribemont-Dessaignes, Benjamin Péret, Théodore Fraenkel, Louis Aragon, Tristan Tzara y Philippe Soupault

el público estaba dispuesto a aceptar «mil repeticiones» de la velada de la Salle Gaveau, pero Ribemont-Dessaignes insistió en que «a toda costa, se les debía impedir aceptar una impresión fuerte como una obra de arte». De manera que organizaron una excursión Dadá a la iglesia poco conocida y abandona- 71
da de Saint Julien le Pauvre el 14 de abril de 1921. Los guías iban a ser Buffet, Aragon, Breton, Eluard, Fraenkel, Huszar, Péret, Picabia, Ribemont-Dessaignes, Rigaut, Soupault y Tzara. Sin embargo, Picabia, muy insatisfecho con el curso de las actividades de Dadá, renunció a tomar parte en la excursión ese preciso día. En toda la ciudad había carteles que anunciaban el acto. Prometían que los dadaístas remediarían la «incompetencia de guías y cicerones sospechosos», y ofrecían en cambio una serie de visitas a lugares escogidos, «en particular aquellos que en realidad no tienen razón para existir». Los participantes en estos actos, aseguraban, inmediatamente «se darían cuenta del progreso humano en las posibles obras de destrucción». Además los carteles contenían aforismos como «el aseo es el lujo de los pobres, sea sucio» y «córtese la nariz del mismo modo que se corta el pelo».

A pesar de la promesa de una excursión inusual dirigida por celebridades de la juventud de París, la falta de público, atribuida en parte a la lluvia, no fue alentadora. «El resultado fue el que seguía a cada demostración Dadá: depresión nerviosa colectiva», comentó Ribermont-Dessaignes. No obstante, esta depresión fue efímera. Descartaron la idea de futuras excursiones y en cambio comenzaron a trabajar en su segunda alternativa a las veladas, organizando el *Juicio y condena del señor Maurice Barrès por parte de Dadá* el 13 de 72
mayo de 1921 en la Salle des Sociétés Savantes, rue Danton. El objeto de su ataque, un eminente escritor establecido, Maurice Barrès, había sido sólo unos pocos años antes en parte un ideal para los dadaístas franceses. Según la acusación, Barrès se había transformado en un traidor al convertirse en el portavoz del periódico reaccionario *L'Echo de Paris*. Los representantes del tribunal incluían a Breton, el juez presidente, asistido por Fraenkel y Dermée, que llevaban bonetes y guardapolvos blancos. Ribemont-Dessaignes era el fiscal, Aragon y Soupault los abogados defensores, y Tzara, Rigaut,

72 *Juicio de Maurice Barrès*, 13 de mayo de 1921

Péret y Giuseppe Ungaretti, entre otros, los testigos. Todos llevaban bonetes color escarlata. Barrès, juzgado por poderes, estaba representado por un maniquí de madera. El acusado fue condenado por «una ofensa a la seguridad de la mente».

El juicio aireó de manera pública las muy arraigadas enemistades que se habían ido tramando lentamente entre Tzara y Breton, Picabia y los dadaístas. De hecho, el propio Dadá estaba siendo juzgado. También fue una señal para que aquellos que estaban a favor y en contra de Dadá explicaran sus posiciones. Breton, que dirigía el proceso con toda seriedad, atacó al testigo Tzara por su testimonio de que «todos nosotros no somos más que un montón de tontos, y que, en consecuencia, las pequeñas diferencias —tontos más grandes o tontos más pequeños— lo mismo dan». La respuesta irritada de Breton fue: «¿Insiste el testigo en actuar como un imbécil total, o está tratando de lograr hacerse a un lado?». Tzara tomó su revancha con una canción. Picabia hizo una breve aparición, tras haber publicado, dos días antes, su propio repudio de Dadá, en anticipación del juicio. «Lo burgués representa el infinito —escribió—. Dadá será lo mismo si dura demasiado.»

Nuevas direcciones

Después del juicio, las relaciones entre Picabia, Tzara y Breton fueron tirantes. Los que se mantenían al margen de esta batalla, Soupault, Ribemont-Dessaignes, Aragon, Eluard y Péret, organizaron un Salón y exposición Dadá en la Galerie Montaigne, que se inauguró en junio de 1921. Breton y Picabia se negaron a tener algo que ver con eso. Ducham, que había sido invitado a colaborar desde Nueva York, telegrafió su respuesta: «Peau de balle!» [«¡Idos a paseo!»].

Tzara, no obstante, presentó su obra *Le cœur à gaz* (*El corazón de gas*); representada por primera vez en esta exposición, era una complicada parodia de nada, con los personajes, Cuello, Ojo, Nariz, Boca, Oreja y Ceja vestidos con elaborados trajes de cartón diseñados por Sonia Delaunay. Tzara presentó el acto de esta manera: «Es el único y más grande truco del siglo en tres actos. Satisfará sólo a los imbéciles industrializados que creen en la existencia de los hombres geniales». Cuello permanecería en la parte delantera del escenario durante la representación, Nariz, en la situación opuesta, de cara al público, explicaría el guión. Todos los otros personajes entrarían y saldrían cuando quisieran. La performance comenzaba con Ojo cantando monótonamente: «Estatuas, joyas, asados», una y otra vez, seguido por «Cigarro, grano, nariz/Cigarro, grano, nariz». Llegado a este punto, Boca comentaba, «La conversación se está retrasando, ¿no?». Y la «cara» entera repetía esta frase durante varios minutos. En un momento, un altavoz situado por encima de las cabezas del público, orientado hacia el escenario, comentaba: «Su obra es encantadora, pero no se puede entender una sola palabra». Los tres actos continuaban con frases inconexas igualmente curiosas, siempre sin comprenderse unos a otros, y acababa con la «cara» entera cantando «ve a acostarte/ve a acostarte/ve a acostarte». Como era de esperar, este acto verbal acabó en una reyerta, con Breton y Eluard dirigiendo el ataque contra Tzara.

Mientras tanto Breton planeaba un acto propio. Iba a ser el Congreso de París «para la determinación de directrices y la defensa del espíritu moderno», programado para 1922. Reuniría todas las distintas tendencias en París y otras partes, con varios grupos representados por los artistas directores de nuevas revistas: Ozenfant (*L'Esprit Nouveau*), Vitrac (*Aventure*), Paulhan (*Nouvelle Revue Française*) y Breton (*Littérature*). Los oradores incluirían a Léger, Delaunay y, por supuesto, los dadaístas. Pero el fracaso del congreso también señaló la ruptura final de Breton, Eluard, Aragon y Péret con los dadaístas. Porque Tzara impugnó la idea total, pues la consideraba una contradicción desde el punto de vista de las actitudes Dadá, para presentarla en una plataforma comparativa con los puristas, los orfistas y demás. Incluso antes de que el acto fuera finalmente cancelado, las revistas publicaron los diversos argumentos a favor y en contra del congreso. Breton cometió el error de utilizar un «periódico común» para describir a Tzara como un «intruso de Zurich» y un «impostor en busca de publicidad». Esto produjo la resignación del contingente de Dadá, publicada en un manifiesto, *Le cœur à barbe* (*El corazón barbado*)

Una velada celebrada bajo el mismo nombre en julio de 1923 proporcionó la plataforma ideal para airear una vez más los antagonismos que había provocado el fracaso del congreso. Después de un programa de música de Auric, Milhaud y Stravinski, dibujos de Delaunay y Von Doesburg, y filmes
de Sheeler, Richter y Man Ray, la segunda representación de *Le cœur à gaz* 73
de Tzara se convirtió en el centro de una escena repugnante. Breton y Péret

73 Trajes de Sonia Delaunay para *Le cœur à gaz*, utilizados de nuevo para la velada del *Le cœur à barbe* en el Théâtre Michel, 6-7 de julio de 1923

protestaron estrepitosamente desde el patio de butacas, antes de saltar al escenario para enzarzarse en una batalla física con los intérpretes. Pierre escapó con un brazo roto y Eluard, después de haber ido a parar en medio del decorado, recibió una nota del administrador en la cual le exigía 8.000 francos por los daños.

En tanto que Tzara se presentaba firmemente como candidato para el rescate y la conservación de Dadá, Breton anunciaba su muerte. «Aunque Dadá tuvo sus horas de fama —escribió—, deja pocos pesares.» «Abandonad todo. Abandonad Dadá. Abandonad a vuestra mujer. Abandonad a vuestra amante. Abandonad vuestras esperanzas y miedos. [...] Salid a los caminos.»

Oficina de Investigación Surrealista

El año 1925 marcó la creación oficial del movimiento surrealista con la publicación del *Manifiesto surrealista*. En diciembre de ese año, el nuevo grupo había publicado el primer número de la revista *La révolution surréaliste*. Tenían su propio local, la Oficina de Investigación Surrealista —«una posada romántica para ideas inclasificables y rebeliones continuadas»— en el número 15 de la rue de Grenelle. Según Aragon, colgaron una mujer del cielo raso de una habitación vacía, «y cada día recibía visitas de hombres angustiados que poseían graves secretos». Estos visitantes, dijo, «ayudaban a elaborar esta formidable máquina para matar que está para realizar plenamente lo que no lo está». Los comunicados de prensa se publicaron llevando la dirección de la oficina, y los anuncios de los periódicos especificaron que la oficina de investigación, «nutrida por la vida misma, recibiría a todos los poseedores de secretos: «inventores, locos, revolucionarios, inadaptados, soñadores».

La noción de «automatismo» constituía el corazón de la primera definición de Breton: «*Surrealismo:* sustantivo masculino, automatismo físico puro, mediante el cual se intenta expresar, ya sea verbalmente, por escrito, o de cualquier otra manera, el funcionamiento real del pensamiento». Además, el surrealismo, explicaba, estaba basado en la creencia en que «la más alta realidad de ciertas formas de asociación hasta ahora abandonadas, en la omnipotencia del sueño, en el desinteresado juego del pensamiento».

Indirectamente, estas definiciones proporcionaban por primera vez una clave para comprender algunos de los motivos detrás de las performances en apariencia disparatadas de los años precedentes. Con el *Manifiesto surrealista* estas obras podrían verse como un intento de dar rienda suelta en palabras y acciones a las imágenes oníricas extrañamente yuxtapuestas. De hecho, Breton ya en 1919 se había «obsesionado con Freud» y su investigación del inconsciente. En 1921 Breton y Soupault habían escrito su primer poema surrealista «automático» *Les champs magnétiques (Los campos magnéticos)*. De modo que aunque los parisienses aceptaron el término «Dadá» como descripción de sus obras, muchas de las performances de comienzos de la década de 1920 ya tenían un sabor definitivamente surrealista y en retrospectiva podrían considerarse obras surrealistas.

Aunque las performances siguieron los principios Dadá de la simultaneidad y lo imprevisto así como lo hicieron con las ideas oníricas surrealistas, algunas tenían argumentos absolutamente claros. Por ejemplo, *Cielo azul* de Apollinaire, representada dos semanas después de su muerte en 1918, trataba de tres jóvenes aventureros de una nave espacial que, al descubrir que su mujer ideal era la misma, se destruyen ellos mismos. *Mouchoir des nuages (Pañuelo de nubes)* de Tzara de 1924, con iluminación diseñada por Loie Fuller, contaba la historia de un poeta que tenía una aventura amorosa con la mujer de un panadero. *El armario de espejos* (1923) de Aragon, escrita en típico estilo de «escritura automática», era simplemente un relato acerca de un marido celoso: la única peculiaridad era que la mujer constantemente incita a su marido a abrir el armario donde su amante está escondido. Por otra parte, numerosas performances interpretaban directamente las nociones surrealistas de irracionalidad y el inconsciente. *La odisea de Ulises el palímpedo* (1924) de Roger Gilbert-Lecomte incluso desafiaba todas las posibilidades de la performance al insertar en el guión largos pasajes «para ser leídos en silencio». Y *Le peintre (El pintor,* 1922) de Vitrac no proporcionaba más narración: una performance curiosa, que consistía en un pintor que primero pinta de rojo la cara de un niño, luego la de la madre del niño y por último la de él mismo. Cada uno de los personajes se marcha del escenario llorando por haber sido marcado de esta manera.

Relâche

En tanto que estos principios surrealistas se imponían más fuertemente en las performances de mediados de la década de 1930, los conflictos entre surrealistas, dadaístas y antidadaístas continuaban. Por ejemplo, los surrealistas, en un intento por atraer a Picasso a sus filas, publicaron una carta en *391* y *Paris-Journal* en alabanza de los decorados y trajes de Picasso para el ballet *Mercure* (1924). Pero al mismo tiempo aprovecharon la oportunidad para atacar a Picasso por su colaboración con Satie, de quien estaban apasionadamente en contra. Esta respuesta a la música de Satie nunca fue manifestada de manera explícita (puede haber sido sólo una consecuencia del famoso «horror a la música» de Breton), pero la asociación de Sartie con desertores de Dadá y la causa recientemente denominada surrealista, como Picabia, en realidad no
75 ayudó. Picabia y Satie se desquitaron con su «ballet» *Relâche*, que debía tanto a la devoción de Picabia a la «sensación de lo *nuevo*, de placer, la sensación de olvidar que uno tiene que "reflejar" y "conocer" para que algo le guste», como a la competición y enemistad entre los distintos individuos.

A pesar del desprecio de los surrealistas, Picabia siguió siendo un ávido admirador de Satie. Incluso atribuyó la idea inicial de *Relâche* al compositor: «Aunque yo había decidido que nunca escribiría un ballet —escribió Picabia—, Erik Satie me persuadió a hacerlo. El mero hecho de que él estuviera escribiendo la música fue para mí la mejor razón». Y Picabia estaba entusiasmado con los resultados: «Considero la música para *Relâche* perfecta», comentó. Otros colaboradores en la performance, Duchamp, Man Ray, el joven cineasta René Clair y el director de los Ballets Suédois, Rolf de Maré, completaban el equipo «perfecto».

El estreno fue programado para el 27 de noviembre de 1924. Pero esa tarde la bailarina principal, Jean Borlin, cayó enferma. En consecuencia un cartel, *Relâche*, el término del mundo teatral para «esta noche no hay función», se colocó en la puerta del Théâtre des Champs-Elysées. La multitud pensó que era otra trampa Dadá más, pero a aquellos que volvieron el 3 de diciembre les esperaba un espectáculo deslumbrador. Primero vieron un breve prólogo cinematográfico, que indicaba algo de lo que iba a seguir. Luego los confrontaron con un enorme telón de fondo compuesto de discos
74 metálicos, cada uno de los cuales reflejaba una poderosa bombilla. El preludio de Satie, una adaptación de la famosa canción estudiantil *El vendedor de nabos*, pronto tuvo al público gritando el escandaloso coro. A partir de ese momento interrupciones y risas acompañaron la afectadamente sencilla orquestación y el despliegue del «ballet» burlesco.

El primer acto consistía en una serie de actos simultáneos: en la parte delantera del escenario una figura (Man Ray) se paseaba de un lado a otro, ocasionalmente midiendo las dimensiones del suelo del escenario. Un bombero, que fumaba un cigarrillo tras otro, vertía agua sin parar de un cubo a otro. En el fondo los bailarines de los Ballets Suédois giraban en la oscuridad, un reflector ocasional revelaba un cuadro vivo de una pareja desnuda que representaba el
76 *Adán y Eva* de Cranach (Duchamp representaba a Adán). Luego llegó el intervalo. Pero no era un intervalo corriente. El filme *Entr'acte* de Picabia, con

74 Jean Börlin y Edith von Barnsdorff en una escena de *Relâche*, 1924, de Picabia, que muestra parte de la pared de grandes discos plateados, cada uno insertado con una luz muy brillante. La música la compuso Erik Satie

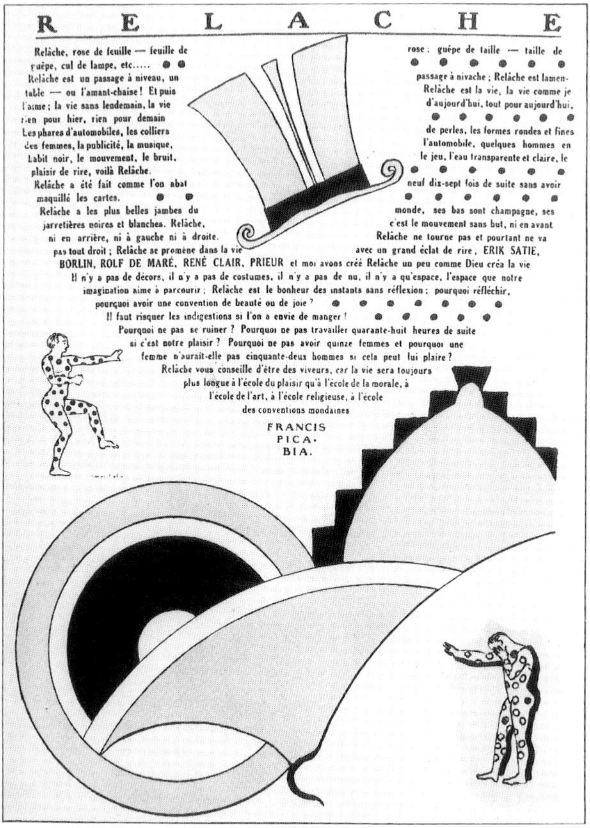

75 Cartel de Robert Delaunay para la velada de *Le cœur à barbe*

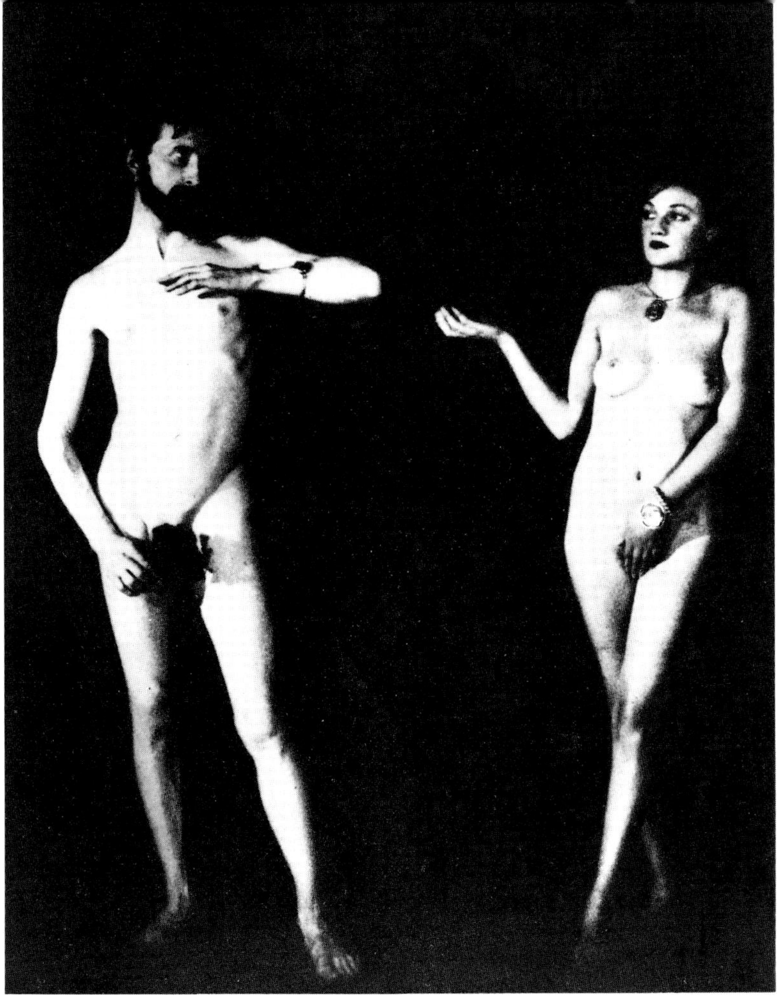

77-9 guión de él y filmado por el joven cámara René Clair, comenzó a proyectarse: un bailarín con una falda de gasa era visto desde abajo, filmado a través de una placa de vidrio; jugadores de ajedrez (Man Ray, Duchamp y Satie como juez) filmados desde arriba, en el techo del propio Théâtre des Champs-Elysées; un cortejo fúnebre tomaba a los espectadores a través del Luna Park y alrededor de
80 la torre Eiffel mientras que los que acompañaban el féretro seguían a un coche fúnebre, tirado por un camello, adornado con carteles publicitarios, pan, jamones y monogramas entrelazados de Picabia y Satie; y una banda sonora de Satie armonizaba exactamente la longitud de cada plano del film. Apenas había acabado el cortejo a cámara lenta con el ataúd que se caía del coche fúnebre y se
81 abría para revelar un cadáver que sonreía mostrando los dientes, cuando el reparto atravesaba el papel de «Fin», señalando así el comienzo del segundo acto.

76 *Página anterior*: Duchamp (a la manera de Cranach) como Adán en una escena de *Relâche* de Picabia

77-79 Fotogramas, del filme *Entr'acte* de René Clair, de Picabia bailando. *Entr'acte* fue representada «entre actos» de *Relâche*. Duchamp y Man Ray también aparecían en el filme, jugando al ajedrez

El escenario estaba adornado con carteles que proclamaban: «Erik Satie es el músico más grande del mundo», y «si no está satisfecho puede comprar silbidos en la taquilla por unos pocos cuartos de penique». Borlin, Edith Bonsdorf y el cuerpo de baile bailaron danzas «lóbregas y agobiantes». Para la última salida a escena para recibir los aplausos, Satie y otros creadores de la obra se paseaban por el escenario en un Citroën cinco caballos en miniatura.

La velada acabó inevitablemente en tumulto. La prensa atacó a Satie, de 58 años, con «Adieu, Satie...» y el escándalo iba a permanecer con él hasta su muerte menos de un año después. Picabia estaba encantado: «*Relâche* es vida

80 Fotograma de *Entr'acte* de la escena culminante en que un coche fúnebre es tirado alrededor de la torre Eiffel por un camello

81 Fotograma de *Entr'acte* que muestra a Jean Börlin como el cadáver en el ataúd

—escribió—, vida como a mí me gusta, todo para hoy, nada para ayer, nada para mañana». Aunque, para la «gente inteligente, los pastores protestantes [se puede decir] esto no es un ballet [o] es sólo un Ballet Suédois [o] Picabia se está burlando del mundo», escribió, era «en una palabra, ¡un éxito total! *Relâche* no es para eruditos, en efecto [...] no para grandes pensadores, líderes de escuelas artísticas que, como jefes de estación, envían trenes a los grandes barcos que siempre están dispuestos a llevar a bordo a los amantes del arte "inteligente"». Fernand Léger, que en 1923 había proporcionado los decorados y los trajes extraordinarios para *La création du monde* de los Ballets Suédois, declaró que *Relâche* era «una grieta, una ruptura con el ballet tradicional». «¡Al diablo con el escenario y toda la literatura! *Relâche* es un montón de patadas en un montón de traseros, estén santificados o no.» Por encima de todo Léger celebraba el hecho de que *Relâche* había roto los compartimientos estancos que separaban el ballet del music-hall. «El autor, el bailarín, el acróbata, la pantalla, el escenario, todos estos medios de "presentar una performance" están integrados y organizados para lograr un efecto total...»

Amor y muerte surrealistas

El éxito de *Relâche* nada hizo por desalentar las direcciones propias de los surrealistas. Aunque *Entr'acte*, más que el «ballet» mismo, había contenido elementos de las farsas de pesadillas que los surrealistas desarrollarían en performances y filmes subsiguientes, las irrepresentables «obras para ser leídas» surrealista de Salacrou, Daumal y Gilbert-Lecomte estaban conduciendo a un callejón sin salida. Antonin Artaud pronto iba a suministrar una salida de ese punto muerto: él y Roger Vitrac fundaron el Théâtre Alfred Jarry en 1927, dedicado a esa innovación, a «devolver al teatro esa total libertad que existe en la música, la poesía o la pintura, y de la cual ha sido curiosamente privado hasta la actualidad».

Le jet de sang (*El chorro de sangre*) de 1927 de Artaud sólo apenas escapaba a la clasificación de «obra para ser leída». Las imágenes cinematográficas se extendían por todo el breve guión (menos de 350 palabras): «un huracán separa a los dos [amantes]; luego 2 estrellas chocan una con la otra y vemos un número de pequeños trozos de cuerpos humanos cayendo; manos, pies, cabelleras, máscaras, columnatas...». El Caballero, la Enfermera, el Sacerdote, la Puta, el Hombre joven y la Muchacha joven, dedicados a una serie de intercambios emocionales inconexos, creaban un violento y misterioso mundo de fantasía. En un momento la Puta mordía la «muñeca de Dios», lo que producía un «inmenso chorro de sangre» que se precipitaba a través del escenario. A pesar de la brevedad y de las imágenes casi irrealizables de la obra, el trabajo reflejaba el mundo onírico surrealista y su obsesión por la memoria. Cuando el surrealismo quiera ocuparse de la muerte, Breton había escrito: «Os enguantará las manos, enterrando allí dentro la profunda M con que comienza la palabra Memoria». Era esa misma M que en su manera distorsionada caracterizaba a *Les mystères de l'amour* (*Los misterios del amor*) de Roger Vitrac, dirigida por Artaud ese mismo año. «Hay muerte», concluía Lea al fin del quinto cuadro de su obra retórica. «Sí —respondía Patrick—, el corazón ya está rojo hasta el fin del teatro donde alguien está a punto de morir.» Y Lea disparaba al público, fingiendo matar a un espectador. Un «*drame surréaliste*», la obra de Vitrac era perfectamente consecuente con la «escritura automática» del surrealismo y su propia marca de lucidez.

Esa lucidez iba a dominar los extensos escritos de Breton y a los numerosos escritores, pintores y cineastas surrealistas. Pero en 1938, cuando el surrealismo había demostrado su habilidad para dominar la vida política, artística y filosófica, la Segunda Guerra Mundial iba a poner fin a nuevas actividades y performances del grupo. Como un gesto final, los surrealistas organizaron una Exposición Internacional de Surrealismo en 1938 en la Galerie des Beaux-Arts, París. Esta gran escena final de obras de sesenta artistas de catorce países se presentó en una serie de habitaciones descritas en el catálogo como sigue: «El cielo raso cubierto con 1.200 sacos de carbón, puertas giratorias, lámparas Mazda, ecos, olores de Brasil y el resto en concordancia». También estaban presentes el *Taxi lluvioso* y *La rue surréaliste* de Salvador Dalí y una danza de Helen Vanel *El acto no consumado*, alrededor de una piscina llena de nenúfares.

A pesar de esta exposición y las muestras subsiguientes en Londres y Nueva York, la performance surrealista misma ya había marcado el fin de una época y el comienzo de otra nueva. En París, desde la década de 1890 en adelante, las invenciones de Jarry y Satie habían alterado de manera radical el curso de los desarrollos «teatrales» además de proveer el terreno abonado para el Espíritu Nuevo, interrumpido a través de los años por Roussel, Apollinaire, Cocteau, los dadaístas y los surrealistas «importados» y locales, para nombrar sólo unas pocas de las extraordinarias figuras que hicieron de París una próspera capital cultural durante tantos años. El surrealismo había introducido estudios psicológicos en el arte, de manera que los vastos campos de la mente literalmente se convirtieron en material para nuevas exploraciones de la performance. De hecho, la performance surrealista iba a afectar más fuertemente el mundo del teatro con su concentración en el lenguaje, que el subsiguiente performance art. Pues fue con los principios básicos de Dadá y el futurismo —lo imprevisto, la simultaneidad y la sorpresa— que los artistas, indirecta o incluso directamente, comenzaron a trabajar después de la Segunda Guerra Mundial.

CAPÍTULO V

Bauhaus

El desarrollo de la performance en la década de 1920 en Alemania se debió en su mayor parte al trabajo pionero de Oskar Schlemmer en la Bauhaus. Cuando en 1928 escribió: «Ahora he pronunciado la condena a la pena de muerte para el teatro en la Bauhaus», en un momento en que el Ayuntamiento de Dessau había promulgado un decreto leído públicamente que prohibía las fiestas en la Bauhaus, «incluyendo por añadidura nuestra próxima fiesta, que habría sido encantadora», éstas eran las irónicas palabras de un hombre que había establecido el rumbo del trabajo de la performance del período.

El taller de teatro 1921-23

La Bauhaus, una institución de enseñanza de las artes, había abierto sus puertas en abril de 1919 con un estado de ánimo muy distinto. A diferencia de las rebeldes provocaciones futuristas o de Dadá, el manifiesto de la Bauhaus romántica de Gropius había pedido la unificación de todas las artes en una «catedral del socialismo». Este cauteloso optimismo expresado en el manifiesto proporcionaba un criterio lleno de esperanza para la recuperación cultural en una Alemania de posguerra dividida y empobrecida.

Artistas y artesanos con sensibilidades muy diversas, como Paul Klee, Ida Kerkovius, Johannes Itten, Gunta Stölzl, Vasili Kandinski, Oskar Schlemmer, Lyonel Feininger, Alma Buscher, László Moholy-Nagy y sus familias (para nombrar sólo a unos pocos), comenzaron a llegar a la ciudad de provincias de Weimar y se establecieron en y alrededor de la majestuosa Academia de Bellas Artes del Gran Ducado y las antiguas casas de Goethe y Nietzsche. Como profesores de la Bauhaus, estas personas asumieron la responsabilidad de varios talleres: metal, escultura, tejeduría, ebanistería, pintura mural, dibujo, vidrios de colores; al mismo tiempo formaron una comunidad autosuficiente dentro de la ciudad conservadora.

Un taller de teatro, el primer curso jamás dado sobre representación en una escuela de arte, había sido discutido desde los primeros meses como un aspecto esencial del programa de estudios disciplinario. Lothar Schreyer, el pintor y dramaturgo expresionista y miembro del grupo *Der Sturm* en Berlín, llegó para supervisar el primer programa de representación de la Bauhaus. Una aventura de colaboración desde el principio, Schreyer y los estudiantes enseguida estaban construyendo figurillas para sus representaciones de *Kindsterben* y *Mann* (obras de Schreyer), de acuerdo con

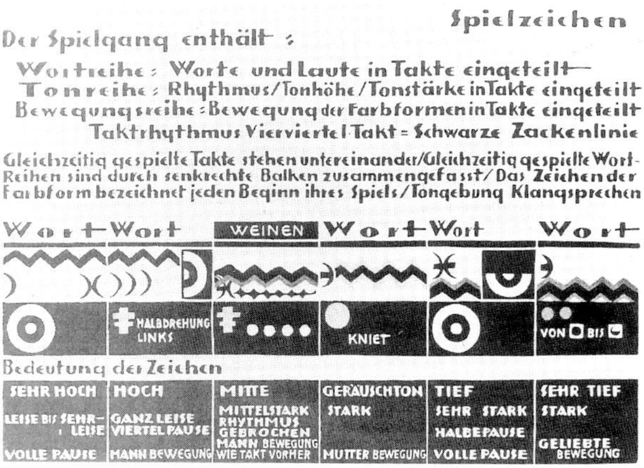

82 Grabado en madera realizado por Margarete Schreyer de la partitura para la obra *Crucifixión*, impreso en Hamburgo en 1920

su simple máxima de que la «obra en un escenario es una obra de arte».
82 También idearon un complejo esquema para su representación de *Crucifixión*, realizado en un grabado en madera por Margarete Schreyer, que daba detalladas indicaciones acerca de los tonos y acentos de las palabras, dirección y énfasis de movimientos y «estados emocionales» que el intérprete debía adoptar.

Pero el taller de Schreyer introdujo pocas innovaciones: en esencia estas primeras representaciones eran una extensión del teatro expresionista de los cinco años anteriores en Munich y Berlín. Parecían obras religiosas donde el lenguaje estaba reducido a un tartamudeo cargado de emoción, el movimiento a gestos pantomímicos y donde el sonido, el color y la luz meramente reforzaban el contenido melodramático de la obra. En consecuencia, los *sentimientos* se convirtieron en la forma importante de la comunicación teatral, que estaba en concordancia con el objetivo de la Bauhaus de lograr una síntesis de arte y tecnología en formas «puras». De hecho, la primera exposición pública de la escuela, la Semana de la Bauhaus de 1923, se organizó bajo el título de «Arte y tecnología: una nueva unidad», lo que en cierto sentido convertía el taller de Schreyer en una anomalía dentro de la escuela. Durante los meses de preparación de la exposición, la oposición a Schreyer provocó serias batallas ideológicas y, bajo el fuego constante de los estudiantes y el profesorado, la renuncia de Schreyer fue inevitable. Dejó la Bauhaus en el otoño de ese año.

La dirección del teatro de la Bauhaus se transfirió inmediatamente a Oskar Schlemmer, que había sido invitado a la escuela sobre la base de su reputación como pintor y escultor además de la fama de sus anteriores representaciones de danza en su Stuttgart natal. Schlemmer aprovechó la oportunidad de la Semana de la Bauhaus para presentar su propio programa con una serie de performances y demostraciones. El cuarto día de la Semana, el 17 de agosto de 1923, los miembros del muy cambiado taller de teatro representa-
84, 85 ron *El gabinete de figuras I*, que había sido representado un año antes en una fiesta de la Bauhaus.

Schlemmer describió la performance como «mitad galería de tiro al blanco —mitad *metaphysicum abstractum*» utilizando técnicas de cabaré para parodiar la «fe en el progreso» tan dominante en esos tiempos. Una mezcolanza de sentido y sin sentido, caracterizada por «Color, Forma, Naturaleza y Arte; Hombre y Máquina, Acústica y Mecánica», Schlemmer atribuyó su «dirección» a Caligari (en referencia al filme *El gabinete del Dr. Caligari* de 1919), Estados Unidos y él mismo. El «Cuerpo de violín», el «Ajedrezado», el «Elemental», el «Ciudadano de clase superior», el «Cuestionable», «Miss Rosy Red» y el «Turco» eran representados en figuras enteras, medias figuras y cuartos de figuras. Movidas por manos invisibles, las figuras «caminan, están de pie, flotan, ruedan o jaranean durante un cuarto de hora». Según Schlemmer, la representación fue una «confusión babilónica, llena de método, un popurrí para el ojo en cuanto a forma, estilo y color». *El gabinete de figuras II* fue una variación de la primera, con figuras metálicas sobre alambres que se movían de prisa desde el fondo al primer término y de nuevo hacia atrás.

La performance fue un gran éxito precisamente porque sus recursos mecánicos y el diseño pictórico en conjunto reflejaba las sensibilidades tanto del arte como de la tecnología de la Bauhaus. La habilidad de Schlemmer para tasladar sus talentos pictóricos (los primeros planes para las figurillas ya habían sido sugeridos en sus pinturas) en performances innovadoras fue muy apreciada dentro de una escuela que específicamente aspiraba a atraer artistas que solieran trabajar más allá de los límites de sus propias disciplinas. La negativa de Schlemmer a aceptar los límites de las categorías del arte dio por resultado performances que rápidamente se convirtieron en el centro de las actividades de la Bauhaus, mientras que su posición como director general del teatro de la Bauhaus se consolidó firmemente.

Fiestas de la Bauhaus

La comunidad de la Bauhaus se mantuvo unido tanto por su manifiesto y la visión original de Gropius de una escuela de enseñanza de todas las artes como por los actos sociales que organizaron para convertir a Weimar en un animado centro cultural. Las «fiestas de la Bauhaus» pronto se hicieron famosas y atrajeron a asiduos procedentes de las comunidades locales de Weimar (y más tarde Dessau), además de las ciudades de los alrededores como Berlín. Las fiestas se preparaban de manera muy elaborada en torno a temas como «Meta», «El festival de la barba, la nariz y el corazón» o «El festival blanco» (donde todos recibieron instrucciones de presentarse con un traje «de lunares, ajedrezado y a rayas»), que la mayor parte de las veces eran ideadas y coordinadas por Schlemmer y sus estudiantes.

Estos actos proporcionaron al grupo la oportunidad de experimentar con nuevas ideas para performances: por ejemplo, la performance de *El gabinete de figuras* fue una elaboración de una de estas veladas de fiesta. Por otra parte,
Meta, representada en una sala alquilada en Weimar en 1924, fue la base para *83*
una velada de fiesta en el Ilm Chalet en el verano de ese año. En la performance escenificada, el sencillo argumento era «liberado de todos los accesorios» y sólo estaba definido por letreros en los cuales se leían indicaciones

como «entrada», «descanso«, «pasión», «clímax» y demás. Los actores interpretaban las acciones designadas alrededor de un atrezo de un sofá, escaleras, escalera de mano, puerta y barras paralelas. Para la velada del Ilm Chalet, había señales similares para la acción.

Fue en el Ilm Chalet Gasthaus, a muy poca distancia de Weimar, que la banda de la Bauhaus puso a prueba sus combinaciones. Un reportero de Berlín que estaba de visita describió así una de esas veladas: «Qué nombre imaginativo y elegante y qué casa la que se adorna con él», escribió del Ilm Chalet. Pero había más «energía artística y juvenil en esta cámara real de objetos victorianos» que en cualquier Danza Anual de la Sociedad Estatal de las Artes de Berlín elegantemente decorada. La banda de jazz de la Bauhaus, que tocó *Banana Shimmy* y *Java Girls*, era la mejor que había oído jamás, y la pantomima y los trajes no tenían igual. Otra famosa danza de la

Bauhaus, celebrada en febrero de 1929, fue el Festival metálico. Como el título sugiere, toda la escuela estaba decorada con colores y sustancias metálicas, y a aquellos que habían adquirido las invitaciones impresas en elegantes tarjetas de color metálico, un tobogán los esperaba en la entrada a la escuela. Al descender por esta montaña rusa en miniatura pasaban de prisa a través del vestíbulo entre los dos edificios de la Bauhaus para ser recibidos en la sala principal de la fiesta con campanas tintineantes y un estridente toque de trompeta ejecutado por una banda del pueblo de cuatro instrumentos.

83 Oskar Schlemmer, escena de *Meta o la pantomima de escenas*, 1924

84 Maquetas para *El gabinete de figuras I*, realizadas por Carl Schlemmer, 1922-23

85 Schlemmer, *El gabinete de figuras I* (realizada por Carl Schlemmer), que se representó por primera vez en una fiesta de la Bauhaus en 1922. Fue puesta en escena de nuevo durante la Semana de la Bauhaus en 1923 y durante una gira del teatro de la Bauhaus en 1926

86 Festival metálico, 9 de febrero de 1929. Un tobogán conectaba el ala entre los dos edificios de la Bauhaus. La figura con disfraz se prepara para lanzarse por el tobogán que lo llevará a la sala principal de la fiesta

De hecho, fue a estas fiestas anteriores que Schlemmer atribuyó el espíritu original de la performance de la Bauhaus. «Desde el primer día de su existencia, la Bauhaus sintió el impulso por el teatro creativo —escribió—, desde ese primer día el instinto del juego estuvo presente. Éste se expresó en nuestras fiestas exuberantes, en improvisaciones y en las máscaras y los trajes imaginativos que hicimos.» Además, Schlemmer señaló que había un sentimiento distinto para la sátira y la parodia. «Fue probablemente un legado de los dadaístas ridiculizar automáticamente todo lo que olía a solemnidad o preceptos éticos.» Y así, escribió, lo grotesco floreció de nuevo. «Encontraba su alimento en la parodia y la burla de las anticuadas formas del teatro contemporáneo. Aunque su tendencia fue fundamentalmente negativa, su evidente reconocimiento del origen, las condiciones y las leyes del juego teatral fue un rasgo positivo.

Esta misma indiferencia por las «formas anticuadas» significaba que el taller de teatro no imponía a sus estudiantes más requisitos de ingreso que su deseo de representar. Con pocas excepciones, los estudiantes que se incorporaron al curso de Schlemmer no eran bailarines formados profesionalmente. No fue por esa razón, sino a lo largo de los años, a través de dirigir y mostrar numerosas representaciones, que Schlemmer pasó de hecho a bailar en su propia obra. Uno de sus estudiantes de danza, Andreas Weininger, también fue líder de la famosa banda de jazz de la Bauhaus.

Teoría de la performance de Schlemmer

A la par de este aspecto satítrico y a menudo absurdo de las performances y las fiestas, Schlemmer desarrolló una teoría más específica de la performance. Mantenida a lo largo de sus varios manifiestos sobre las intenciones de un taller de teatro, además de un sus escritos privados, contenida en un diario desde comienzos de 1911 hasta su muerte, la teoría de la performance de Schlemmer fue una contribución única a la Bauhaus. En ella analizaba obse-

sivamente el problema de la teoría y la práctica que era central para un programa educativo. Schlemmer expresó estas dudas en la forma de la oposición mitológica clásica entre Apolo y Dioniso: la teoría tenía que ver con Apolo, el dios del intelecto, en tanto que la práctica estaba simbolizada por las fiestas desenfrenadas de Dioniso.

Las propias alternaciones de Schlemmer entre teoría y práctica reflejaban una ética puritana. Consideraba que la pintura y el dibujo eran el aspecto de su obra que resultaba más rigurosamente intelectual, en tanto que el placer no adulterado que obtenía de sus experimentos en el teatro estaba, escribió, constantemente bajo sospecha por esta razón. En sus pinturas, como en sus experimentos teatrales, la investigación esencial era la del espacio; las pinturas delineaban los elementos bidimensionales del espacio, en tanto que el teatro proporcionaba un placer en el cual «experimentar» el espacio.

Aunque acosado por las dudas en cuanto a la especificidad de los dos medios de comunicación, el teatro y la pintura, Schlemer consideraba que eran actividades complementarias: en sus escritos claramente describía la pintura como investigación teórica, en tanto que la performance era la «práctica» de esa ecuación clásica. «La danza es dionisíaca y completamente emocional en cuanto al origen», escribió. Pero esto satisface sólo un aspecto de su temperamento: «Me debato entre dos almas en mi pecho: una orientada hacia la pintura, o más bien filosófico-artística; la otra teatral; o, para decirlo francamente, un alma ética y un alma estética».

En una pieza titulada *Danza de gestos* representada en 1926-27, Sch- 87, 88
lemmer ideó una demostración de danza para ilustrar estas teorías abstractas. Primero preparó un sistema de notación que describía gráficamente los caminos lineales de marcha y los movimientos progresivos de los bailarines. Siguiendo estas direcciones, tres figuras, vestidas con los colores primarios rojo, amarillo y azul, realizaban complicados gestos «geométricos» y «acciones cotidianas» banales, como «estornudo agudo,

87 *Página anterior*: Escena de *Danza de gestos* con Schlemmer, Siedhoff y Kaminsky

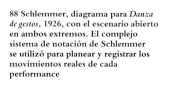

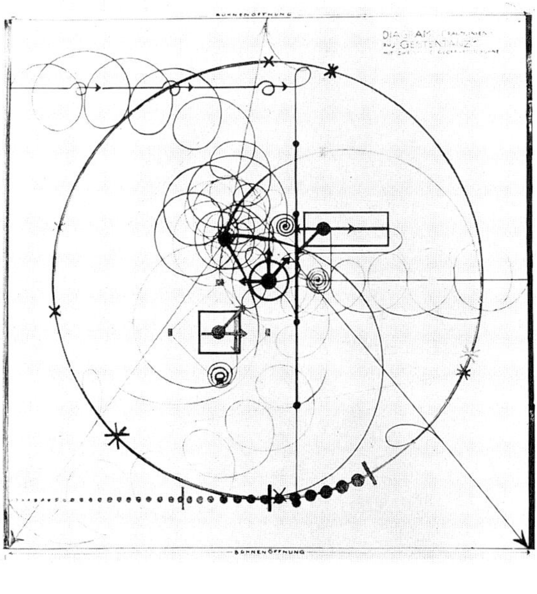

88 Schlemmer, diagrama para *Danza de gestos*, 1926, con el escenario abierto en ambos extremos. El complejo sistema de notación de Schlemmer se utilizó para planear y registrar los movimientos reales de cada performance

risa fuerte, escucha suave», que eran «siempre un medio hacia una forma abstracta de aislamiento». Esta demostración fue intencionalmente didáctica y al mismo tiempo revelaba la transición metódica de Schlemmer de un medio a otro: pasó de la superficie bidimensional (notación y pintura) a la plástica (relieves y esculturas) y al arte animadamente plástico del cuerpo humano.

De modo que la preparación de una performance implicaba estas diferentes etapas: palabras o signos impresos abstractos, demostraciones e imágenes físicas en forma de pinturas, que se convertían en un medio para la representación de capas de espacio real y cambios de tiempo. De este modo la notación además de la pintura implicaban para Schlemmer la teoría del espacio, mientras que la performance en el espacio real proporcionaba la «práctica» para complementar esa teoría.

Espacio de la performance

Lo oposición de plano visual y profundidad espacial era un problema complejo que preocupó a muchos de los que trabajaban en la Bauhaus durante la época que Schlemmer estuvo allí. «El espacio: en cuanto elemento unificador en arquitectura» era lo que Schlemmer consideraba el denominador común de los intereses mixtos del personal docente de la Bauhaus. La noción de *Raumempfindung* o «volumen sentido» fue lo que caracterizó la discusión de la década de 1920 sobre el espacio, y fue a esta «sensación de espacio» que Schlemmer atribuyó los orígenes de cada una
89 de sus representaciones de danza. Explicó que «fuera de la geometría plana, fuera de la búsqueda de la línea recta, la diagonal, el círculo y la curva se desarrolla una estereometría, mediante la línea vertical en movimiento de la figura que danza». La relación entre la «geometría del plano» y la «estereometría del espacio» podía *sentirse* si uno imaginaba «un espacio lleno de una sustancia flexible suave en la cual las figuras de la secuencia de los movimientos de los bailarines se endurecieran como una forma negativa».

En una conferencia-demostración pronunciada en la Bauhaus en
90 1927, Schlemmer y los estudiantes ilustraron estas teorías abstractas: primero la superficie cuadrada del suelo se dividió en ejes directrices y diagonales, completados por un círculo. Luego alambres tirantes cruzaban el escenario vacío definiendo el «volumen» o dimensión cúbica del espacio. Después de estas pautas, los bailarines se movían dentro de la «red lineal espacial», sus movimientos dictados por el espacio ya geométricamente dividido. La fase dos añadía trajes que remarcaban varias partes del cuerpo, destacando los gestos, la caracterización y las armonías de colores abstractos proporcionados por la colorida vestimenta. De este modo la demostración conducía a los espectadores por medio de la «danza matemática» a la «danza de los espacios» y a la «danza de los gestos», que culminaba en la combinación de elementos del teatro de variedades y el circo sugerida por las máscaras y el atrezo de la escena final.

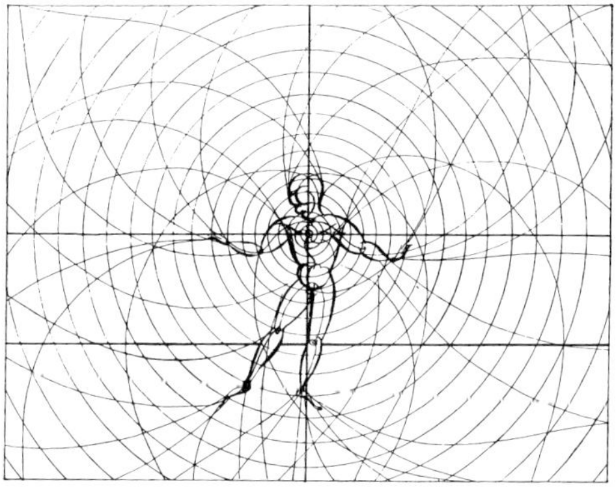

89 Schlemmer, dibujo de *Mensch und Kunstfigur*, 1925

90 Schlemmer, *Figura en el espacio con geometría plana y delineaciones espaciales*, interpretada por Werner Siedhoff

91 *Danza en el espacio* (*Delineación del espacio con figuras*), fotografía de exposición múltiple de Lux Feininger, demostración del teatro de la Bauhaus, 1927

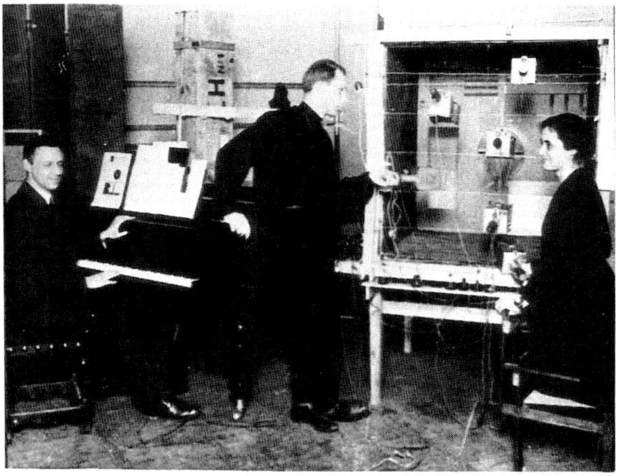
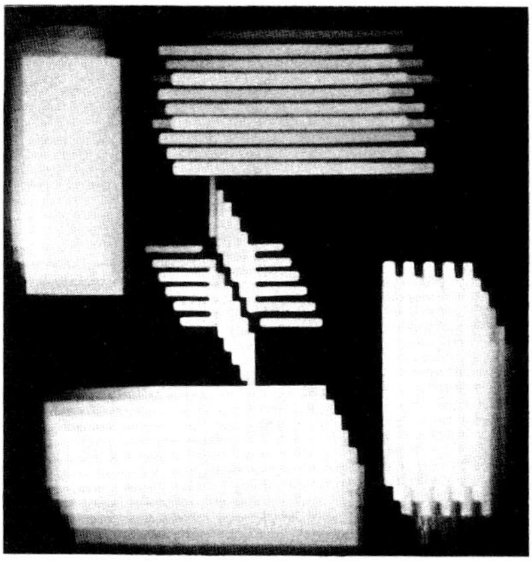

92 La cabina de proyección para *Composiciones de luces reflejadas*, 1922-23, de Ludwig Hirschfeld-Mack; Hirschfeld-Mark al piano

93 Hirschfeld-Mack, *Composición de cruz*, composiciones de luces reflejadas, 1923-24

Por el contrario, los estudiantes Ludwig Hirschfeld-Mack y Kurt Schwerdtfeger, independientemente del taller de teatro, experimentaron con el
92, 93 espacio «aplanado» en su *Composiciones de luces reflejadas*. Los «juegos de luces» comenzaron como un experimento para una de las fiestas de la Bauhaus de 1922: «Al principio habíamos planeado un espectáculo de sombras completamente simple para la Fiesta de la linterna. Por accidente, durante el reemplazo de una de las lámparas de acetileno, las sombras de la pantalla de papel se duplicaron y, a causa de las muchas lámparas de acetileno de diferentes colores, se hicieron visibles una sombra "fría" y una "cálida"...».

El paso siguiente fue multiplicar las fuentes de luz, añadiendo capas de vidrio coloreado que eran proyectadas en la parte posterior de una pantalla transparente, lo que producía dibujos cinéticos y abstractos. Algunas veces los ejecutantes seguían intrincadas partituras que indicaban la fuente de luz y la secuencia de colores, ajustes de reóstatos, velocidad y dirección de «disoluciones» y «fundidos». Éstos eran «ejecutados» en un aparato especialmente construido y acompañados por la interpretación al piano de Hirschfeld-Mack. En la creencia de que estas demostraciones serían un «puente de entendimiento para aquellas muchas personas que se quedaban perplejas ante la pintura abstracta y otras tendencias nuevas», estos juegos de proyección de luces se mostraron públicamente por primera vez en la Semana de la Bauhaus de 1923 y en subsiguientes giras a Viena y Berlín.

Ballets mecánicos

«Hombre y máquina» fue tanto una consideración dentro del análisis de la Bauhaus del arte y la tecnología como lo había sido para los intérpretes constructivistas rusos y futuristas italianos. Los trajes del taller de teatro estaban diseñados para metamorfosear la figura humana en un objeto mecánico. En la *Danza de tablillas* (1927), interpretada por Manda von Kreibig, las acciones de levantar y doblar los miembros del cuerpo sólo podían verse en los movimientos de las tablillas largas y delgadas que se proyectaban desde el cuerpo del bailarín. *Danza de cristales* (1929), ejecutada por Carla Grosch con una falda en forma de aro de varillas de cristal, la cabeza cubierta con un globo de cristal y llevando esferas de cristal, restringían de igual modo los movimientos de la bailarina. Los trajes abarcaban desde «figuras blandas» rellenas de plumón a cuerpos cubiertos de aros concéntricos, y en cada caso las propias constricciones de los elaborados atavíos transformaban de manera total los movimientos de la danza tradicional. *94*

De este modo Schlemmer recalcaba la cualidad de «objeto» de los bailarines y cada performance lograba su deseado «efecto mecánico», no distinto del de los títeres: «¿No podrían los bailarines ser títeres reales, movidos por cuerdas, o mejor aún, autopropulsados por medio de un mecanismo preciso, casi libre de la intervención humana, a lo sumo dirigidos por control remoto?», apuntó Schlemmer, en una de sus apasionadas entradas del diario. Y fue el ensayo de

94 Schlemmer, ***Danza de cristales*****, 1929**

95 Schlemmer, escena de su pantomima *Treppenwitz*, h. 1926-27, representada por Hidebrandt, Siedhoff, Schlemmer y Weininger

Heinrich von Kleist *Über das Marionettentheater* (1810), donde un maestro de ballet que paseaba por un parque observaba una función de tarde de un teatro de títeres, lo que le inspiró la llamada teoría del títere. Kleist había escrito:

> Cada títere tiene un punto focal en movimiento, un centro de gravedad, y cuando este centro se mueve, los miembros lo siguen sin una manipulación adicional. Los miembros son péndulos que repiten automáticamente el movimiento del centro. Cada vez que el centro de gravedad es guiado en una línea recta, los miembros describen curvas que complementan y extienden el movimiento básicamente simple.

Para 1923 los títeres y las figuras manejadas mecánicamente, las máscaras y los trajes geométricos habían llegado a ser una característica central de muchas performances de la Bauhaus. Kurt Schmidt diseñó un *Ballet mecánico*, en el cual figuras movibles abstractas, identificadas por las letras A, B, C, D, E, eran llevadas por bailarines «invisibles», lo que creaba una sensación de autómatas de baile. Igualmente, la representación de *Hombre + Máquina* (1924) de Schmidt, subrayaba los aspectos geométrico y mecánico del movimiento, y su *Die Abenteuer des kleinen Buckligen* (*Las aventuras del pequeño jorobado*, 1924), también basada en ideas de Von Kleist, condujeron a la formación de un teatro de marionetas flexibles, bajo la dirección de Ilse Fehling. Xanti Schawinsky añadió títeres de «animales» a su representación de *Circo* (1924): vestido con un leotardo negro, Schawinsky invisiblemente hacía el papel del domador de leones para el león de cartón de Von Fritsch (con una señal de tráfico como cola). Representada por la comunidad de la Bauhaus e invitados en el escenario de una sala de baile a una media hora a pie del instituto, la obra fue «esencialmente de un concepto formal y pictórico. Era teatro visual, una realización de pintura y construcciones en movimiento, ideas en color, forma y espacio y su interacción dramática», escribió Schawinsky.

97 *96*

Típicamente, la propia *Treppenwitz* (1926-27) de Schlemmer rayaba en el absurdo. Una pantomima en una escalera, incluía personajes como el Payaso musical (Andreas Weininger). Vestido con un traje blanco acolchado con un gran objeto en forma de embudo que transformaba de manera total su pierna izquierda, y un violín que colgaba de su pierna derecha, llevando un acordeón, una coctelera de papel y un paraguas sólo con el varillaje, Weininger estaba obligado, debido a los precipitados preparativos para esta representación, a interpretar sus propios gestos como de títere manteniéndose unido por medio de imperdibles. *95*

96 Xanti Schawinsky, escena de *Circo*, con Schawinsky en el papel del domador de leones y Von Fritsch en el del «león», 1924

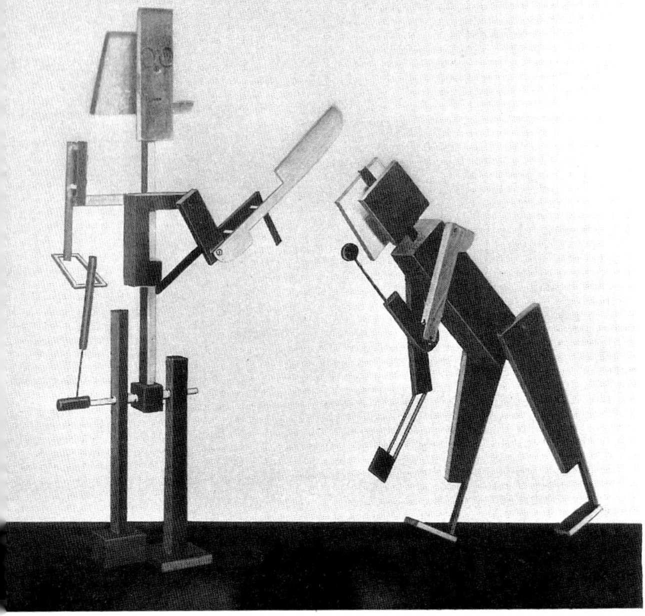

97 Kurt Schmidt y T. Hergt (realización), figurillas del «doctor» y el «criado» de la obra de marionetas *Die Abenteuer des kleinen Buckligen*, h. 1924

No obstante iba a ser un artista de circo quien se convirtiera en uno de los favoritos de los intérpretes de la Bauhaus. Rastelli, a quien Schlemmer había conocido en Berlín en 1924, solía representar un espectacular acto de malabarismo con nueve pelotas que pronto se convirtió en un ejercicio corriente en la Bauhaus. Los estudiantes debían practicar las habilidades particulares del malabarista, desarrollando al mismo tiempo el equilibrio y la coordinación que caracterizan el arte del malabarismo. La práctica usual de la formación en la danza de estudiadas actitudes en la barra se reemplazaron por el ejercicio de calentamiento de un malabarista italiano.

Pintura y performance

La relación entre pintura y performance fue una preocupación constante en el desarrollo de la performance de la Bauhaus. En su ballet de 1917 *Parade*, Picasso había partido las figuras por la mitad, digamos, los torsos cubiertos con gigantescas estructuras y las piernas con pantalones o mallas y zapatillas de ballet tradicionales. Además, estas figurillas derivaban de las pinturas cubistas de Picasso. Schlemmer había encontrado que esta adaptación de las formas de la pintura propia de Picasso en figurillas era una vulgarización.

En una representación inusual, *Coro de máscaras* (1928), intentó un traslado más indirecto de la pintura a la performance. El punto de partida de esta performance en su mayor parte improvisada fue una pintura de 1923, *Tischgesellschaft*. La atmósfera de la pintura estaba recreada en un «horizonte azul de luz». «En el centro oscurecido del escenario había una gran mesa vacía con sillas y vasos. Una gran sombra, probablemente de tres veces el tamaño natural, aparecía en el horizonte y se encogía hasta la escala humana normal.

Un grotesco ser enmascarado entraba y se sentaba a la mesa. Esto continuaba hasta que se había reunido una misteriosa mesa redonda de doce personajes enmascarados. Tres personajes descendían desde lo alto, de la nada: uno "infinitamente alto", uno "fantásticamente bajo" y uno "noblemente vestido". Luego se celebra una ceremonia de bebida horriblemente solemne. Después de eso la fiesta de la bebida llegaba a la parte delantera del escenario.» Así Schlemmer reconstruía la atmósfera de la pintura además de su profunda perspectiva al presentar las figuras con máscaras, graduadas por tamaño de acuerdo con su posición a la mesa, que estaba situada en ángulo recto al público.

De manera diferente, Vasili Kandinsky, en 1928, había usado pinturas como «personajes» de la propia performance. *Cuadros de una exposición*, representada en el Friedrich Theater de Dessau, ilustraba un «poema musical» del compatriota de Kandinsky, Modest Musorgski. Éste, por su parte, se había inspirado en una exposición de acuarelas naturalistas. De manera que Kandinsky diseñó equivalentes visuales para las frases musicales de Musorgski, con formas coloreadas movibles y proyecciones de luz. Con la excepción de dos de los dieciséis cuadros, la escena completa era abstracta. Kandinsky explicó que sólo unas pocas formas eran «vagamente objetivas». Por consiguiente, no procedió «programáticamente», sino que más bien «hice uso de las formas que aparecían ante mi ojo de la mente mientras escuchaba la música». El medio principal, dijo, fueron las formas mismas, los colores de las formas, la iluminación: color como pintura intensificada, y el desarrollo de cada cuadro, unido a la música, y «donde era necesario, su desmantelamiento». Por ejemplo, en el cuarto cuadro «Il vecchio castello», sólo tres bandas verticales eran visibles hacia el fondo del escenario, cuyo telón de felpa negra, colgado bien atrás, creaba una profundidad «inmaterial». Estas tres bandas se desvanecían, para ser reemplazadas por grandes telones de fondo rojo desde la derecha del escenario y un telón de fondo verde desde la izquierda. La escena, brillantemente iluminada con color intenso, se volvía cada vez más débil con el *poco largamente*, y cae en la completa oscuridad con la sección *piano*.

Ballet triádico

El *Ballet triádico* de Schlemmer le valió una fama internacional que excedió con mucho la de cualquiera de sus otras performances. Ya en 1912 había estado considerando varias ideas que finalmente materializaría en su primera performance en el Stuttgart Landestheater en 1922. Mantenida en cartel durante un período de más de diez años, esta representación contenía una virtual enciclopedia de las proposiciones de la performance de Schlemmer. «¿Por qué triádico?», el director apuntó: «Triádico: de tríada (tres) porque de los tres bailarines y las tres partes de la composición arquitectónica sinfónica y la fusión de la danza, los trajes y la música». Acompañado por una partitura de Hindemith para pianola, «el instrumento mecánico que corresponde al estilo de danza estereotípica», la música proporcionaba un paralelo a los trajes y a los contornos matemáticos y mecánicos del cuerpo. Además, *98, 99*

98 Schlemmer como el «Türke» en su *Ballet triádico*, 1922

99 Schlemmer, diseños para el *Ballet triádico*, 1922 y 1926

99 las cualidades como de muñeco de los bailarines se correspondía con la cualidad de caja de música de la música, lo que constituía una «unidad de concepto y estilo».

Como duraba varias horas, el *Ballet triádico* era un «análisis metafísico», que utilizaba tres bailarines que llevaban dieciocho trajes en doce danzas. La cualidad de la danza seguía los elementos sinfónicos de la música: por ejemplo, la primera sección la caracterizó como «scherzo» y la tercera como «eroica». Su interés por la «geometría del suelo» determinó el camino de los bailarines: «por ejemplo, un bailarín se mueve sólo desde el fondo del escenario hasta las candilejas a lo largo de una línea recta. Luego de la diagonal o el círculo, la elipse, etc.». La obra se había desarrollado de una manera sorprendentemente pragmática: «Primero viene el traje, la figurilla. Luego viene la búsqueda de la música que mejor se adapta a ellos. La música y la figurilla conducen a la danza. Éste era el proceso». Schlemmer apuntó, además, que los movimientos de la danza debían «comenzar con la propia vida de uno, con estar de pie y caminar, dejando el salto y la danza para mucho más tarde».

De manera no sorprendente, esta obra fue el último «equilibrio de opuestos», de conceptos abstractos e impulsos emocionales. Esto, por supuesto, encajaba muy bien en los particulares intereses de arte-tecnología de la Bauhaus. Schlemmer finalmente había transformado el taller de teatro de su

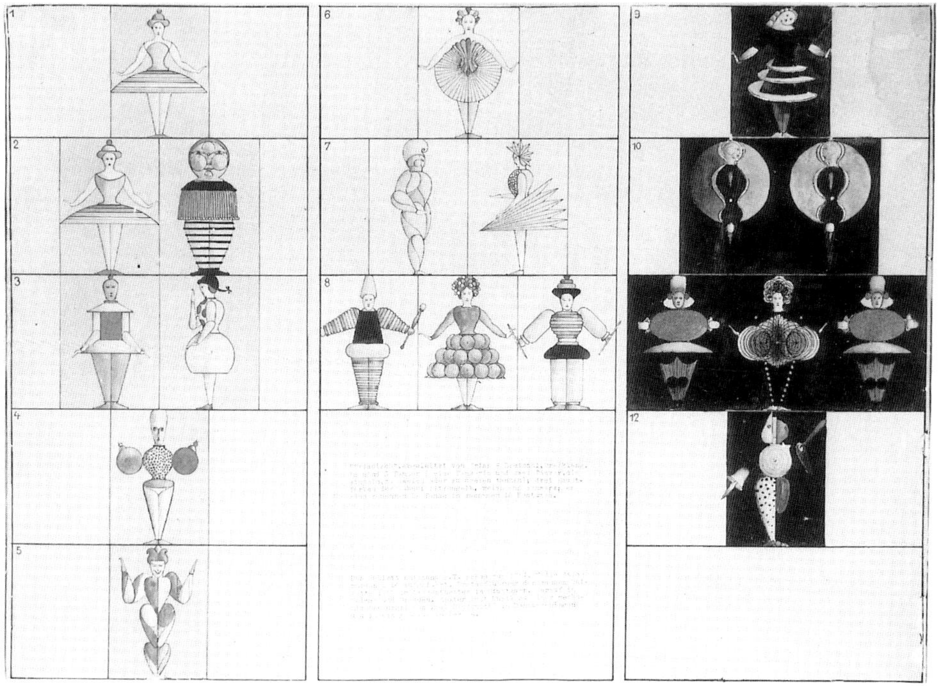

sesgo originalmente expresionnista —bajo la dirección de Lothar Schreyer— en uno más en línea con las sensibilidades de la Bauhaus. Se había dicho que los estudiantes acudían a la Bauhaus para que los «curaran del expresionismo». Sólo podían curarse si Schlemmer los introducía en la noción más filosófica de «danza metafísica» o en su afición al teatro de variedades, el teatro japonés, el teatro de títeres javanés y las varias artes de los intérpretes de circo. Además de la gimnasia rítmica y «los coros de movimiento desarrollados a partir de ellos», los estudiantes también analizaban la eucinética y los sistemas de notación de Rudolf von Laban en Suiza y la protegida de Laban, Mary Wigman, además de los espectáculos de los constructivistas rusos (que se acudía a verlos a Berlín, a sólo a dos horas de tren).

El escenario de la Bauhaus

Puesto que en la escuela no existía un teatro verdadero durante el período de Weimar, Schlemmer y sus estudiantes desarrollaron performances directamente en sus estudios, considerando cada experimento una búsqueda de los «elementos del movimiento y el espacio». En 1925, cuando la Bahaus se trasladó a Dessau, donde Gropius había diseñado el complejo del nuevo edificio, el taller de teatro había llegado a ser lo bastante importante para justificar un teatro diseñado especialmente. También ése siguió siendo un simple escenario elevado en un auditorio como un cubo, construido de manera que acomodara las diversas luces, pantallas y estructuras como escaleras que Schlemmer, Kandisnky, Xanti Schawinsky y Joost Schmidt, entre otros, necesitaban para llevar a cabo su obra.

A pesar de la simple eficiencia del escenario de Dessau, varios miembros del profesorado y los estudiantes diseñaron sus propias versiones del escenario ideal, basadas en las necesidades de performances experimentales tan diversas como las representadas en la Bauhaus. Walter Gropius había escrito que el problema arquitectónico del espacio del escenario tenía una importancia particular para el trabajo en la Bauhaus. «El escenario profundo de hoy en día, que permite al espectador mirar al otro mundo del escenario como a través de una ventana, o que separa [al propio escenario del espectador] mediante un telón, casi ha arrinconado por completo la arena central del pasado.» Gropius explicó que esta «arena» anterior había formado una unidad espacial indivisible con los espectadores, atrayéndolos a la acción de la obra. Además apuntó que el escenario profundo de «marco de cuadro» presentaba un problema bidimensional, en tanto que el escenario de arena central presentaba un problema tridimensional: en lugar de cambiar el plano de acción, el escenario de arena proporcionaba un espacio de acción, en el cual los cuerpos se movían como formas esculturales. El teatro total de Gropius fue diseñado en 1926 para el director Erwin Piscator, pero debido a dificultades financieras nunca llegó a construirse.

El escenario mecánico de 1925 de Joost Schmidt fue pensado para uso de la propia Bauhaus. Una estructura de fines múltiples ampliaba las ideas explicadas por Farkas Molnár el año anterior. El teatro en U de Molnár constaba de tres escenarios, dispuestos uno detrás del otro: 12 x 12, 6 x 12 y 12 x 8 metros de tamaño. Molnár proporcionaba un cuarto escenario que se suponía estaría colgado por encima del escenario central. El primer escenario sobresalía hacia el público, de manera que todas las acciones podían verse desde tres lados. El segundo escenario estaba diseñado para variar en altura, profundidad y lados, y el tercero correspondía más o menos al principio del «marco de cuadro». Aunque distinguidos por sus notables inventiva y flexibilidad, ni el diseño de Schmidt ni el de Molnár se realizaron.

El teatro esférico de Andreas Weininger se diseñó para alojar «obras mecánicas». Los espectadores, sentados alrededor de la pared interior de la esfera, se sentirían, según Weininger, en «una nueva relación con el espacio» y en una «nueva relación física, óptica y acústica» con la acción de la performance. El escenario mecánico de Heinz Loew, por otra parte, estaba diseñado para llevar a la parte delantera el aparato técnico que en el teatro tradicional «está escrupulosamente oculto a la vista del público. Paradójicamente, esto a menudo dio por resultado que las actividades entre bastidores se convirtieran en el aspecto más interesante del teatro». En consecuencia, Loew propuso que la tarea del futuro teatro debía «desarrollar un personal técnico tan importante como los actores, cuyo trabajo sería sacar este aparato a la vista, abiertamente y como un fin en sí mismo».

Frederick Kiesler

Los decorados incluso atrajeron la atención de la policía, como cuando Frederik Kiesler presentó sus extraordinarios telones de fondo para *R.U.R.* de *100*
Karel Čapek en el Theater am Kurfürstendamm, Berlín, en 1922. Aunque nunca directamente asociado a la Bauhaus, Kiesler, con su «escenario de espacio» y la representación de *R.U.R.*, se aseguró una considerable fama allí. Más aún, en 1924 en Viena había organizado el primer Festival de Teatro y Música internacional, que incluyó numerosas representaciones y conferencias por parte de los intérpretes y directores europeos clave, entre ellos los de la Bauhaus.

Para la obra de Čapek, Kiesler introdujo lo último de la estética de la «era de la máquina»: la obra misma proponía la fabricación de seres humanos como el método más eficaz hacia una sociedad futurista. El inventor, su laboratorio y la fábrica donde los humanos estaban en la cadena de montaje, además de un sistema de proyección para el director de la fábrica para admitir sólo «visitas deseables» en la organización secreta, fueron interpretados todos por Kiesler en un escenario cinético. «La obra *R.U.R.* fue mi ocasión para usar por primera vez en un teatro un filme en lugar de un telón de fondo pintado», explicó Kiesler. Para el recurso de la pantalla del director de la fábrica, Kiesler construyó una gran ventana de panel cuadrado en el medio del telón de boca del escenario, que parecía una enorme pantalla de televisión; ésta podía abrirse por control remoto de modo que cuando él apretaba un botón en su mesa de trabajo «el panel se abría y el público veía dos seres humanos reflejados desde un espejo dispuesto entre bastidores. Reducidas en tamaño por los espejos, las figuras que veían la fábrica desde el «exterior» luego eran autorizadas a entrar y «todo el montaje pasaba de su pequeña imagen proyectada a ellos entrando en el escenario en tamaño natural».

Cuando el director deseaba mostrar a sus visitantes la modernidad de su fábrica de robots, un enorme diafragma en el fondo del escenario se abría para revelar un filme (proyectado desde la parte posterior del escenario en una pantalla circular). Lo que el público y los visitantes veían era el interior de una fábrica enorme, los obreros muy atareados. Esta ilusión era particularmente eficaz, «puesto que la cámara se adentraba en el interior de la fábrica y el público tenía la impresión de que los actores en el escenario también se internaban caminando en la perspectiva del filme». Otra característica era una serie de destellantes luces de neón de diseños abstractos, que representaban el laboratorio del inventor. La cámara de control de la fábrica estaba en un iris de dos metros y medio desde el cual los proyectores dirigían la luz hacia el público.

La policía de Berlín se vio incitada a entrar en acción a causa del equipo de proyección de la parte posterior del escenario utilizado en varias escenas durante toda la obra para dar una idea de las actividades más allá de la «oficina» principal de la fábrica, temerosos de que podría fácilmente provocar un incendio. De modo que cada velada, cuando el filme comenzaba a proyectarse, hacían sonar una alarma, para gran regocijo de Kiesler. Después de va-

rias interrupciones de esta clase, renunció a sus ruidosas protestas y construyó un canal de agua encima de la pantalla de proyección de lona. De este modo, el filme se proyectaba en una pared de agua que fluía constantemente, lo que producía un «hermoso efecto traslúcido». Para Kiesler, incluso esta característica accidental contribuyó a la representación en general: «Desde principio a fin, la obra entera estaba en movimiento y de este modo actuaban los actores. Las paredes de los lados también se movían. Era un concepto teatral para crear tensión en el espacio».

Mientras tanto, en la Bauhaus Moholy-Nagy estaba recomendando un «teatro de la totalidad» como un «gran proceso dinámico-rítmico, que puede comprimir las más grandes masas en oposición o acumulaciones de medios de comunicación —en tanto tensiones cualitativas y cuantitativas— en una forma elemental». «Nada —escribió en su ensayo *Teatro, circo, variedades* (1924)— es un estorbo para hacer uso de un complejo APARATO como filme, automóvil, ascensor, aeroplano y otra maquinaria, además de instrumentos ópticos, equipos de reflexión y demás.» «Es hora de realizar una clase de actividad escénica que ya no admitirá que las masas sean espectadores si-

100 Frederik Kiesler, escenario para *R.U.R.* de Karel Capek, Berlín, 1922. El escenario comprendía un relieve de pared movible, paneles de «televisión» (logrados con espejos) y proyección de filmes: la primera vez que se combinaron filme y performance viva

lenciosos, que [...] les posibilitará fundirse con la acción en el escenario.» Para realizar ese proceso, concluía, se necesitaba un «NUEVO DIRECTOR de mil ojos, equipado con los modernos medios de entendimiento y comunicación». Fue con esta visión que los artistas de la Bauhaus se implicaron tan estrechamente en el diseño del escenario-espacio.

Compañía ambulante de la Bauhaus

Durante los años de Dessau, desde 1926 en adelante, la performance de la Bauhaus obtuvo fama internacional. Esto fue posible porque Gropius apoyó enérgicamente el teatro de la Bauhaus, y los estudiantes fueron participantes entusiastas. De manera que se dio gran importancia y estímulo al experimento teatral que Schlemmer anunció en su conferencia-demostración de 1927: «la finalidad de nuestro esfuerzo: convertirnos en una compañía de actores ambulantes que interpretará sus obras dondequiera que exista el deseo de verlas». Para entonces ese deseo estaba muy difundido, y Schlemmer y la compañía hicieron giras por numerosas ciudades europeas, entre ellas Berlín,

Breslau, Frankfurt, Stuttgart y Basilea. El repertorio, en esencia un resumen de tres años de performance de la Bauhaus incluía *Danza en el espacio, Danza de tablillas, Danza de formas, Danza de metales, Danza de gestos, Danza de aros* y *Coro de máscaras*, para nombrar sólo unas pocas.

102 *Danza de metales* fue reseñada en el *Blaster National Zeitung*, el 30 de abril de 1929: «El telón se levanta. Telón de fondo negro y suelo del escenario negro. En el profundo fondo del escenario, se ilumina una cueva, no mucho más grande que una puerta. La cueva se compone de láminas de estaño altamente reflectante colocadas de canto. Una figura femenina sale de su interior. Lleva malla blanca. La cabeza y las manos están encerradas en brillantes esferas plateadas. Música metálicamente dura, uniforme y brillante hace que la figura represente movimientos duros [...] todo es muy breve y se desvanece como una aparición».

Danza en el espacio comenzaba con un escenario desnudo, cuyo suelo negro estaba delineado con un gran cuadrado blanco. Círculos y diagonales llenaban el cuadrado. Un bailarín con malla amarilla y máscara globular de metal anda con paso ligero por el escenario, avanzando a saltitos por las líneas blancas. Una segunda figura con malla roja y enmascarada recorre las mismas formas geométricas, pero con pasos largos. Por último, una tercera figura con malla azul camina tranquilamente por el escenario, ignorando las direcciones únicas de los diagramas en el suelo. En esencia representaba tres maneras típicas de andar humanas, y en los habituales múltiplos de tres de Schlemmer, mostraba tres características de color y su representación en la forma: «amarillo, saltitos enfáticos; rojo, pasos completos; azul, pasos serenos».

La octava danza en esta retrospectiva de la performance de la Bauhaus era
101 un *Juego con bloques de edificios*. En el escenario había una pared de bloques de edificios, desde detrás de los cuales tres figuras avanzaban a rastras. Trozo a trozo desmantelaban la pared, llevando cada bloque a otra zona del escenario. Lanzando cada bloque hacia la persona de al lado con el ritmo que los albañi-

102 Schlemmer, *Danza de metales*, 1929

les lanzan los ladrillos formando una cadena, finalmente construían una torre central, alrededor de la cual tenía lugar una danza.

La *Danza de los bastidores* consistía en un número de tabiques uno detrás del otro. Manos, cabezas, pies, cuerpos y palabras aparecían en breve ritmo quebrado en los espacios entre los tabiques; «desmembrada, loca, insensata, tonta, banal y misteriosa», señaló el mismo periodista suizo. «Era extremadamente tonta y extremadamente aterradora», pero por encima de todo, para el reportero, la obra revelaba el «entero significado y la entera estupidez del fenómeno "bastidores"». Mientras reconocía el absurdo intencionado de muchas de las secuencias breves, el periodista resumía su entusiasta valoración: «La gente que trate de descubrir "algo" detrás de todo esto, nada encontrará, porque nada hay para descubrir *detrás* de esto. Todo está allí, ¡directamente en lo que uno percibe! No hay sentimientos que sean "expresados", más bien, los sentimientos son evocados. [...] Todo es un "juego". Es un "juego" liberado y liberador. [...] Pura forma absoluta. Así como la música es...».

101 *Página anterior*: Schlemmer, 1926, *Juego con bloques de edificios*, interpretado por Werner Siedhoff, teatro de la Bauhaus, 1927

Acogidas tan favorables llevaron a la compañía a representar el *Ballet triádico* en el Congreso de Danza Internacional en 1932. Pero ésta fue también su última performance. La desintegración de la Bauhaus después de los nueve años de permanencia de Gropius allí; las exigencias de un director muy diferente, Hannes Meyer, que estaba en contra de los aspectos «formal y personal» del trabajo de danza de Schlemmer; la censura impuesta por el nuevo gobierno prusiano: todo esto convirtió en efímero el sueño de Schlemmer.

Por fin la Dauhaus de Dessau se cerró definitivamente en 1932. Su entonces director, Mies van der Rohe, intentó llevar adelante la escuela como una institución privada en una fábrica de teléfonos en desuso de Berlín. Pero para entonces el escenario de la Bauhaus había establecido firmemente su importancia en la historia de la performance. La performance había sido un medio para extender el principio de la Bauhaus de una «obra de arte total», que dio por resultado representaciones con coreografías y diseños muy cuidados. Había transformado directamente las preocupaciones estéticas y artísticas en arte vivo y «espacio real». Aunque algunas veces festiva y satírica, nunca fue intencionalmente provocativa ni abiertamente política como lo habían sido los futuristas, dadaístas o surrealistas. No obstante, al igual que ellos, la Bauhaus reforzó la importancia de la performance como un medio por derecho propio y con la proximidad de la Segunda Guerra Mundial hubo un marcado descenso en las actividades de la performance, no sólo en Alemania, sino también en muchos otros centros europeos.

103 Miembros del taller de teatro vestidos con máscaras y trajes en el tejado del estudio de Dessau, h. 1926

CAPÍTULO VI

Arte vivo, h. 1933 hasta la década de 1970

La performance en Estados Unidos comenzó a surgir a fines de la década de 1930 con el arribo a Nueva York de los exiliados de la guerra europea. Para 1945 había llegado a ser una actividad por derecho propio, reconocida como tal por los artistas y que iba más allá de las provocaciones de las primeras performances.

Black Mountain College, Carolina del Norte

En el otoño de 1933, treinta y dos estudiantes y nueve miembros de la facultad se trasladaron a un enorme complejo de edificios de columnas blancas con vistas al pueblo de Black Mountain, a unos cinco kilómetros, y el valle y las montañas circundantes. Esta pequeña comunidad enseguida atrajo artistas, escritores, dramaturgos, bailarines y músicos a su puesto avanzado del sur rural, a pesar de los mínimos fondos y el improvisado programa que el director, John Rice, había logrado preparar.

En busca de un artista que creara un punto focal para el variado programa de estudios, Rice invitó a Josef y Anni Albers a unirse a la escuela de la comunidad. Albers, que había enseñado en la Bauhaus antes de que los nazis la cerraran, de inmediato proporcionó exactamente la combinación necesaria de disciplina e inventiva que había caracterizado sus años en la Bauhaus: «el arte está interesado por el CÓMO y no el QUÉ; no con el contenido literal, sino con la performance del contenido factual. La performance —cómo se hace—, es el contenido del arte», explicó a los estudiantes en una conferencia.

A pesar de la falta de un manifiesto explícito o declaración pública de sus fines, la pequeña comunidad lentamente adquirió fama como un escondrijo educacional interdisciplinario. Días y noches pasados en la misma compañía fácilmente se convirtieron en breves performances improvisadas, consideradas más una diversión. Pero en 1936, Albers invitó a su ex colega de la Bauhaus Xanti Schawinsky para que lo ayudara a ampliar la facultad de arte. Dada la libertad de idear su propio programa, Schawinsky enseguida esbozó su programa de «estudios de teatro», en su mayor parte una extensión de los anteriores experimentos de la Bauhaus. «Este curso no está pensado como una formación para cualquier rama del teatro contemporáneo», explicó Schawinsky. Más bien sería un estudio general de los fenómenos fundamentales: «espacio, forma, color, luz, sonido, movimiento, música, tiempo, etc.». La primera performance representada de su repertorio de la Bauhaus, *Espectrodrama,* era «un método educativo que pretende el intercambio entre las artes y las ciencias y usa el teatro como un laboratorio y lugar de acción y experimentación».

El grupo de trabajo, compuesto de estudiantes de todas las disciplinas, «abordaba los conceptos y fenómenos imperantes desde diferentes puntos de vista, y creaba representaciones teatrales que los expresaban».

Centrándose en la interacción visual de luz y formas geométricas, *Espectrodrama* se inspiraba en los anteriores experimentos de reflexión de la luz de Hirschfeld-Mack. Escenas como, por ejemplo, un cuadrado amarillo que se «desplaza hacia la izquierda y desaparece, dejando al descubierto una tras otra tres formas blancas: un triángulo, un círculo y un cuadrado», habría sido típica de una performance en las veladas de la Bauhaus. «La obra que hacíamos era de un concepto formal y pictórico —explicó Scha-
104 winsky—. Era teatro visual.» Una segunda performance *Danse macabre* (1938) era menos un espectáculo visual que una representación en redondo, con el público vestido con capas y máscaras. Ambos trabajos, junto con el curso de Schawinsky, sirvieron para introducir la performance como un punto focal para la colaboración entre miembros de las distintas facultades de arte. Schawinsky dejó la escuela en 1938 para unirse a la Nueva Bauhaus en Chicago, pero pronto hubo breves visitas de artistas y escritores que incluían a Aldous Huxley, Fernand Léger, Lyonel Feininger y Thornton Wilder. Dos años más tarde la escuela se trasladó a Lake Eden, no lejos de Asheville, Carolina del Norte, y en 1944 había inaugurado una escuela de verano que iba a atraer gran número de innovadores artistas de diversas disciplinas.

104 *Danse macabre* de Xanti Schawinsky, representada en el Black Mountain College en 1938

105 Debut de John Cage en el Museum of Modern Art de Nueva York, 1943

John Cage y Marce Cunningham

Al mismo tiempo que el Black Mountain College aumentaba su reputación como institución experimental, un joven músico, John Cage, y un joven bailarín, Merce Cunningham, estaban comenzando a hacer sentir sus ideas en pequeños círculos en Nueva York y en la Costa Oeste. En 1937, Cage, que había estudiado brevemente bellas artes en el Pomona College en California y composición con Schönberg, expresó sus opiniones sobre la música en un manifiesto llamado *El futuro de la música*. Estaba basado en la idea de que «dondequiera que estemos, lo que oímos es en su mayor parte ruido [...]. Ya sea el sonido de un camión a ochenta kilómetros por hora, lluvia o parásitos entre emisoras de radio, encontramos el ruido fascinante». Cage pretendía, «capturar y controlar esos sonidos, usarlos, no como efectos sonoros, sino como instrumentos músicos». Incluidos en esta «biblioteca de sonidos» estaban efectos sonoros de estudios de filmación que harían posible, por ejemplo, «componer e interpretar un cuarteto para motor de explosión, viento, latido del corazón y desprendimiento de tierras». Un crítico reseñó en el *Chicago Daily News* un concierto que ejemplificaba estas ideas, dado en Chicago en 1942. Bajo el titular «La gente lo llama ruido... pero él lo llama música», el crítico apuntaba que los «músicos» tocaban botellas de cerveza, macetas, cencerros, tambores de freno de automóviles, campanas para anunciar la comida, láminas de metal para semejar ruidos de truenos y «en palabras del señor Cage, "cualquier cosa a la que pudiéramos echar mano"».

A pesar de la respuesta un tanto perpleja de la prensa a esta obra, Cage fue invitado a dar un concierto en el Museum of Modern Art de Nueva York, el *105*
año siguiente. Se cerraban mandíbulas de golpe, se hacían tintinear cuencos de sopa de porcelana y se golpeaban cencerros, mientras que un público «que

era muy culto», según la revista *Life* «escuchaba atentamente sin parecer disturbarse por el ruidoso resultado». Según todas las informaciones, el público de Nueva York era mucho más tolerante con estos conciertos experimentales que el de casi treinta años antes que atacaba furiosamente a los «músicos de ruidos» futuristas. De hecho, los conciertos de Cage pronto produjeron un serio cuerpo de análisis de la música experimental de él y la anterior, y el propio Cage escribió prolíficamente sobre el tema. Según Cage, para comprender el «sentido del renacimiento musical y la posibilidad de invención» que ha tenido lugar alrededor de 1935, uno debería volverse hacia *El arte de los ruidos* de Luigi Russolo y *Nuevos recursos musicales* de Henry Cowell. También remitía a sus lectores a McLuhan, Norman O. Brown, Fuller y Duchamp; «una manera para escribir música: estudiar a Duchamp».

En el nivel teórico, Cage señaló que los compositores que optan por enfrentarse al «campo entero del sonido» necesariamente tenían que idear métodos de notación completamente nuevos para esa música. Encontró modelos en la música oriental para las «estructuras rítmicas improvisadas» propuestas en su manifiesto, y aunque en su mayor parte «no escrita», la filosofía en la cual se basaba condujo a Cage a insistir en las nociones de azar e indeterminación. «Una pieza indeterminada —escribió—, aunque pueda sonar como una totalmente determinada, está hecha en esencia sin intención de que así sea, en oposición a la música de resultados, dos interpretaciones de ella serán diferentes.» De manera esencial, la indeterminación tenía en cuenta «la flexibilidad, la variabilidad, la fluidez, etc.», y también llevó a la noción de Cage de «música no intencional». Esa música, explicó, dejaría bien sentado al oyente que «la audición de la pieza es su acción propia; que la música, por así decirlo, es de él, más bien que del compositor».

Tales teorías y actitudes reflejaban la profunda simpatía que Cage sentía por el budismo zen y la filosofía oriental en general y encontró un paralelo en la obra de Merce Cunningham que, al igual que Cage, hacia 1950 había introducido procedimientos de azar e indeterminación como una manera de llegar a la nueva práctica de la danza. Tras haber bailado durante varios años como figura principal en la compañía de Martha Graham, Cunningham pronto abandonó la hebra dramática y narrativa del estilo de Graham, además de su dependencia de la música para la dirección rítmica. Del mismo modo que Cage encontró música en los sonidos cotidianos de nuestro entorno, así también Cunningham propuso que caminar, estar de pie, brincar y toda la gama completa de posibilidades de movimiento natural podían considerarse danza. «Se me ocurrió que los bailarines podrían hacer los gestos que hacen todos los días. Éstos eran aceptados como movimientos en la vida diaria, ¿por qué no en el escenario?»

En tanto que Cage había apuntado que «cada unidad más pequeña de una composición mayor reflejaba como un microcosmos las características del todo», Cunningham enfatizaba «cada elemento del espectáculo». Era necesario, dijo, tomar cada circunstancia por lo que era, de modo que cada movimiento fuera algo en sí mismo. Este respeto por las circunstancias dadas se vio
106 reforzado por el uso del azar en los trabajos preparatorios, como *Dieciséis danzas para solista y compañía de tres* (1951), donde el orden de las «nueve emo-

106 Merce Cunningham en *Dieciséis danzas para solista y compañía de tres*, 1951

107 *La piège de Méduse* de Erik Satie, reconstruida en el Black Mountain College en 1948. Buckminster Fuller (*izquierda*) en el papel del barón Méduse y Merce Cunningham en el del «mono mecánico»

ciones permanentes del teatro clásico indio» se decidió echándolo a cara o cruz.

Para 1948 el bailarín y el músico habían estado colaborando en varios proyectos durante casi una década y ambos fueron invitados a unirse a la escuela de verano en el Black Mountain College celebrada ese año. Willem de Kooning y Buckminster Fuller también estaban allí. Juntos reconstruyeron *La piège de Méduse*, de Erik Satie, «montada en París anteayer». La performance presentaba a Elaine de Kooning como la actriz principal, a Fuller como el barón Méduse, la coreografía para el «mono mecánico» era de Cunningham y los decorados de Willem de Kooning. Dirigida por Helen Livingston y Arthur Penn, la performance presentaba las poco conocidas absurdidades del «drama» de Satie y sus excéntricas ideas musicales a la comunidad de Black Mountain. Cage, no obstante, tuvo que luchar por la aceptación de las ideas de Satie como pronto iba a hacer por la aceptación de las suyas. Su conferencia «En defensa de Satie», acompañada por una serie de veinticinco conciertos de media hora tres noches por semana, después de la cena, afirmaba que «no podemos, no debemos ponernos de acuerdo sobre cuestiones de material» y reflejaba preocupaciones acerca de su propia obra: las cuerdas de su «piano preparado» ya estaban obstruidas con materiales extraños —gomitas, cucharas de madera, trocitos de papel y metal— lo que creaba los sonidos de una compacta «orquesta de percusión».

107

En 1952, Cage llevó estos experimentos aún más lejos y llegó a su famosa obra silenciosa. *4' 33''* era «una pieza en tres movimientos durante la cual ningún sonido se producía intencionalmente»; renunciaba por completo a la intervención de los músicos. El primer intérprete de la obra, David Tudor, sentado al piano durante cuatro minutos y treinta y tres segundos, movía en silencio sus brazos tres veces; en este tiempo los espectadores iban a comprender que todo lo que oían era «música». «Mi pieza favorita —había escrito Cage— es la que oímos todo el tiempo si estamos en silencio.»

Acto sin título del Black Mountain College, 1952

Ese mismo año, Cage y Cunningham habían regresado al Black Mountain College para otra escuela de verano. Una velada de performance que tuvo lugar en un comedor de la escuela ese verano creó un precedente para innumerables actos que iban a seguir a fines de la década de 1950 y la de 1960. Antes de la verdadera performance, Cage dio lectura a la doctrina de la mente universal de Haung Po que, en su manera curiosa, anticipaba el acto mismo. Francine Duplessix-Gray, entonces una joven estudiante observó los comentarios de Cage acerca del zen: «En el budismo zen nada es bueno o malo. U horrible o hermoso. [...] El arte no debería ser distinto [de la] vida, sino una acción dentro de la vida. Como todas las cosas de la vida, con sus accidentes y oportunidades y variedad y desorden y sólo hermosuras momentáneas». La preparación para la performance fue mínima: se dio a los intérpretes una «partitura» que sólo indicaba «paréntesis de tiempo» y se esperaba que cada uno rellenara privadamente momentos de acción, inacción y silencio como se indicaba en la partitura, ninguno de los cuales iba a ser revelado hasta la representación misma. De este modo, no habría una «relación casual» entre un incidente y el siguiente y, según Cage, «todo lo que sucedía después de eso sucedía en el propio observador».

108 Los espectadores tomaron asiento en la arena cuadrada que formaba cuatro triángulos creados por los pasillos en diagonal, cada uno sosteniendo la taza blanca que había sido colocada en sus sillas. Pinturas blancas de un estudiante visitante, Robert Rauschenberg, colgaban por encima de sus cabezas. Desde una escalera de tijera, Cage con traje y corbata negros, leyó un texto sobre «la relación de la música con el budismo zen» y extractos de Meister Eckhart. Luego interpretó una «composición con una radio», siguiendo los «paréntesis de tiempo» predeterminados. Al mismo tiempo Rauschenberg hacía sonar viejos discos en un gramófono hecho girar a mano y David Tudor tocaba un «piano preparado». Más tarde Tudor comenzaba a trabajar con dos cubos, vertiendo agua de uno al otro mientras, situados entre el público, Charles Olsen y Mary Caroline Richards leían poesía. Cunningham y otros bailaban por los pasillos perseguidos por un perro excitado. Rauschenberg hacía centellar diapositivas abstractas (creadas intercalando gelatina coloreada entre los cristales) y fragmentos de filmes proyectados en el cielo raso mostraban primero al cocinero de la escuela, y luego, a medida que bajaba poco a poco desde el cielo raso hacia la pared, la puesta del sol. En un rincón, el compositor Jay Watt tocaba instrumentos músicos exóticos y «se hicieron

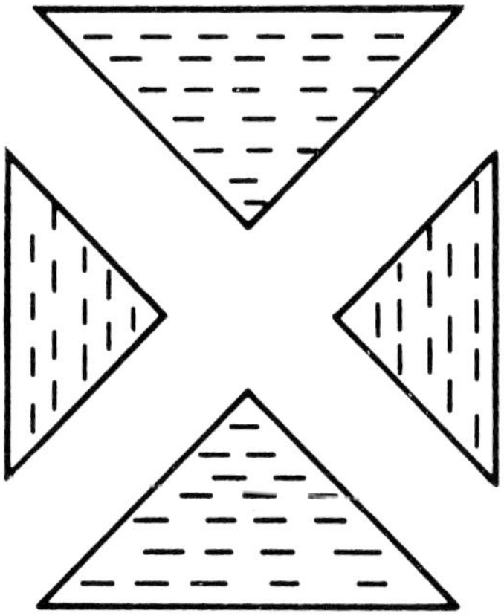

108 Diagrama de *Acto sin título*, celebrado en el Black Mountain College en el verano de 1952, que muestra la disposición de los asientos

sonar silbatos, los bebés chillaron y cuatro muchachos vestidos de blanco sirvieron café».

El público del campo estaba encantado. Sólo el compositor Stefan Wolpe se marchó en señal de protesta, y Cage proclamó que la velada había sido un éxito. Un acto «anárquico»; «sin un objetivo, no sabíamos qué iba a suceder», sugería infinitas posibilidades para futuras colaboraciones. Y proporcionó a Cunningham un nuevo diseñador de decorados y trajes para su compañía de danza: Robert Rauschenberg.

La Nueva Escuela

A pesar de la remota localización y el público limitado, las noticias del acto sin título se divulgaron hasta Nueva York, donde se convirtió en el tema de conversación de Cage y los estudiantes que seguían su curso sobre la composición de música experimental, comenzado en 1956 en la Nueva Escuela de Investigación Social. Las pequeñas clases incluían pintores y cineastas, músicos y poetas, Allan Kaprow, Jackson MacLow, George Brecht, Al Hansen y Dick Higgins entre ellos. A menudo asistían amigos de los estudiantes asiduos como George Segal, Larry Poons y Jim Dine. Cada uno de diferente manera ya había absorbido nociones similares de Dadá y los surrealistas de acciones de azar y «no intencional» en su obra. Algunos eran pintores que hacían obras que iban más allá del formato del lienzo convencional, que empezaban donde las exposiciones ambientales de los surrealistas, los «combines» de Rauschenberg y la action painting de Pollock habían terminado. La mayor parte de ellos estaban influidos por las clases de Cage y las reseñas del acto de Black Mountain.

Arte vivo

El arte vivo fue el lógico paso siguiente desde los environments y los assemblages. Y la mayor parte de estos actos reflejarían directamente la pintura contemporánea. Para Kaprow, los environments eran «representaciones espaciales de una actitud multinivelada hacia la pintura», y un medio para «representar dramas de soldados de plomo, historias y estructuras musicales que yo una vez había tratado de expresar en pintura sola». Las performances de Claes Oldenburg reflejaban los objetos esculturales y las pinturas que él hacía al mismo tiempo, lo que le proporcionaba una manera de transformar estos objetos inanimados pero reales —máquinas de escribir, mesas de ping-pong, prendas de vestir, cucuruchos de helados, hamburguesas, tartas, etc.— en objetos de movimiento. Para Jim Dine sus performances eran una extensión de la vida cotidiana más bien que de sus pinturas, si bien reconocía que de hecho trataban «de lo que estaba pintando». Red Grooms encontró inspiración para sus pinturas y performances en el circo y las galerías de atracciones, y Robert Whitman, a pesar de sus orígenes pictóricos, consideraba sus performances esencialmente actos teatrales. «Lleva tiempo», escribió; y para él el tiempo era un material como la pintura o el yeso. Al Hansen, por otra parte, comenzó a trabajar en la performance en rebeldía contra «la completa ausencia de algo interesante en las formas de teatro más convencionales». La obra de arte que más le interesaba, dijo, era una que «encerraba al observador [y] que sobreponía y penetraba diferentes formas de arte». Reconociendo que estas ideas procedían de los futuristas, los dadaístas y los surrealistas, propuso una forma de teatro en la cual «uno junta partes a la manera en que se hace un collage».

18 happenings en 6 partes

109 *18 happenings en 6 partes* de Kaprow en la Reuben Gallery, Nueva York, en el otoño de 1959, fue una de las primeras oportunidades para que un público más amplio asistiera a los actos vivos que varios artistas habían representado de manera más privada para varios amigos. Tras haber decidido que ya era hora de «aumentar la "responsabilidad" del observador, Kaprow imprimió invitaciones que incluían la afirmación «usted se convertirá en una parte de los happenings; usted los experimentará simultáneamente». Poco después de este primer anuncio, algunas de las mismas personas que habían sido invitadas recibieron misteriosos sobres de plástico que contenían trocitos de papel, fotografías, maderas, fragmentos pintados y figuras recortadas. Éstos también daban una idea de qué podían esperar: «Hay tres habitaciones para esta obra, cada una diferente en cuanto a tamaño y sensación. [...] Algunos invitados también actuarán».

Aquellos que asistieron a la Reuben Gallery encontraron un desván de segundo piso dividido con paredes de plástico. En las tres habitaciones así creadas, las sillas se encontraban dispuestas en círculos y rectángulos que obligaban a los visitantes a estar orientados en diferentes direcciones. Había luces de colores tendidas entre el espacio subdividido; una construcción de

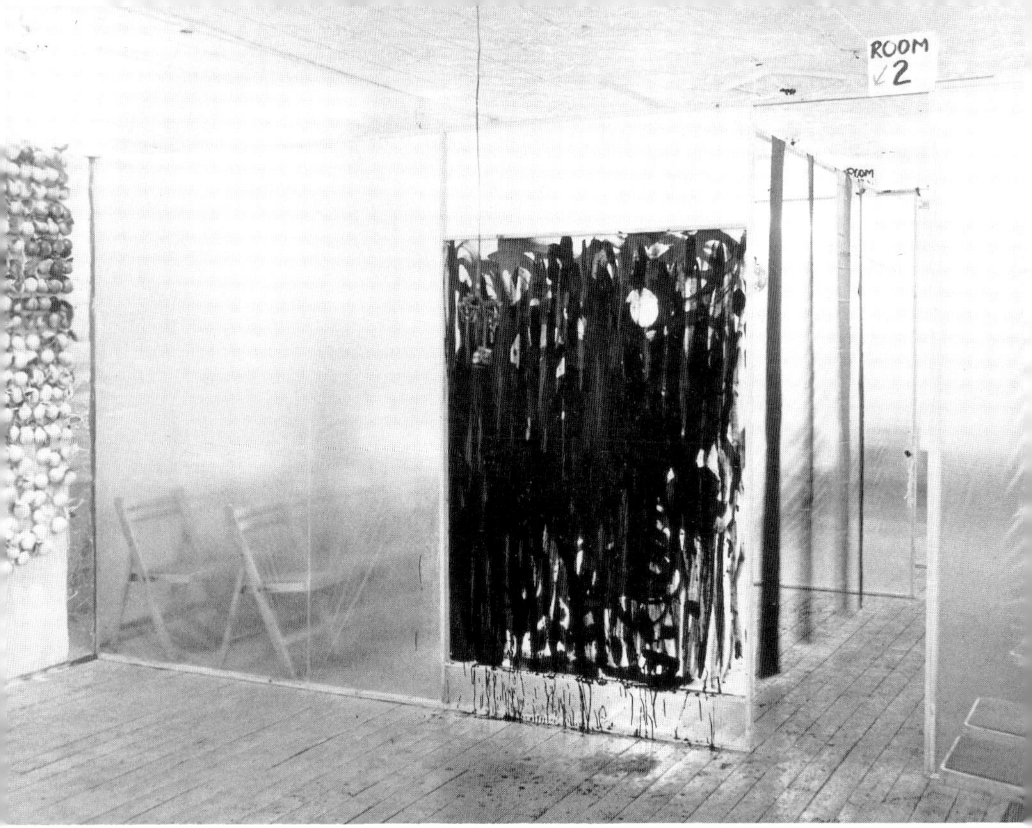

109 Allan Kaprow, de *18 happenings en 6 partes*, 1959: una habitación de un environment de tres habitaciones en la Reuben Gallery, Nueva York

tablillas en la tercera habitación ocultaba la «sala de control» de la cual los intérpretes entraban y salían. Espejos de cuerpo entero en la primera y la segunda habitaciones reflejaban el complejo environment. Se obsequiaba a cada visitante con un programa y tres pequeñas tarjetas grapadas. «La performance está dividida en seis partes —explicaba la nota—. Cada parte contiene tres happenings que se producen al mismo tiempo. El comienzo y el fin de cada uno será señalado por una campana. Al finalizar la performance se oirán dos campanadas.» Se advertía a los espectadores de que siguieran las instrucciones con sumo cuidado: durante las partes uno y dos podían estar sentados en la segunda habitación, durante las partes tres y cuatro debían pasar a la primera habitación, y así sucesivamente, cada vez que sonara una campana. Los intervalos durarían exactamente dos minutos, y dos intervalos de quince minutos separarían las escenas más largas. «*No se aplaudirá después de cada escena*, pero usted puede aplaudir después de la sexta escena si lo desea.»

Los visitantes (a quienes las notas del programa designaban como parte del reparto) tomaban asiento al sonar una campana. Sonidos amplificados estrepitosos anunciaban el comienzo de la performance: las figuras marchaban rígidamente en fila india por los estrechos corredores entre las habitaciones provisionales y en una habitación una mujer permanecía todavía de pie durante diez segundos, el brazo izquierdo levantado, el antebrazo señalando hacia el suelo. En una habitación contigua se mostraban diapositivas. Luego dos intérpretes leían carteles portátiles: «Se dice que el tiempo es esencia... nosotros hemos conocido el tiempo... espiritualmente»; o, en otra habitación: «Ayer estuve a punto de hablar de un tema muy querido por todos ustedes: el arte... pero fui incapaz de empezar». Se tocaban la flauta, el ukelele y el violín, los pintores pintaban un lienzo imprimado colocado en las paredes, los gramófonos eran entrados en carretillas, y por último, después de noventa minutos de dieciocho happenings simultáneos, cuatro rollos de casi tres metros caían de una barra horizontal entre los intérpretes masculinos y femeninos que recitaban palabras monosílabas: «pero...», «bien...». Como se había prometido, una campana sonaba dos veces, señalando en fin.

Se dejaba que el público hiciera lo que pudiera con los actos fragmentados, pues Kaprow había advertido que «las acciones no significarán cosa alguna claramente formulable por lo que al artista se refiere». Del mismo modo, el término «happening» carecía de significado: pretendía indicar «algo espontáneo, algo que simplemente sucede que sucede». No obstante, la pieza entera fue cuidadosamente ensayada durante dos semanas antes del estreno, y diariamente durante el programa de una semana. Más aún, los intérpretes habían memorizado dibujos de palotes y marcas de tiempo precisamente indicados por Kaprow, de modo que cada secuencia de movimientos estaba cuidadosamente controlada.

Más happenings de Nueva York

La aparente falta de significado de *18 happenings* se reflejó en muchas otras performances de la época. La mayor parte de los artistas desarrollaron su propia «iconografía» personal para los objetos y acciones de su obra. *Patio* (1962) de Kaprow, que tenía lugar en el patio de un hotel abandonado en el Greenwich Village, incluía una «montaña» de papel de casi ocho metros, una «montaña invertida», una mujer en camisón, y un ciclista, todos los cuales tenían connotaciones simbólicas específicas. Por ejemplo, la «muchacha ideal» era la «personificación de un número de viejos símbolos arquetípicos, ella es la diosa de la naturaleza (Madre Naturaleza) y Afrodita (Miss Estados Unidos)». Los túneles concéntricos de Robert Whitman en *La luna estadounidense* (1960) representaban «cápsulas del tiempo» a través de los cuales los intérpretes eran guiados a un espacio central que era «ninguna parte» y eran aún más desorientados por capas de cortinas de arpillera y plástico. Para Oldenburg, un acto individual podía ser «realista» con «fragmentos de acción inmovilizada por iluminaciones instantáneas», como en *Instantánea desde la ciudad* (1960), un paisaje de ciudad en collage con calles empotradas y figuras inmóviles en un escenario contra una pared de textura, luces parpadeantes y objetos encontrados en el suelo; o podía ser una transformación de acontecimientos reales o «soñados» como en *Autobodys* (Los Ángeles, 1963), que funcionaba mediante imágenes de televisión de automóviles negros avanzando lentamente en el cortejo fúnebre del presidente Kennedy.

Las performances siguieron en rápida sucesión: seis semanas después de *Patio* de Kaprow, *El edificio ardiente* de Red Groom tuvo lugar en el Delancey Street Museum (en realidad el desván de Groom), *Hi-Ho Bibbe* de Hansen en el Pratt Institute, *La gran carcajada* de Kaprow y *Pequeño cañón* de Whitman en la Reuben Gallery. Una velada de actos variados se planificó para febrero de 1960 en la Judson Memorial Church en Washington Square, que recientemente había abierto sus puertas a las performances de artistas. *Ray Gun Spex*, organizada por Claes Oldenburg, con Whitman, Kaprow, Hansen, Higgins, Dine y Grooms, atrajo a una multitud de más o menos doscientas personas. La galería, la antecámara, el gimnasio y el vestíbulo de la iglesia habían sido ocupados para *Instantáneas desde la ciudad* de Oldenburg y *Réquiem para W. C. Fields que murió de alcoholismo agudo* de Hansen: un poema y «environment de filmes» con fragmentos de filmes de W. C. Fields proyectados en el pecho con camisa blanca de Hansen. En el gimnasio principal, cubierto con paneles de lona, una enorme bota caminaba por el espacio como parte de *Coca Cola, Shirley Cannonball?* de Kaprow.
Jim Dine reveló su obsesión por la pintura en *El obrero sonriente*: vestido con 110
un blusón rojo, con las manos y la cabeza pintadas de rojo, y una gran boca negra, bebía de tarros de pintura mientras escribía «Amo lo que soy...» en una gran lona, antes de derramar la pintura restante sobre su cabeza y dar un salto a través de la lona. La velada finalizaba con Dick Higgins contando en alemán hasta que todos se iban.

110 Jim Dine, de *El obrero sonriente*, 1960, en la Judson Memorial Church, Nueva York. Dine aparece bebiendo de un tarro de pintura antes de atravesar con estrépito la lona en la cual había escrito «Amo lo que soy...»

A pesar de las sensibilidades y estructuras muy diferentes de estas obras, la prensa las reunió de prisa bajo el título general de «happening», a raíz de los *18 happenings* de Kaprow. Ninguno de los artistas estuvo de acuerdo con el término, y a pesar del deseo de muchos de ellos de una aclaración, no se formó grupo de «happening» alguno, ni se imprimieron manifiestos colectivos, revistas ni propaganda. Pero si les gustaba o no, el término «happening» perduró. Cubría esa amplia gama de actividad, por mucho que no lograra distinguir entre las diferentes intenciones de la obra o entre los que ratificaban y los que refutaban la definición de Kaprow de un happening como un acontecimiento que podía representarse sólo una vez.

De hecho, Dick Higgins, Bob Watts, Al Hansen, George Macunias, Jackson MacLow, Richard Maxfield, Yoko Ono, La Monte Young y Alison Knowles representaron muy diferentes performances en el Café A Gogo, el Epitome Café de Larry Pons, el desván de la calle Chambers de Yoko Ono y la Galería A/G de la parte alta de la ciudad, todos los cuales entraban bajo el nombre general de Fluxus, un término que Macunias acuñó en 1961 como el título para una antología de obras de muchos de estos artistas. El grupo Fluxus pronto adquirió sus propios espacios de exposición, Fluxhall y Fluxshop. No obstante, Walter de Maria, Terry Jennings, Terry Riley, Dennis Johnson, Henry Flynt, Ray Johnson y Joseph Byrd presentaron obras que no podían clasificarse bajo ninguno de estos títulos, a pesar de la tendencia de la prensa y los críticos por hacerlos encajar en una moda inteligible.

Bailarinas como Simone Forti y Yvone Rainer, que habían trabajado con Ann Halprin en California y que llevaron a Nueva York algunas de las radicales innovaciones que Halprin había desarrollado allí, iban a sumarse a la variedad de performances que estaban teniendo lugar en Nueva York en ese momento. Y estas bailarinas a su vez influirían con fuerza en muchos de los artistas de la performance que iban a surgir más tarde, como Robert Morris y Robert Whitman, con quienes con el tiempo colaborarían.

El único denominador común de estas diversas actividades fue la ciudad de Nueva York, con sus desvanes de la parte baja de la ciudad, las galerías alternativas, cafés y bares, que alojaron a los intérpretes de performances a comienzos de la década de 1960. Fuera de Estados Unidos, no obstante, los artistas europeos y japoneses estaban desarrollando en el mismo momento un cuerpo de performances igualmente amplio y variado. Para 1963, muchos de éstos, como Robert Filiou, Ben Vautier, Daniel Spoerri, Ben Patterson, Joseph Beuys, Emmett Williams, Nam June Paik, Tomas Schmit, Wolf Vostel y Jean-Jacques Lebel, o bien habrían visitado Nueva York o enviado obras que indicaban las ideas radicalmente diferentes que se estaban desarrollando en Europa. Los artistas japoneses como Takesisa Kosugi, Shigeko Kubota y Toshi Ichiyanagi llegaron a Nueva York procedentes de Japón, donde el grupo Gutai de Osaka — Akira Kanayama, Sadamasa Motonaga, Shuso Mukai, Saburo Mirakami, Shozo Shinamoto, Kazuo Shiraga y otros— habían presentado sus propios espectáculos.

Ñame y *Usted*

Más y más programas de performances se organizaron por toda Nueva York. El *Festival del ñame* duró un año entero, desde mayo de 1962 hasta mayo de 1963. Incluía una variedad de actividades como *Subasta* de Al Hansen, *Saldos de sombreros de ñame* de Alison Knowles, una exposición de «décollages» de Vostel, además de una excursión de todo el día a la granja de George Segal en Nueva Brunswick. *El primero y el segundo desierto, un juego de la Guerra de Secesión* se inauguró el 27 de mayo de 1963 en su desván de la parte baja de la ciudad, donde el espacio estaba demarcado para indicar «Washington» y «Richmond» y una infantería de soldados de cartón de sesenta centímetros de altura libraban la batalla acompañados por aplausos de la claque y el público, mientras que una mujer en biquini subida a una escalera de mano marcaba los tantos en un tanteador.

Los conciertos de performance se realizaron en el Carnegie Recital Hall, donde Charlotte Moorman organizó el primer Festival de Vanguardia en agosto de 1963. En su comienzo un programa musical, el festival pronto se amplió para incluir la performance de artistas, en particular una reconstrucción de *Originale* de Stockhausen orquestada por Kaprow y que incluía a Max Neufield, Nam June Paik, Robert Delford-Brown, Lette Eisenhauer y Olga Adorno, entre otros. Varios disidentes —Henry Flynt, George Macunias, Ay-O, Takaka Saito y Tony Conrad— estacionaron piquetes a las puertas de esta performance, pues consideraban que la importación extranjera era «imperialismo cultural».

El cisma entre locales y extranjeros continuó cuando, en abril de 1964, Vostell presentó *Usted* en la casa de Robert y Rhett Delford-Brown en la suburbana Great Neck. *Usted*, un happening de «décollage», tenía lugar en y alre- 111
dedor de una piscina, una pista de tenis y un huerto, en los que había desparramados 180 kilogramos de huesos de vacunos. Un estrecho sendero, «tan estrecho que sólo podía pasar una persona a la vez», con anuncios en colores de la revista *Life* esparcidos e interrumpido a intervalos por altavoces que recibían a cada transeúnte con «¡Usted, usted, usted!», serpenteaba entre las tres localizaciones principales de actividad. En el extremo profundo de la piscina había agua y varias máquinas de escribir además de sacos de plástico y pistolas de agua llenas de tinta brillante de color amarillo, rojo, verde y azul. «Túmbese en el fondo de la piscina y construya una fosa común. Mientras yazga allí, decida si disparará o no a otra persona con el color», se instruía a los participantes. En el borde de la piscina había tres televisores en color sobre una cama de hospital, cada uno mostrando imágenes distorsionadas de un partido de béisbol diferente; Lette Eisenhauer cubierto con una tela color carne, estaba tumbado en un trampolín entre dos pulmones de vaca inflables; y una muchacha desnuda sobre una mesa abrazando el depósito de una aspiradora. «Permita que le aten a las camas donde están funcionando los televisores. [...] Libérese usted mismo. [...] Póngase una máscara antigás cuando el televisor arda y trate de ser tan amable como le sea posible con los demás», continuaban las instrucciones.

Usted, explicó más tarde Vostell, pretendía «confrontar [al público], en la sátira, con las irrazonables exigencias de la vida en la forma de caos», con-

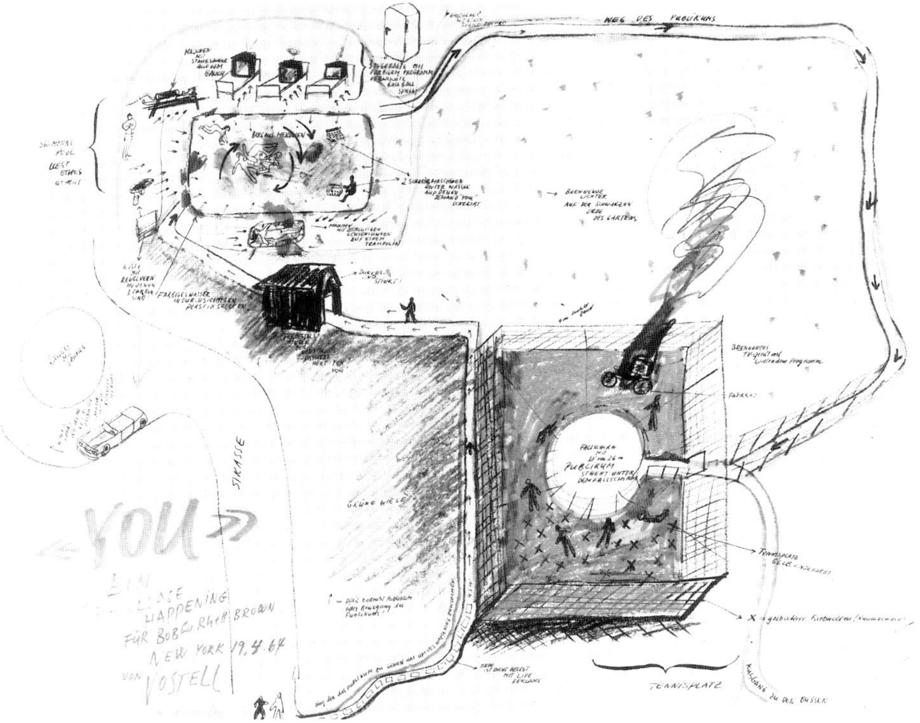

111 Wolf Vostell, plano de *Usted*, 1964, un acto de todo un día celebrado en el campo, en la granja de los hermanos Delford-Brown en el estado de Nueva York

frontarlo con las más «absurdas y repugnantes escenas de horror a las conciencias despiertas. [...] Lo que es importante es lo que el público mismo se lleva como resultado de mis imágenes y el Happening».

El elemento de lugar

Actos de grupos similares florecieron por toda Nueva York, desde el Central Park hasta la Armería de la calle 69, donde performances de Cage, Rauschenberg y Whitman, entre otros, celebraron «Arte y tecnología» en 1966. El verdadero punto de reunión de la acción de este acto fue una importante consideración: Oldenburg apuntó que «el lugar donde la obra ocurre, el objeto grande, es parte del efecto, y por lo general el primero y más importante factor que determina los actos (los materiales a mano son el segundo y los actores el tercero)». El lugar «podía tener cualquier extensión, una habitación o una nación: por eso las escenas de obras de Oldenburg como *Autobodys* (1963: un aparcamiento), *Injun* (1962: una casa de labranza de Dallas), *Lavados* (1965: una piscina) y *Cine* (1965: un cine). Ya había presentado en 1961 su *Días de almacén* o Ray Gun Mgs. Co. en una tienda en la calle 2 Este, que servía de escaparate para sus objetos, un estudio, un espacio de performances, y un lugar donde esos objetos podían comprarse y venderse, proporcionando de este modo un medio para los artistas de «superar el sentimiento de culpabilidad relacionado con el dinero y la venta».

Escala de ciudad (1963) de Ken Dewey, con Anthony Martin y Ramon Sender, comenzaba al anochecer con los espectadores rellenando formularios gubernamentales en un extremo de la ciudad, sólo para ser conducidos por las calles a una serie de incidentes y lugares: una modelo desnuda en la ventana de un departamento, un ballet de coches en un aparcamiento, un cantante en el escaparate de una tienda, globos meteorológicos en un aparcamiento desolado, una cafetería, una librería y, mientras el sol salía al día siguiente, un breve final por parte de un «hombre apio» en un cine.

Una pista de patinaje de Washington fue el punto de reunión para *Pelícano* (1963) de Rauschenberg, su primera performance, después de años de *112* perfeccionar una amplia gama de decorados y trajes extraordinarios para la compañía de danza de Cunningham. *Pelícano* comenzó con dos intérpretes, Rauschenberg y Alex Hay, utilizando patines de ruedas y mochilas, arrodillados en un carro movible de tablones de madera que ellos impulsaban con sus manos hasta la arena central. Los dos patinadores se deslizaban a gran velocidad alrededor de una bailarina con zapatillas de ballet, Carolyn Brown, que lentamente realizaba una serie de movimientos en puntas. Entonces las mochilas de los patinadores se abrían y se convertían en paracaídas, lo que

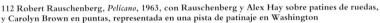

112 Robert Rauschenberg, *Pelícano*, 1963, con Rauschenberg y Alex Hay sobre patines de ruedas, y Carolyn Brown en puntas, representada en una pista de patinaje en Washington

lentificaba sus movimientos. Al mismo tiempo la bailarina aceleraba su propia rutina estilizada. Allí el elemento de lugar, además de los objetos como los paracaídas, las zapatillas de ballet y los patines de ruedas, determinaron la naturaleza de la performance.

La posterior *Sala de mapas II* de Rauschenberg, representada en un cine, la Filmoteca del Cineasta, reflejó igualmente su preocupación por «la primera información que necesito es dónde se va a realizar y cuándo [...] que tiene mucho que ver con la forma que adopta, con las clases de actividad». Así, en el cine donde su idea iba a usar «un escenario reducido dentro de un escenario tradicional», que también se extendía hacia el público, creó un collage movible de elementos como neumáticos y un sofá viejo. Los bailarines que tomaban parte —Trisha Brown, Deborah Hay, Steve Paxton, Lucinda Childs y Alex Hay— ex alumnos de Cunningham, todos los cuales iban a influir mucho en el formato de las piezas de Rauschenberg, transformaron el atrezo en formas movibles y abstractas. El objetivo de Rauschenberg era que los trajes de los bailarines, por ejemplo, «armonizarían con los objetos tan estrechamente que la integración se produciría», sin dejar distinción alguna entre objeto inanimado y bailarín vivo.

La Filmoteca del Cineasta también proporcionó el punto de reunión para obras bastante diferentes de la misma época de Oldenburg (*Cine*) y Whitman (*Plano color ciruela*). En tanto que Oldenburg utilizó el escenario para activar

113 John Cage, *Variaciones V*, 1965. Una performance audiovisual sin guión. Al fondo están Merce Cunningham (el coreógrafo) y Barbara Lloyd. En primer plano (*de izquierda a derecha*) Cage, Tudor y Mumma

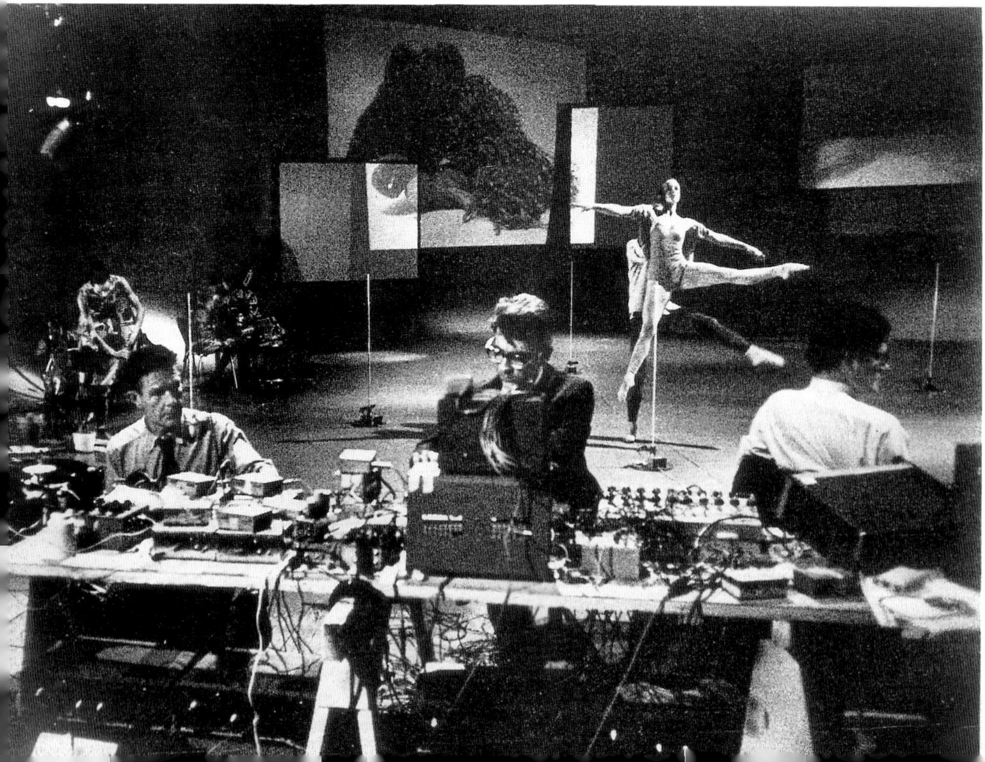

al público tanto en sus butacas como en los pasillos, con intérpretes proporcionando los diferentes gestos típicos como comer palomitas o estornudar. Whitman estaba más interesado por «la separación entre el público y el escenario, que trato de mantener e incluso de hacer más acusada». Comparada con piezas anteriores de Whitman como *La luna estadounidense* (1960), *Agua* y *Flor* (ambas de 1963), *Plano color ciruela* era más teatral, debido a su escenario del auditorio. Al concebir en su origen el escenario como un espacio «plano», Whitman decidió proyectar imágenes de personas sobre ellas mismas, y añadió luz ultravioleta que «mantiene a la gente plana, pero también las hace separarse un poquito de la pantalla», lo que hacía que las figuras se vieran «extrañas y fantásticas». Mientras que determinadas imágenes eran proyectadas directamente sobre las figuras, otras creaban un fondo fílmico, a menudo con la secuencia del filme traspuesta. Por ejemplo, en el filme se mostraban dos muchachas caminando de un lado a otro de la pantalla, en tanto que las mismas muchachas caminaban simultáneamente de un lado a otro del escenario; una parpadeante luz de advertencia de una compañía eléctrica, que por casualidad formó parte de las secuencias del filme, era repetida en el escenario. Otras transformaciones de las imágenes del filme en imágenes vivas se creaban mediante el uso de espejos cuando los intérpretes se emparejaban a sí mismos con las imágenes de la pantalla. En consecuencia, el tiempo y el espacio se convirtieron en las características centrales de la *114*

114 Robert Whitman, *Plano color ciruela*, 1965, representado en la Filmoteca del Cineasta, Nueva York. La fotografía muestra una reconstrucción más reciente del mismo acto

obra, con el filme preliminar hecho en el «pasado», y las distorsiones y la repetición de la acción pasada en el tiempo presente en el escenario.

118 *Regocijo de la carne* de Carolee Schneemann, del año anterior, representada en la Judson Memorial Church, Nueva York, transformó el cuerpo mismo en un collage «pictoricista» movible. Una «celebración de la carne», en relación con «Artaud, McClure y las carnicerías francesas», utilizó la sangre de reses muertas en lugar de pintura para cubrir los contorsionados cuerpos desnudos y casi desnudos. «El tomar la esencia de los materiales [...] significa que todo espacio particular, todo escombro único de París [donde también se representó el acto] y todos los intérpretes "encontrados" [...] serían elementos estructurales potenciales para la pieza», escribió Schneemann. «Lo que encuentre será lo que necesite», tanto en términos de intérpretes como de «relaciones de espacio metafóricamente impuestas».

También en 1964, John Cage representó *Variaciones IV*, que un crítico describió como «la sonata de los aspectos sórdidos de la realidad doméstica, la pieza de todo, la obra maestra del minestrone de la música moderna». Sus
113 *Variaciones V*, representada en julio de 1965 en la Philharmonic Hall de Nueva York, fue un trabajo de colaboración con Cunningham, Barbara Lloyd, David Tudor y Gordon Mumma; su guión se escribió *después* de representarlo mediante métodos de azar, para posibles repeticiones. El espacio de la performance estaba cruzado con una red de células fotoeléctricas que, cuando eran activadas por el movimiento de los bailarines, producían los efectos lumínicos y sonoros correspondientes. El mismo año se representó *Rozart Mix*, que Cage escribió «para doce magnetófonos, varios intérpretes, un director y ochenta y ocho cintas».

La danza nueva

La influencia de los bailarines en Nueva York desde comienzos de la década de 1960 fue esencial para los estilos que se estaban desarrollando y el intercambio de ideas y sensibilidades entre artistas procedentes de todas las disciplinas que caracterizaban a la mayor parte del trabajo de performance de este período. Muchos de éstos —Simone Forti, Yvonne Rainer, Trisha Brown, Lucinda Childs, Steve Paxton, David Gordon, Barbara Lloyd y Deborah Hay, para nombrar sólo unos pocos— habían comenzado en un contexto de danza tradicional y luego, tras haber trabajado con Cage y Cunningham, rápidamente encontraron en el mundo del arte un público más entusiasta y comprensivo.

Ya sea inspirados por la exploración inicial de Cage del material y el azar o los permisivos actos de los happenings y Fluxus, estos bailarines comenzaron a incorporar elementos similares en su trabajo. Su introducción de posibilidades de movimiento y danza completamente diferentes añadió, a su vez, una dimensión radical a las performances por parte de los artistas, que los llevó mucho más allá de sus iniciales «environments» y cuadros vivos casi teatrales. En cuestiones de principio, los bailarines a menudo compartían las mismas preocupaciones que los artistas, como la negativa a separar las actividades artísticas de la vida cotidiana y la subsiguiente incorporación de las acciones y los objetos cotidianos como material de la performance. En la prác-

115 Ann Halprin, ***Desfiles y cambios*****, 1964**

tica, sin embargo, sugerían actitudes enteramente originales hacia el espacio y el cuerpo que los artistas más orientados hacia lo visual no habían considerado antes.

Dancer's Workshop Company, San Francisco

Aunque los precedentes de la performance futuristas y dadaístas de la década de 1950 son los más familiares, no son los únicos. El punto de vista de la «danza como un estilo de vida, que utiliza las actividades cotidianas como caminar, comer, bañarse y tocarse» tuvo su origen histórico en el trabajo de pioneros de la danza como Loie Fuller, Isadora Duncan, Rudolf von Laban y Mary Wigman. En la Dancer's Workshop Company, formada en 1955 justo fuera de San Francisco, Ann Halprin tomó el hilo de esas ideas anteriores. Colaboró con los bailarines Simone Forti, Trisha Brown, Yvonne Rainer y Steve Paxton, los músicos Terry Riley, La Monte Young y Warner Jepson, además de con arquitectos, pintores, escultores y gente inexperta en cualquiera de estos campos, y los animó a explorar ideas coreográficas inusuales, a menudo en una plataforma al aire libre. Y fueron estos bailarines quienes, en 1962, iban a formar el núcleo del inventivo y activo Judson Dance Group de Nueva York.

Utilizando la improvisación «para averiguar lo que *nuestro* cuerpo puede hacer, no aprendiendo el modelo o la técnica de algún otro», el sistema de Halprin implicaba «poner todo en esquemas, donde cada posible combinación anatómica de movimiento se ponía por escrito y se numeraba». La asociación libre se convirtió en una parte importante del trabajo, y *Pájaros de Estados Unidos o Jardines sin muros* mostró aspectos «no figurativos de la danza, por lo cual el movimiento no restringido por la música ni ideas interpretativas» se desarrolló de acuerdo con sus propios principios inherentes. Accesorios como largas cañas de bambú proporcionaron un campo extra para la invención de nuevos movimientos. *Taburete de cinco patas* (1962), *Esposizione*
115 (1963) y *Desfiles y cambios* (1964), todos giraban en torno de movimientos orientados a la tarea, como transportar cuarenta botellas de vino al escenario, verter agua de una lata a otra, cambiarse las ropas; y los variados escenarios, como «bloques de celdas» en *Desfiles y cambios*, permitía a cada intérprete desarrollar una serie de movimientos separados que expresaban sus propias respuestas sensoriales a la luz, el material y el espacio.

El Judson Dance Group

Cuando los miembros de la Dancer's Workshop Company llegaron a Nueva York en 1960 convirtieron la obsesión de Halprin por una sensación del individuo del movimiento físico sencillo de sus propios cuerpos en el espacio en performances públicas, en programas de happenings y actos celebrados en la Reuben Gallery y la Judson Church. Al año siguiente Robert Dunn comenzó una clase de composición en el estudio de Cunningham que se componía de esos mismos bailarines, algunos de los cuales estudiaban entonces con Cunningham. Dunn separó «composición» de coreografía o técnica y alentó a sus bailarines a disponer su material a través de los procedimientos de azar, experimentando al mismo tiempo con las cantidades de azar de Cage y las estructuras musicales erráticas de Satie. Los textos escritos, las instrucciones (p. ej. trazar una línea de lado a lado en el suelo, que duraba toda la velada) y las asignaciones de juegos, todo se convirtió en parte del proceso exploratorio.

Poco a poco la clase construyó su propio repertorio: Forti solía hacer acciones corporales muy simples, de manera extremadamente lenta o repetidas varias veces; Rainer interpretó *Las cucharas de Satie*; Steve Paxton dio efecto a una bola, y Trisha Brown descubrió nuevos movimientos en la tirada de dados. Hacia fines de la primavera de 1962 había material más que suficiente para un primer concierto público. En julio, cuando trescientas personas llegaron a la Judson Church en el intenso calor del verano, les aguardaba un maratón de tres horas. El programa comenzó con un filme de quince minutos de Elaine Summers y John McDowell, seguido de *Hombro* de Ruth Emerson, *Danza para 3 personas y 6 brazos* de Rainer, la macabra *Danza del maniquí* de David Gordon, *Tránsito* de Steve Paxton, *Una o dos veces por semana me pongo zapatillas deportivas para ir a la parte alta de la ciudad* (sobre patines de ruedas) de Fred Herko, *Piel de lluvia* de Deborah Hay y *5 cosas* (a menudo cojeando sobre sus rodillas) y muchos otros. La velada fue un gran éxito.

Con un punto de reunión para su taller, además de un espacio de conciertos ya disponible, se formó el Judson Dance Group, y los programas de danza continuaron en rápida sucesión durante todo el año siguiente, incluyendo trabajos de Trisha Brown, Lucinda Childs, Sally Gross, Carolee Schneemann, John McDowell y Philip Corner, entre otros.

El 28 de abril de 1963, Yvonne Rainer presentó *Terreno*, un trabajo de noventa minutos en cinco secciones («Diagonal», «Dúo», «Sección de solo», «Juego» y «Bach») para cinco intérpretes, vestidos con leotardos negros y camisas blancas. Después de las secciones basadas en el enunciado de letras o números, con los bailarines creando figuras al azar, venía la fase del «Solo» acomopañada por ensayos escritos por Spencer Holst y dichos por los bailarines a medida que ejecutaban una secuencia de movimientos memorizada. Cuando no estaban interpretando sus solos los bailarines se congregaban con aire de naturalidad alrededor de una barricada en la calle; la última sección, «Bach», era un compendio de siete minutos de sesenta y siete fases de movimiento de las secciones precedentes.

Terreno ejemplificaba algunos de los principios básicos de Rainer: «NO al espectáculo no al virtuosismo no a las transformaciones y lo mágico y lo fingido no al atractivo y la trascendencia de la imagen de la estrella no a lo heroico no a lo antiheroico no a las imágenes de pacotilla no a la implicación del intérprete ni el espectador no al estilo no a la afectación no a la seducción del espectador por medio de las tretas del intérprete no a la excentricidad no al movimiento ni al ser movido». El desafío, añadía, «debe definirse en tanto cómo moverse en el espacio entre el abultamiento teatral con su carga de dramático "Significado" psicológico — y — las imágenes y efectos atmosféricos del teatro no dramático, no verbal (es decir la danza y algunos "happenings") — y — teatro de participación y/o asalto del espectador». Fue esta radical despedida de tan gran parte del pasado y el presente lo que atrajo a muchos artista a la colaboración directa con los nuevos bailarines y sus innovadoras performances.

Danza y minimalismo

En 1963 muchos artistas implicados en los actos vivos participaban activamente en los conciertos del Judson Dance Group. Rauschenberg, por ejemplo, que fue el responsable de la iluminación de *Terreno*, creó muchas de sus propias performances con los mismos bailarines, que hicieron difícil para algunos distinguir si esos trabajos eran «danzas» o «happenings». Simone Forti trabajó durante muchos años con Robert Whitman y tanto ella como Yvonne Rainer colaboraron con Robert Morris, como en *Ver-Visto* (1961) de Forti. En ella los bailarines llevaban la performance más allá de los happenings anteriores y sus orígenes pictoricistas expresionistas abstractos están ejemplificados por el hecho de que un escultor como Morris creó performances como una expresión de su interés por el «cuerpo en movimiento». A diferencia de las actividades orientadas a la tarea, fue capaz de manipular ob-

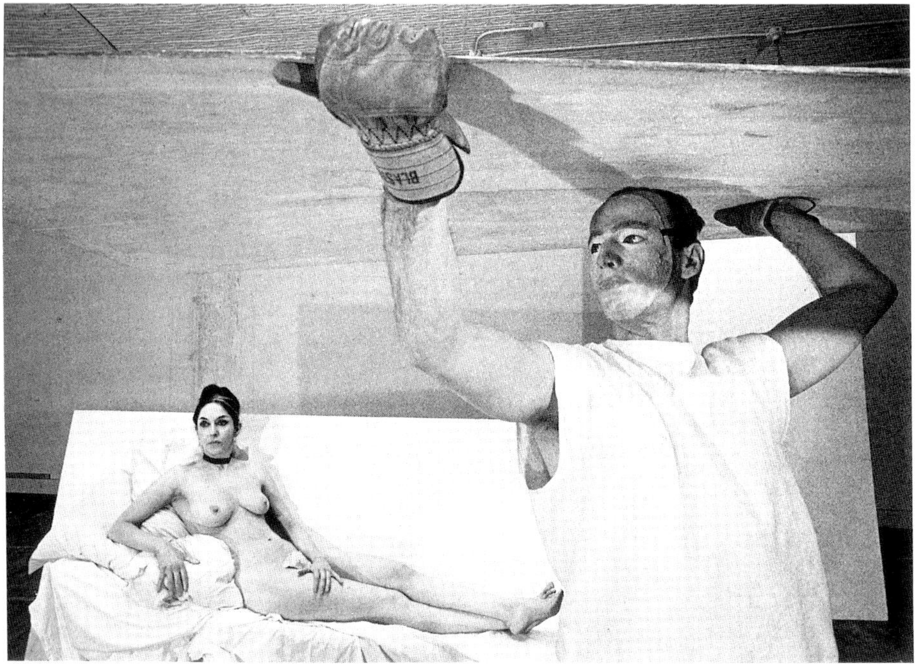

116 Robert Morris, *Sitio*, representada por primera vez en 1965

jetos de manera que ellos «no dominaban mis acciones ni trastornaban mis performances».

Estos objetos se convirtieron para él en un medio para «centrarme en un grupo de problemas específicos que implican el tiempo, el espacio, formas alternas de una unidad, etc.». Y así en *La vara del barquero* (marzo de 1965, con Childs y Rainer) enfatizaba la «coexistencia de los elementos de objetos estáticos y movibles»: en una secuencia proyectó diapositivas de Muybridge que mostraban a un hombre desnudo levantando una piedra, seguido por la misma acción interpretada en vivo por otro hombre desnudo, iluminado por
116 el haz de luz de un proyector de diapositivas. De nuevo, en *Sitio* (mayo de 1965, con Carolee Schneemann), el espacio estaba «reducido al contexto [...] llevándolo a su máxima frontalidad» mediante una serie de paneles blancos que formaban un arreglo espacial triangular. Vestido de blanco y llevando una máscara de caucho diseñada por Jasper Johns para reproducir exactamente los rasgos de su propio rostro, Morris manipulaba el volumen del espacio cambiando los tablones en diferentes posiciones. A medida que lo hacía revelaba una mujer desnuda reclinada en un sofá en la postura de la *Olimpia* de Manet; ignorando la figura estatuaria y acompañado por el sonido de una sierra y un martillo trabajando en algunas tablas, Morris continuaba disponiendo los paneles, implicando una relación entre los volúmenes de la figura estática y la creada por los tablones movibles.

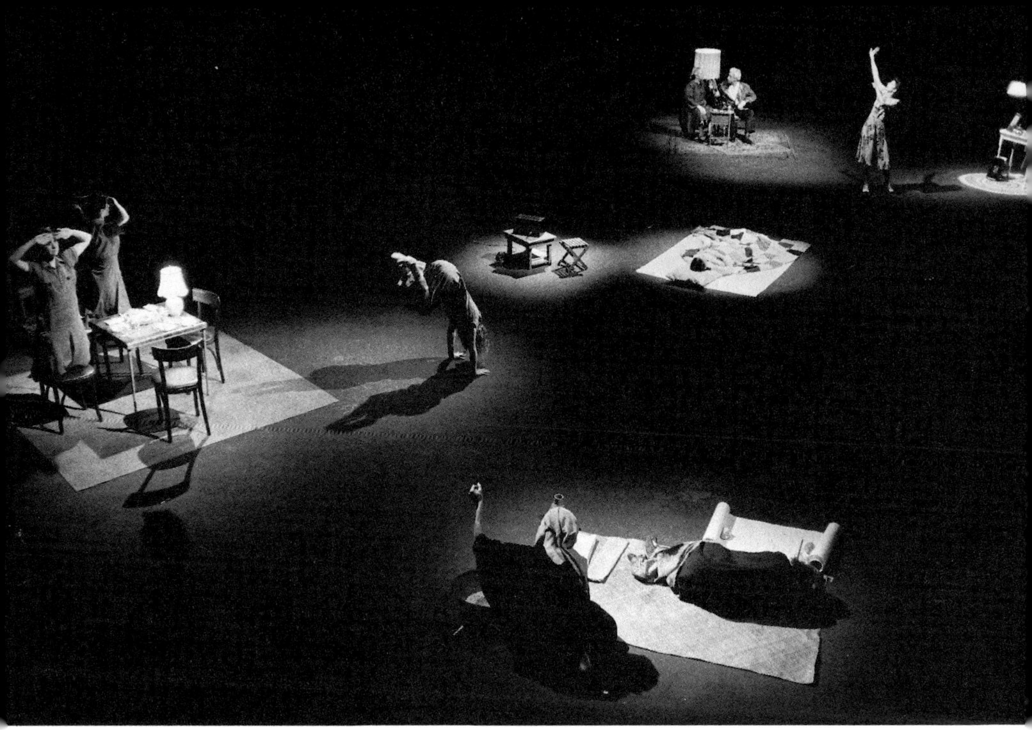

117 Meredith Monk, *Cantera*, representada por primera vez en 1976

Al mismo tiempo, las preocupaciones cada vez mayores por el «minimalismo» en la escultura pudo, para quienes lo deseaban, explicar las sensibilidades completamente diferentes de la performance. Rainer prologó el guión de su *La mente es un músculo* de 1966 con un «Cuasi estudio de algunas tendencias "minimalistas" en la cuantitativamente mínima actividad de la danza...», mencionando la «relación en correspondencia exacta entre la llamada escultura minimalista y la danza reciente». Aunque ella reconocía que tal esquema era en sí mismo cuestionable, el objeto de los escultores minimalistas —por ejemplo, el «papel de la mano del artista», la «simplicidad», la «literalidad», la «falsificación de la fábrica»— proporcionaba un interesante contraste al «fraseo», la «acción singular», «acto o tono», la «actividad como tarea» o movimientos «encontrados» de los bailarines. De hecho Rainer enfatizaba la cualidad de objeto del cuerpo del bailarín cuando decía que deseaba usar el cuerpo «de manera que pudiera ser manipulado como un objeto, recogido y transportado, y así los objetos y los cuerpos podían ser intercambiables».

De modo que cuando Meredith Monk presentó su propia performance, *Zumo*, en el Guggenheim Museum en 1969, ya había absorbido el procedimiento de los happenings (como participante en muchas obras tempranas) además de las nuevas exploraciones del Judson Dance Group. La primera parte de *Zumo* —«una cantata de teatro en tres partes»— tenía lugar en el enorme espacio en espiral del Guggenheim, con ochenta y cinco intérpretes.

Con el público sentado en el suelo circular del museo, los bailarines creaban cuadros vivos en movimiento a intervalos de doce, quince y dieciocho metros por encima de sus cabezas. La segunda parte tenía lugar en un teatro convencional y la tercera en un desván sin muebles. Más tarde Monk combinaría la separación entre tiempo, lugar y contenido, de espacios diferentes y sensibilidades cambiantes, en grandes performances parecidas a operetas
117 como *Educación de una muchacha* (1972) y *Cantera* (1976).

* * *

El desarrollo de la performance europea a fines de la década de 1950 fue análogo al de Estados Unidos en cuanto a que la performance llegó a ser aceptada por los artistas como un medio viable. Sólo después de diez años de una importante guerra debilitadora, muchos artistas sintieron que no podían aceptar el contenido esencialmente apolítico del entonces abrumadoramente popular expresionismo abstracto. Llegó a considerarse socialmente irresponsable para los artistas pintar en estudios apartados cuando tantos problemas políticos reales estaban en litigio. Este estado de ánimo políticamente consciente alentó las manifestaciones y gestos al estilo de Dadá como un medio de atacar los valores del arte establecido. A comienzos de la década de 1960, algunos artistas habían llevado a las calles y escenificado agresivos actos estilo Fluxus en Amsterdam, Colonia, Düsseldorf y París. Otros, más introspectivamente, crearon obras que intentaban capturar el «espíritu» del artista como una fuerza energética y catalítica en la sociedad. Los tres artistas en Europa en ese momento cuya obra ejemplifica mejor estas actitudes fueron el francés Yves Klein, el italiano Piero Manzoni y el alemán Joseph Beuys.

Yves Klein y Piero Manzoni

Yves Klein, nacido en Niza en 1928, estuvo durante toda su vida decidido a encontrar un recipiente para un espacio pictórico «espiritual», y esto fue lo que lo condujo con el tiempo a las acciones en vivo. Para Klein, la pintura era «como la ventana de una prisión, donde las líneas, los contornos, las formas y la composición están determinados por los barrotes». Las pinturas monocromas, comenzadas alrededor de 1955, lo liberaron de esas limitaciones. Más tarde, dijo, recordaba el color azul, «el azul del cielo en Niza que estuvo en el origen de mi carrera como monocromista» y en una exposición en Milán en enero de 1957 mostró obra completamente procedente de lo que llamó su «período azul», tras haber buscado, como dijo, «la expresión más perfecta de azul durante más de un año». En mayo del mismo año tuvo una exposición doble en París, una en la Galerie Iris Clert (10 de mayo) y la otra en la Galerie Colette Allendy (14 de mayo). La tarjeta de invitación representaba el monograma azul Klein internacional del propio Klein. Para la inauguración de la Clert presentó su escultura aerostática, compuesta de 1.001 globos azules soltados «al cielo de Saint Germain-des-Pres, para nunca regresar», lo que marcó el comienzo de su «período neumático». Las pinturas azules se expusieron en la galería, acompañadas por la primera versión grabada de la *Symphonie monotone* de Pierre Henry. En el jardín de la Galerie Colette Allendy expuso su *Pintura de fuego de un minuto*, compuesta de un panel azul en el cual estaban colocados dieciséis petardos que producían brillantes llamas azules.

Fue en ese momento que Klein escribió «mis pinturas ahora son invisibles» y su obra *La superficie y los volúmenes de la sensibilidad pictórica invisible*, expuesta en una de las salas de la Allendy, era precisamente eso: invisible. Consistía en un espacio absolutamente vacío. En abril de 1958, presentó otra obra invisible en la Clerk, conocida como *La vide* (*El vacío*). Esta vez el espacio blanco vacío se hallaba contrastado con su inimitable azul, pintado en el exterior de la galería y en el toldo de la entrada. Según Klein, el espacio vacío «estaba lleno de una sensibilidad azul dentro del marco de las paredes blancas de la galería». Mientras que el azul físico, explicaba, había sido dejado en la puerta, fuera, en la calle, «el azul verdadero estaba dentro...». Entre las tres mil personas que asistieron se encontraba Albert Camus, que firmó el libro de visitas de la galería con «avec le vide, les pleins pouvoirs» («con el vacío, plenos poderes»).

La *Revolución azul* y el *Théâtre du vide* de Klein tuvieron total cobertura en su periódico de cuatro páginas *Le journal d'un seul jour, Dimanche* (27 de noviembre de 1960), que se parecía exactamente al periódico de París *Dimanche*. Mostraba una fotografía de Klein lanzándose al vacío. Para Klein el arte era una visión de la vida, no simplemente un pintor con un pincel en un estudio. Todas sus acciones protestaban contra esa imagen limitadora del artista. Si los colores «son los verdaderos moradores del espacio» y «vacío» el color azul, seguía su argumento, entonces el artista simplemente podía abandonar los inevitables paleta, pincel y modelo del artista en un estudio. En este contexto la modelo se convertía en «la atmósfera efectiva de la carne misma».

Al trabajar con modelos un tanto confusas, Klein se dio cuenta de que no tenía que pintar *a partir de* las modelos en absoluto, sino que podía pintar *con* ellas. De manera que vació su estudio de pinturas e hizo rodar a sus modelos desnudas en su perfecta pintura azul, y les pidió que presionaran sus cuerpos empapados en pintura contra los lienzos preparados. «Se convirtieron en pinceles vivientes [...] a mis órdenes la misma carne aplicaba el color a la superficie y con una exactitud perfecta.» Estaba encantado de que estos monocromos fueran creados a partir de la «experiencia inmediata» y también por el hecho de que él «seguía limpio, ya no más manchado de color», a diferencia de las mujeres untadas de pintura. «La obra se acababa a sí misma allí delante de mí con la completa colaboración de la modelo. Y yo podía saludar su entrada en el mundo tangible de una manera digna, con traje de etiqueta.» Fue con traje de etiqueta que presentó esta obra, titulada *Antropometrías del período azul*, en casa de Robert Godet en *119, 120*
París en la primavera de 1958, y públicamente en la Galerie Internationale d'Art Contemporain de París el 9 de marzo de 1960, acompañado por una orquesta también con traje de etiqueta que interpretaba la *Symphonie monotone*.

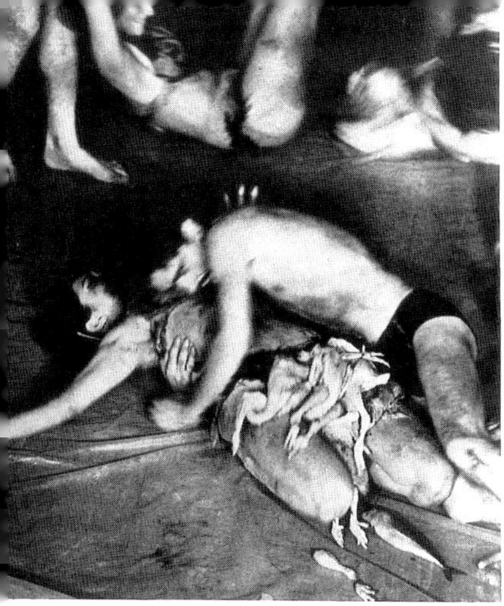

118 *Regocijo de la carne* de Carolee Schneemann, 1964, también representada en París, utilizaba la sangre de reses muertas en lugar de pintura para cubrir los cuerpos de los intérpretes

119 Público de París contemplando la pintura «viva» de Yves Klein *Antropometrías del período azul*, 1960

121 Klein arrojando 20 g de pan de oro al Sena para *Zona 5 de sensibilidad pictórica inmaterial*, 26 de enero de 1962. El comprador está quemando su recibo

Klein consideraba que esas demostraciones eran un medio «para quitar el velo del templo del estudio [...] para que nada de mi proceso quede oculto»; eran «marcas espirituales de momentos capturados». El azul Klein internacional de sus «pinturas» era, dijo, una expresión de este espíritu. Más aún, Klein buscaba una manera de evaluar su «sensibilidad pictórica inmaterial» y decidió que el oro puro sería un intercambio justo. Ofreció venderla a cualquier persona que deseara comprar un artículo tan extraordinario, si bien intangible, a cambio de pan de oro. Se realizaron varias «ceremonias de venta»: una tuvo lugar en las orillas del río Sena el 10 de febrero de 1962. El pan de oro y un recibo cambiaban de dueño entre el artista y el comprador. Pero puesto que la «sensibilidad inmaterial» no podía ser más que una cualidad espiritual,
Klein insistía en que todos los restos de la transacción fueran destruidos: arro- *121*
jaba el pan de oro al río y pedía al comprador que quemara el recibo. En total hubo siete compradores.

En Milán, Piero Manzoni llevó adelante su trabajo de una manera similar. Pero las acciones de Manzoni eran más la afirmación del cuerpo mismo como un material de arte válido que una declaración de «espíritu universal». Ambos artistas consideraban que era esencial revelar el proceso del arte, desmitificar la sensibilidad pictórica e impedir que su arte se convirtiera en reliquias en galerías o museos. Mientras que las demostraciones de Klein se basaban en un fervor casi místico, las de Manzoni se centraban en la realidad cotidiana de su propio cuerpo —sus funciones y sus formas— como una expresión de la personalidad.

120 El 9 de marzo de 1960 se realizó la primera exposición pública de *Antropometrías* de Klein. Klein indicó a tres modelos desnudas que se cubrieran de pintura azul y se presionaran contra los lienzos preparados, mientras veinte músicos interpretaban *Symphonie monotone* de Henry

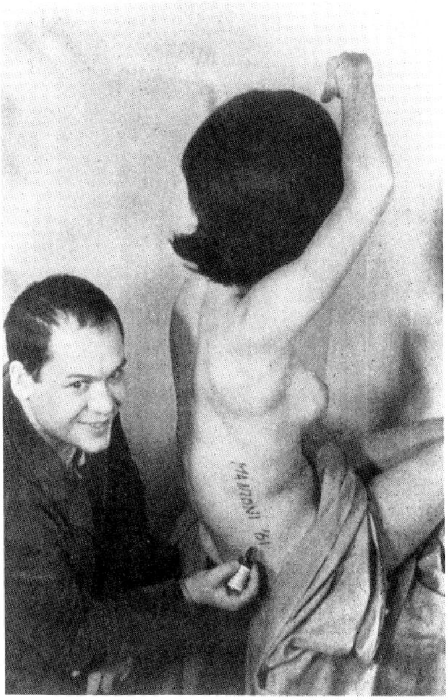 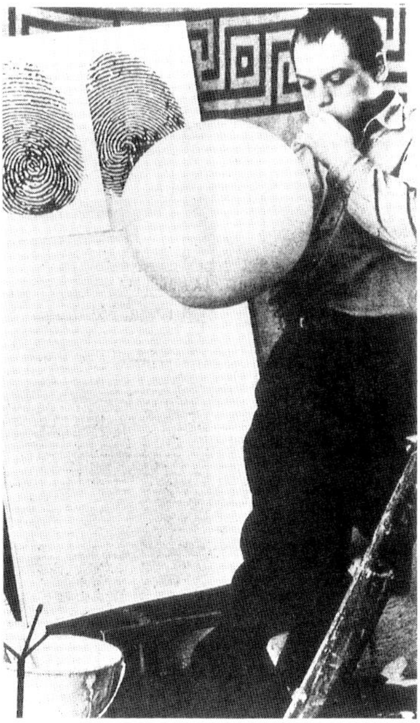

122 Piero Manzoni, *Escultura viva*, 1961. Manzoni firmó a varios individuos, con lo que los convertía en «escultura viva» **123 Manzoni realizando *Aliento del artista*, 1961**

Klein y Manzoni se conocieron brevemente en la exposición de monocromos de Klein en Milán en 1957. Cinco meses más tarde, Manzoni escribió su panfleto amarillo *Para el descubrimiento de una zona de imágenes* en el cual afirmaba que era esencial para los artistas «establecer la validez universal de la mitología individual». Así como Klein había considerado la pintura una prisión de la cual los monocromos lo liberarían, Manzoni veía la pintura como «una zona de libertad en la cual buscamos el descubrimiento de nuestras imágenes primeras». Sus pinturas totalmente blancas llamadas *Ácromos*, por lo general fechadas desde 1957 hasta su muerte, pretendían dar «una superficie íntegramente blanca [o más bien íntegramente sin color] más allá de todas las formas del fenómeno pictórico, más allá de cualquier intervención extraña sobre el valor de la superficie [...]. Una superficie blanca que es una superficie blanca y eso es todo...».

Donde Klein había realizado pinturas mediante la presión de modelos vivas contra los lienzos, Manzoni realizó obras que eliminaban el lienzo por completo. El 22 de abril se inauguró en Milán su exposición de *Escultura viva*
122 (1961). Después de la propia firma de Manzoni en alguna parte de la anatomía de la escultura viva, el individuo interesado recibía un «certificado de autenticidad» con la inscripción: «Con la presente certifico que X ha sido firmado por mi mano y, por lo tanto, a partir de este momento, es considerado una auténtica y verdadera obra de arte». Entre los firmados figuraban Henk Peters, Marcel Broodthaers, Mario Schifano y Anina Nosei Webber. En cada caso el certificado era estampado con un sello de color que indicaba la

zona de obra de arte designada: el rojo indicaba que la persona era una obra de arte completa y seguiría siéndolo hasta la muerte; el amarillo que sólo la parte del cuerpo firmada se calificaría de arte; el verde imponía una condición y una limitación sobre la actitud o la postura implicada (durmiendo, cantando, bebiendo, hablando y así sucesivamente), y el malva tenía la misma función que el rojo, excepto que éste había sido obtenido mediante pago.

Una evolución lógica a partir de esto fue que el mundo también podía ser declarado una obra de arte. De modo que *Base del mundo* (1961) de Manzoni, erigido en las afueras de Herning, Dinamarca, metafóricamente colocaba el mundo sobre un pedestal de escultura. La producción material del artista fue igualmente importante en esta ecuación arte/vida. Primero hizo cuarenta y cinco *Cuerpos de aire*: globos llenos de aire y vendidos por treinta mil liras. Los globos no inflados eran empaquetados en cajitas de lápices, junto con un pequeño trípode que serviría de pie de exposición para el globo cuando se inflara. Al igual que *Escultura viva*, eran valorados de manera diversa: los globos inflados por el propio artista se expusieron como *Aliento del artista* y esas *123*
obras se vendieron por doscientos dólares el litro (la capacidad máxima de un globo cualquiera es de unos trescientos litros). Más tarde en mayo de 1961, Manzoni produjo y empaquetó noventa latas de *Mierda del artista* (que pesaban treinta gramos cada una), naturalmente conservada y «made in Italy». Se vendieron al precio actual del oro, y pronto llegaron a ser especímenes de arte «raros».

Manzoni murió de cirrosis hepática a la edad de treinta años en su estudio de Milán, en 1963. Klein murió de un ataque cardíaco a los treinta y cuatro años, sólo ocho meses más tarde, poco después de ver una de sus *Antropometrías* incluida en el filme *Este perro mundo* en el Festival de Cine de Cannes.

Joseph Beuys

El artista alemán Joseph Beuys creía que el arte debía transformar efectivamente la vida cotidiana de la gente. También recurrió a las acciones dramáticas y las conferencias en un intento por cambiar la conciencia. «Tenemos que revolucionar el pensamiento humano —dijo—. Primero de todo la revolución tiene lugar dentro del hombre. Cuando el hombre es realmente un ser libre y creativo que puede producir algo nuevo y original, puede revolucionar el momento.»

Las acciones de Beuys a menudo parecían dramas de la Pasión con su rígido simbolismo y compleja y sistemática iconografía. Los objetos y los materiales —fieltro, mantequilla, liebres muertas, trineos, palas mecánicas—, todos se convirtieron en protagonistas metafóricos de sus performances. En la Galerie Schmela de Düsseldorf, el 26 de noviembre de 1965, Beuys, con la cabeza cubierta de miel y pan de oro, cogió en sus brazos una liebre muerta y en silencio la llevó de acá para allá por la exposición de sus dibujos y pinturas, «dejándole tocar los cuadros con sus patas». Luego se sentó en un taburete en un rincón débilmente iluminado y procedió a explicar el significado de las obras al animal muerto, «porque realmente no me gusta explicárselas a la gente», y puesto que «incluso una liebre muerta tiene más sensibilidad y comprensión instintiva que algunos hombres con su testaruda racionalidad».

Tal conversación meditativa consigo mismo fue central para la obra de Beuys. En cuanto a las performances de artistas, marcó un cambio decisivo de las anteriores acciones de Fluxus. No obstante, sus encuentros con Fluxus habían confirmado los propios métodos de enseñanza de Beuys en la Academia de Düsseldorf, donde se había convertido en profesor de escultura en 1961, a la edad de 40 años. Allí había alentado a los estudiantes a usar cualquier material para su obra y, más preocupado por su humanidad que su eventual éxito en el mundo del arte, realizó la mayor parte de sus clases en forma de diálogos con los estudiantes. En 1963, organizó, en la Academia, un Festival de Fluxus con la participación de muchos artistas estadounidenses de Fluxus. El arte polémico y las actitudes antiarte de Beuys pronto comenzaron a trastornar a las autoridades; considerado un elemento subversivo dentro de la institución, siempre encontró una considerable oposición y, finalmente, en 1972, fue despedido en medio de una protesta estudiantil.

Veinticuatro horas (1965) de Beuys también se representó como parte de un acto de Fluxus que incluía a Bazon Brock, Charlotte Moorman, Nam June Paik, Tomas Schmit y Wolf Vostell. Tras haber ayunado durante varios días antes de la inauguración de la performance el 5 de junio a medianoche, se encerró en una caja durante veinticuatro horas, estirándose de vez en cuando para reunir objetos alrededor de él, sin que sus pies abandonaran nunca la caja. «Acción» y «tiempo» —«elementos para ser controlados y dirigidos por la voluntad humana»— fueron reforzados en esta extensa y meditativa concentración de objetos.

Eurasia (1966) fue el intento de Beuys de examinar las polaridades políticas, espirituales y sociales que caracterizan la existencia. Su motivo central era «la división de la cruz», que para Beuys simbolizaba la división de la gente desde los tiempos de los romanos. En una pizarra dibujó sólo la parte superior del emblema, y procedió, a través de una serie de acciones, a «redirigir el proceso histórico». Dos pequeñas cruces de madera empotradas en cronógrafos se encontraban en el suelo; cerca había una liebre muerta traspasada por una serie de delgadas varitas de madera. Cuando sonaban las alarmas de los cronógrafos, él esparcía polvo blanco entre las patas de la liebre, le metía un termómetro en la boca y soplaba en un tubo. Luego caminaba por encima de una plancha de metal en el suelo, golpeándola con fuerza con los pies. Para Beuys, las cruces representaban la división entre este y oeste, Roma y Bizancio; la media cruz en la pizarra la separación entre Europa y Asia; la liebre el mensajero entre las dos, y la plancha de metal una metáfora para el penoso y helado viaje transiberiano.

El fervor de Beuys lo llevó a Irlanda del Norte, Edimburgo, Nueva
124 York, Londres, Berlín y Kassel. *Coyote: Estados Unidos me gusta y yo le gusto a Estados Unidos* fue un acto dramático de una semana que comenzaba en el viaje de Düsseldorf a Nueva York en mayo de 1914. Beuys llegó al Aeropuerto Kennedy envuelto de la cabeza a los pies en fieltro, un material que para él era un aislante, tanto física como metafóricamente. Cargado en una ambulancia, fue conducido al espacio que compartiría con un coyote salva-

je a lo largo de siete días. Durante ese tiempo conversó en privado con el animal, sólo una cerca de eslabones de cadena los separaba de los visitantes a la galería. Sus rituales diarios incluían una serie de interacciones con el coyote, presentándole objetos —fieltro, bastón, guantes, linterna y el *Wall Street Journal* (entregado diariamente)—, los cuales tocaba con las patas y sobre los que orinaba, como si reconociera a su propio modo la presencia del hombre.

Coyote fue una acción «estadounidense» en términos de Beuys, el «complejo de coyote» que refleja la historia de persecución de los indios norteamericanos además de «la relación completa entre Estados Unidos y Europa». «Quería concentrarme sólo en el coyote. Quería incomunicarme, aislarme, no ver de Estados Unidos más que el coyote [...] e intercambiar roles con él.» Según Beuys, esta acción también representaba una transformación de la ideología en la idea de libertad.

Para Beuys, esta transformación siguió siendo una clave para sus acciones. Su idea de «escultura social», que consistía en extensas discusiones con grandes reuniones de personas en varios contextos, era un medio principal para extender la definición de arte más allá de la actividad del especialista. Llevada a cabo por artistas, la «escultura social» movilizaría la creatividad latente de cada individuo, lo que a la larga moldea la sociedad del futuro. La Universidad Libre, una red internacional y multidisciplinaria establecida por Beuys junto con artistas, economistas, psicólogos, etc., se basa en las mismas premisas.

124 Joseph Beuys, *Coyote*, 1974, en la galería de René Block en Nueva York

CAPÍTULO VII

El arte de las ideas y la generación de los medios de comunicación, 1968 a 1986

El arte de las ideas

El año 1968 marcó prematuramente el comienzo de la década de 1970. Ese año los acontecimientos políticos inquietaron de manera severa la vida cultural y social de toda Europa y Estados Unidos. El estado de ánimo era de irritación y furia con los valores y estructuras predominantes. En tanto que los estudiantes y los obreros gritaban eslóganes y levantaban barricadas en las calles en protesta contra «el *establishment*», muchos artistas jóvenes se acercaron a la institución de arte con igual desdén, si bien menos violento. Cuestionaban las premisas del arte aceptadas e intentaban redefinir su significado y función. Más aún, los artistas se encargaron de expresar estas nuevas direcciones en extensos textos, antes que dejar esa responsabilidad al mediador tradicional, el crítico de arte. La galería fue atacada como una institución de mercantilismo y otras salidas que buscaban comunicar ideas al público. En el nivel personal, fue una época en la cual cada artista revaluaba sus intenciones de hacer arte, y en la cual cada acción iba a verse como parte de una investigación general y no, paradójicamente, un llamamiento a la aceptación popular.

El objeto de arte llegó a ser considerado enteramente superfluo dentro de esta estética y la noción de «arte conceptual» se formuló como «un arte del cual el material son los conceptos». La indiferencia al objeto de arte estaba unida al hecho de que era visto como un mero instrumento en el mercado del arte: si la función del objeto de arte era ser un objeto económico, continuaba el argumento, entonces el arte conceptual no podía tener ese uso. Aunque las necesidades económicas hacían de esto un sueño efímero, la performance —en este contexto— se convirtió en la extensión de una idea tal: aunque visible, era intangible, no dejaba huellas y no podía ser comprada y vendida. Por último, la performance se consideraba que reducía el elemento de alienación entre el intérprete y el espectador —algo que encajaba muy bien en la inspiración a menudo izquierdista de la investigación de la función del arte—, puesto que tanto el público como el intérprete experimentaban el trabajo de manera simultánea.

La performance de los últimos dos años de la década de 1960 y de comienzos de la de 1970 reflejó el rechazo de los materiales tradicionales de lienzo, pincel o cincel del arte conceptual, con los intérpretes comenzando a trabajar con sus propios cuerpos como material de arte, del mismo modo que Klein y Mazoni habían hecho algunos años antes. Porque el arte conceptual implicaba la *experiencia* de tiempo, espacio y material antes que su representación en la forma de objetos, y el cuerpo se convirtió en el medio de expresión más directo. Por lo tanto, la performance fue un medio ideal para materializar los conceptos del arte y como tal fue la práctica correspondiente para muchas de esas teorías. Por ejemplo, las ideas sobre el espacio podían interpretarse tan bien en el espacio real como en el formato bidimensional convencional del lienzo pintado; el tiempo podía sugerirse en la duración de la performance o con la ayuda de monitores de vídeo o realimentación de vídeo. Las sensibilidades atribuidas a la escultura —como la textura del material o los objetos en el espacio— llegaban a ser incluso más tangibles en la presentación en vivo. La transformación de conceptos en obras vivas dio como resultado muchas performances que a menudo parecían completamente abstractas para el espectador puesto que raras veces era un intento de crear una impresión visual general o de proporcionar claves para la obra mediante el uso de objetos o narración. Más bien el espectador podía, por asosiación, adquirir una nueva percepción de la experiencia particular que el intérprete demostraba.

Las demostraciones que se centraban en el cuerpo del artista como material llegó a conocerse como «body art». No obstante, este término era poco exacto y permitía una amplia variedad de interpretaciones. Mientras que algunos artistas del body art usaban sus propias personas como material de arte, otros se colocaron contra paredes, en rincones, o en campo abierto, haciendo formas de escultura humana en el espacio. Otros construyeron espacios en los cuales tanto ellos como la sensación de espacio del espectador solían determinarse mediante el entorno particular. Los intérpretes que habían explorado la llamada «danza nueva» varios años antes refinaron sus movimientos para precisar configuraciones que desarrollaban un vocabulario de movimientos para el cuerpo en el espacio.

Algunos artistas, insatisfechos con la exploración un tanto materialista del cuerpo, adoptaron posturas y usaron trajes (en la performance e incluso en la vida diaria), creando «escultura viva». Este centrarse en la personalidad y el aspecto del artista condujo directamente a un gran cuerpo de obra que llegó a ser llamado «autobiográfica», puesto que el contenido de estas performances utilizaba aspectos de la historia personal del intérprete. Tal reconstrucción de la memoria privada tuvo su complemento en la obra de muchos intérpretes que comenzaron a trabajar con la «memoria colectiva» —el estudio de rituales y ceremonias— para las fuentes de su obra: ritos paganos, cristianos, de los indios norteamericanos a menudo sugerían el formato de actos vivos. Un indicio adicional para el estilo y el contenido de muchas performances fue la disciplina original de muchos artistas, ya fuera en la poesía, la música, la danza, la pintura, la escultura o el teatro.

No obstante, otra estrategia de la performance confiaba en la presencia del artista en público como interlocutor, como antes en las sesiones de preguntas y respuestas de Beuys. Algunos artistas dieron instrucciones a los espectadores y les sugirieron que representaran ellos mismos la performance. Por encima de todo, el público era incitado a preguntar cuáles eran los límites del arte, por ejemplo: ¿dónde acababa la investigación del científico o el filósofo y comenzaba el arte?, o ¿qué distinguía la tenue línea entre arte y vida?

Cuatro años de arte conceptual, desde más o menos 1968 en adelante, tuvieron un enorme efecto en la aún joven generación de artistas que estaban surgiendo de las escuelas de arte donde enseñaban los artistas conceptuales. En 1972 las cuestiones fundamentales planteadas habían sido absorbidas hasta cierto punto en la obra nueva. Pero el entusiasmo por el cambio social y la emancipación —de los estudiantes, las mujeres y los niños— habían sido considerablemente calmados. Las crisis monetaria y energética sutilmente alteraron tanto los estilos de vida como las preocupaciones. La institución de la galería, en otro tiempo rechazada por su explotación de los artistas, fue vuelta a incluir como una salida conveniente. Cosa no sorprendente, la performance reflejó estas nuevas actitudes. En parte como respuesta a las cuestiones cerebrales del arte conceptual, en parte como respuesta a los extraordinarios espectáculos de los conciertos pop —desde los Rolling Stones hasta The Who, desde Roxy Music hasta Alice Cooper— la nueva performance se convirtió en elegante, llamativa y entretenida.

Las performances que resultaron de este período de investigación profunda fueron numerosas. Cubrían una amplia gama de materiales, sensibilidades e intenciones, que atravesaban todas lss fronteras disciplinarios. A pesar de eso, fue posible caracterizar varias clases de trabajos. En tanto que un agrupamiento de estas tendencias puede parecer arbitrario, no obstante sirve de clave necesaria para la comprensión de la performance de la década de 1970.

Instrucciones y preguntas

Algunas de las primeras «acciones» conceptuales eran más instrucciones escritas que verdadera performance, un grupo de propuestas que el lector podía interpretar o no, a voluntad. Por ejemplo, Yoko Ono, en su colaboración para la exposición «Información» en el Museum of Modern Art, Nueva York, en el verano de 1970, daba instrucciones al lector para «dibujar un mapa imaginario [...] ir andando por una calle real de acuerdo con el mapa...»; el artista holandés Stanley Brouwn sugería que los visitantes a la exposición «Prospecto 1969» «caminaran durante un breve momento muy conscientemente en una dirección determinada...». En cada caso aquellos que siguieran las instrucciones se suponía que experimentarían la ciudad o el campo con una conciencia intensificada. Fue después de todo justamente con esa conciencia intensificada que los artistas habían pintado lienzos de sus entornos; más bien que contemplando de manera pasiva una obra de arte acabada, en ese momento el observador estaba persuadido de ver el entorno como si fuera a través de los ojos del artista.

Algunos artistas veían la performance como un medio para explorar la interrelación entre la arquitectura del museo y la galería y el arte exhibido en ellos. El artista francés Daniel Buren, por ejemplo —que había hecho pinturas de rayas desde 1966— comenzó a pegar rayas en un cielo raso curvo para resaltar la arquitectura del edificio en lugar de someterse a su abrumadora presencia. También sugirió en varias performances que una

obra de arte podía estar libre por completo de la arquitectura. *Dans les rues de Paris* (1968) consistía en hombres llevando un cartel por delante y otro por detrás pintados con rayas, que andaban por las calles de París, en tanto que *Manifestación III* en el Théâtre des Arts Décoratifs de París (1967) consistía en una obra de cuarenta minutos. Al llegar al teatro el público descu-
bría que la única «acción dramática» era un telón a rayas. Tales obras preten- 125
dían cambiar la percepción del espectador del paisaje del museo así como el urbano, y provocar que se hicieran preguntas acerca de las *situaciones* en que ellos normalmente veían arte.

El artista estadounidense James Lee Byars intentó cambiar la percepción de los espectadores confrontándolos de manera individual en un intercambio de preguntas y respuestas. Las preguntas a menudo eran paradójicas y oscuras, dependiendo de la resistencia del individuo seleccionado, podía continuar durante cualquier extensión de tiempo. Incluso fundó un Centro de Preguntas Mundial en el Los Angeles County Museum como parte de la exposición «Arte y tecnología» (1969). El artista francés Bernar Venet formuló preguntas por implicación y por delegación: invitó a especialistas en matemáticas y física a pronunciar conferencias para un público de arte. *La pista de la relatividad* (1968) en la Judson Memorial Church de Nueva York consistía en cuatro conferencias simultáneas por parte de tres físicos sobre la relatividad y un médico sobre la laringe. Tales demostraciones sugirieron que el «arte» no era necesariamente sólo *acerca de* arte, mientras que al mismo tiempo hacían que el público se formulara preguntas corrientes en otras disciplinas.

125 David Buren, detalle del tercer acto, Nueva York, 1973

El cuerpo del artista

Este intento de trasladar los elementos esenciales de una disciplina a otra caracterizó las primeras obras del artista de Nueva York Vito Acconci. Alrededor de 1969, Acconci utilizó su cuerpo para proporcionar una «superficie» alternativa a la «superficie de la página» que había utilizado como poeta; era una manera, dijo, de trasladar el centro de atención desde las palabras hasta él mismo como «imagen». En lugar de escribir un poema acerca de «seguir», Acconci representó *Pieza de seguir* como parte de «Obras de la calle IV» (1969). La pieza consistía simplemente en Acconci siguiendo a individuos elegidos al azar en la calle, a los que abandonaba una vez que dejaban la calle para entrar en un edificio. No se percibía en esas personas que fueran conscientes de lo que estaba sucediendo; Acconci realizó varias otras piezas que eran igualmente privadas. Aunque introspectivas, también eran la obra de un artista que se consideraba a sí mismo una imagen; viendo «al artista» como otros podían verlo: Acconci se veía como «una presencia marginal [...] asociando situaciones que se están produciendo...». Cada obra tenía que ver con una nueva imagen: por ejemplo, en *Transformación* (1970), trató de ocultar su masculinidad quemándose el vello corporal, tirando de cada tetilla —«en un fútil intento de producir pechos»— y escondiendo el pene entre las piernas. Pero esas actividades privadas sólo subrayaban aún más enfáticamente el carácter de contradicción en sí misma de su actitud; porque cualesquiera descubrimientos que hiciera en este proceso de autoinvestigación, no tenía manera de «publicarlos» como se puede hacer con un poema. Por consiguiente, se volvió necesario para él hacer más pública esta «poesía del cuerpo».

Las primeras obras públicas fueron igualmente introspectivas y poéticas. Por ejemplo, *Contando secretos* (1971) tuvo lugar en un oscuro cobertizo desierto junto al río Hudson a primeras horas de una fría mañana de invierno. Desde la una hasta las dos de la madrugada, Acconci susurró secretos —«que podrían haber sido totalmente perjudiciales para mí si fueran revelados públicamente»— a los visitantes de altas horas de la noche. De nuevo esta obra podía leerse como el equivalente de un poeta apuntando pensamientos privados que una vez entregados para su publicación podían ser perjudiciales en ciertos contextos.

La implicación de otros en sus performances siguientes condujeron a Acconci a la noción de «campos de energía» como la describió el psicólogo Kurt Lewin en *Principios de psicología topológica*. En esta obra, Acconci encontró una descripción de cómo cada individuo radiaba un campo de energía que incluía toda interacción posible con otra persona y objetos en un espacio físico determinado. Sus obras desde 1971 se ocupaban de este campo de energía entre él y otros en espacios construidos especialmente: estaba interesado por «establecer un campo en el cual se encontraba el público, de modo que ellos se convertían en parte de lo que yo estaba haciendo [...] se convertían en parte del espacio físico en el cual yo me movía». *Semillero* (1971), representada en la Galería Sonnabend, Nueva York, se convirtió en la más notable de sus obras. En ella Acconci se masturbaba debajo de una rampa construida en la galería, por encima de la cual caminaban los visitantes.

Estas obras condujeron a Acconci a una nueva interpretación del campo de energía, y bosquejó un espacio que *sugería* su presencia personal. Estas «performances potenciales» eran performances tanto importantes como reales. Finalmente Acconci renunció a la performance por completo: *Performance de mando* (1974) consistía en un espacio vacío, una silla vacía y un monitor de vídeo, la banda sonora invitaba al espectador a crear su propia performance.

En tanto que las performances de Acconci sugerían sus antecedentes en la poesía, las de Dennis Oppenheim mostraban huellas de su formación como escultor en California. Al igual que muchos artistas de la época, deseaba contrarrestar la aplastante influencia de la escultura minimalista. Según Oppenheim, el body art se convirtió en «una estratagema calculada, maliciosa y estratégica» contra las preocupaciones de los minimalistas por la esencia del objeto. Era un medio de centrarse en el «objectifier» —el creador del objeto— más bien que en el objeto mismo. Oppenheim hizo varias obras en las cuales la preocupación principal era la *experiencia* de formas y actividades esculturales, antes que su construcción real. En *Tensión paralela* (1970) construyó un gran montículo de tierra que actuaría como un modelo para su propia demostración. Luego se colgó de paredes de ladrillos paralelas —sostenido a las paredes con las manos y los pies— creando una curva del cuerpo que reproducía la forma del montículo. *126*

126 Dennis Oppenheim, *Tensión paralela*, 1970

Pila de plomo para Sebastián (1970) fue diseñada para un hombre que tenía una pierna artificial, la intención era representar de manera similar ciertas sensaciones esculturales, como la fundición y la reducción. La pierna artificial fue reemplazada por un tubo de plomo que luego fue fundido con un soplete, lo que causaba que el cuerpo del hombre se ladeara de manera desigual mientras la «escultura» se iba licuando. Ese mismo año, Oppenheim llevó más allá este experimento en una obra que realizó en Jones Beach, Long Island. En *Postura de leer para quemadura de segundo grado* estaba preocupado por la noción de cambio de color, «una preocupación del pintor tradicional», pero en este caso su propia piel se convirtió en «pigmento»: tumbado en la playa, con un gran libro colocado sobre su pecho desnudo, Oppenheim permaneció así hasta que el sol había quemado la zona expuesta, lo que produjo un «cambio de color» por el medio más sencillo.

Oppenheim creía que el body art era ilimitado en sus aplicaciones. Era tanto un conductor de «energía y experiencia» como un instrumento didáctico para explicar las sensaciones que entran en la realización de una obra de arte. Considerada de este modo, también representaba un rechazo a sublimar la energía creativa en la producción de objetos. En 1972, al igual que muchos artistas del body art implicados en similares exploraciones introspectivas y a menudo físicamente peligrosas, se cansó de la performance viva. Al igual que Acconci había hecho con los campos de energía, Oppenheim ideó obras que sugerían la performance pero que con frecuencia utilizaban títeres en lugar de intérpretes humanos. Las pequeñas figuras de madera, acompañadas por canciones y frases grabadas, continuaron formulando las preguntas planteadas por el arte conceptual: ¿cuáles eran las raíces del arte?, ¿cuáles eran los motivos para hacer arte? y ¿qué hay detrás de las aparentemente autónomas decisiones artísticas? Un ejem-
127 plo fue *Tema para un éxito principal* (1975) donde, en una habitación débilmente iluminada, un títere solitario se sacudía sin parar al ritmo de su propio tema.

127 Oppenheim, *Tema para un éxito principal*, 1975

El artista californiano Chris Burden pasó por una transición similar a la de Acconci y Oppenheim, comenzó con performances que llevaban el esfuerzo y la concentración físicas más allá de los límites de la resistencia normal, y se separó de la performance después de varios años de actos que desafiaban a la muerte. Su primera performance tuvo lugar cuando él aún era un estudiante, en el vestuario de estudiantes de la Universidad de California, Irvine, en 1971. Burden se instaló en una cabina de 60 x 60 x 90 centímetros durante cinco días, sus únicas provisiones para esa apretujada estancia era una gran botella de agua, el contenido de la cual le llegaba por un tubo desde la cabina de arriba. Ese mismo año, en Venecia, California, pidió a un amigo que le disparara en el brazo izquierdo, en una obra titulada *Pieza de disparo*. La bala, disparada desde una distancia de cuatro metros y medio, debía rozar su brazo, pero en cambio arrancó un gran trozo de carne.

Hombre muerto, del año siguiente, fue otro juego demasiado serio con la muerte. Él estaba tumbado envuelto en un saco de lona en el medio de un ajetreado bulevar de Los Ángeles. Por fortuna resultó ileso, y la policía puso fin a esta obra mediante el arresto de Burden por provocar que se informara de una falsa emergencia. Actos que desafiaban a la muerte de manera similar se repitieron a intervalos regulares; cada uno podría haber acabado con la muerte de Burden, pero el calculado riesgo supuesto era, dijo, un factor energético. Los dolorosos ejercicios de Burden debían trascender la realidad física: también eran un medio de «volver a representar clásicos estadounidenses... como disparar a la gente». Presentados en condiciones semicontroladas, esperaba que alterarían la percepción de la gente de la violencia. De hecho ese peligro había sido retratado en lienzos o simulado en las escenas teatrales; las performances de Burden, que implicaban peligro real, tenían un objetivo grandioso: alterar la historia de la representación de esos temas para siempre.

El cuerpo en el espacio

Al mismo tiempo que esos artistas estaban trabajando en sus cuerpos como objetos, manipulándolos como si fueran una pieza de escultura o una página de poesía, otros desarrollaron performances más estructuradas que exploraban el cuerpo como un elemento en el espacio. Por ejemplo, el artista californiano Bruce Nauman realizó obras como *Caminando de manera exagerada alrededor del perímetro de un cuadrado* (1968), que tenía una relación directa con su escultura. Al caminar alrededor del cuadrado, podía experimentar de primera mano el volumen y las dimensiones de sus obras esculturales que se ocupaban del volumen y la colocación de objetos en el espacio. El artista alemán Klaus Rinke trasladó metódicamente las propiedades tridimensionales de la escultura al espacio real en una serie de *Demostraciones primarias* comen- 128
zada en 1970. Éstas eran «esculturas estáticas» creadas con su compañera Monika Baumgardtl: juntos hacían configuraciones geométricas, moviéndose lentamente de una posición a la siguiente, por lo general durante varias horas enteras. Un reloj de pared contrastaba el tiempo real con el tiempo que llevaba hacer cada forma escultural. Según Rinke, estas obras contenían las mismas propiedades teóricas que la escultura de piedra en el espacio, pero los

128 Klaus Rinke, *Demostración primaria: horizontal-vertical*, representada en el Oxford Museum of Modern Art, 1976

elementos adicionales de tiempo y movimiento alteraban la comprensión del espectador de esas propiedades: podían realmente ver el *proceso* de hacer escultura. Rinke tenía la esperanza de que esas demostraciones didácticas cambiaran la percepción del espectador de su propia realidad física.

De manera similar, el artista de Hamburgo Franz Erhard Walther estaba preocupado por la creciente conciencia del espectador de las relaciones espaciales dentro del espacio real y el tiempo real. En las demostraciones de Walther, el espectador solía, a través de una serie de ensayos, convertirse en el receptor de la acción. Por ejemplo, *Siguiendo adelante* (1967) era una típica obra de colaboración, que consistía en una línea de veintiocho bolsillos de igual tamaño cosidos en largas longitudes de tela extendidas en un campo. Cuatro participantes trepaban al interior de los bolsillos y al finalizar la obra habían entrado y salido trepando de todos los bolsillos, cambiando la configuración original de la tela durante sus acciones. Cada una de las obras de Walther proporcionaba un medio para que los espectadores experimentaran ellos mismos los objetos esculturales, además de iniciar el diseño desplegado. Su activo papel en influir en la forma y el procedimiento de las esculturas era un importante elemento de la obra.

El estudio de la conducta activa y pasiva del espectador se convirtió en la base de muchas de las performances del artista neoyorquino Dan Graham desde comienzos de la década de 1970. No obstante, Graham deseaba combinar el papel del intérprete activo y el espectador pasivo en una misma persona. De manera que introdujo espejos y equipos de vídeo que permitían a

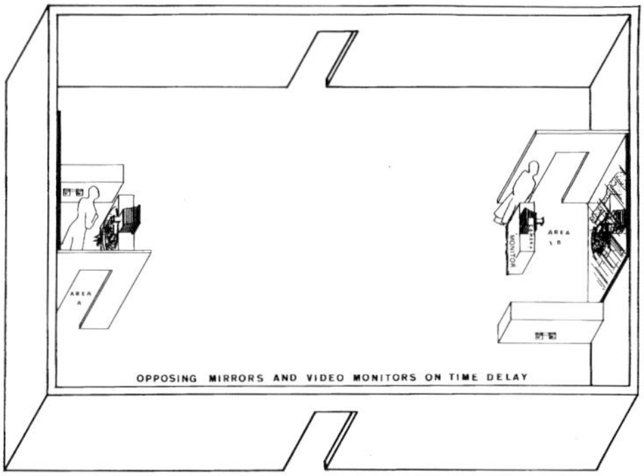

OPPOSING MIRRORS AND VIDEO MONITORS ON TIME DELAY

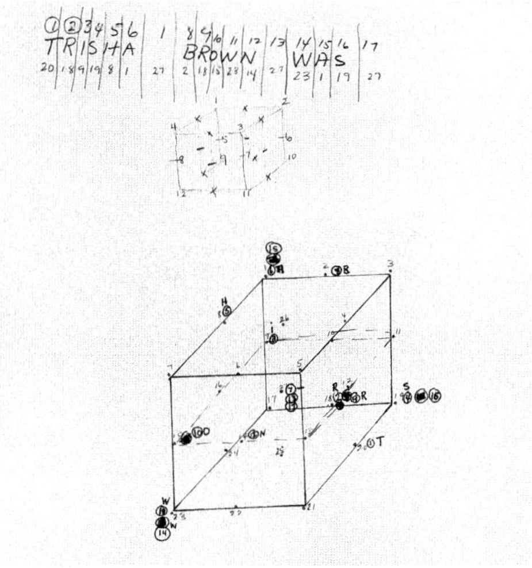

129 Dan Graham, *Proyección(es) de la conciencia de dos*, tarjeta de invitación al acto representado en febrero de 1977 en la Galerie René Block. Foto de una representación en 1974 con Suzanne Brenner, en la Lisson Gallery, Londres

130 Graham, diagrama para *Espejos opuestos y monitores de vídeo en tiempo diferido*, 1974

131 Trisha Brown, notación utilizada en la preparación de *Lugar*, 1975

132 Brown, *Lugar*, 1975

los intérpretes ser los espectadores de sus propias acciones. Este autoescrutinio tenía el propósito de establecer una conciencia intensificada de cada
129 gesto. En *Proyección(es) de la conciencia de dos* (1973) Graham creaba una situación que solía aumentar aún más esa conciencia, puesto que se pedía a dos personas que verbalizaran (delante del público) cómo veía cada uno al compañero. Una mujer sentada delante de una pantalla de vídeo que mostraba su cara, mientras que un hombre miraba a través de la cámara de vídeo enfocada a la cara de ella. Cuando ella examinaba sus rasgos y describía lo que veía, el hombre, al mismo tiempo, relataba cómo estudiaba el rostro de ella. De este modo, tanto el hombre como la mujer se hallaban activos por cuanto estaban creando la performance, pero también eran espectadores pasivos por cuanto se estaban observando a sí mismos interpretando.

La teoría de Graham de las relaciones espectador-intérprete se basaba en la idea de Bertolt Brecht de imponer un estado incómodo e inseguro en el público con la intención de reducir el vacío entre los dos. En obras posteriores Graham estudió esto más a fondo, añadiendo los elementos de tiempo y
130 espacio. Se utilizaron técnicas de vídeo y espejos para crear una sensación de pasado, presente y futuro dentro de un espacio construido. En una obra como *Presente pasado continuo* (1974), el espejo actuaba como un reflejo del tiempo presente, en tanto que la retroalimentación de vídeo mostraba al intérprete/espectador (en este caso el público) sus acciones del pasado. Según Graham, «los espejos reflejan el tiempo instantáneo sin duración [...] mientras que la retroalimentación de vídeo hace exactamente lo opuesto, relaciona los dos en una especie de fluir del tiempo con duración». De modo que al entrar en el cubo forrado de espejos, los espectadores se veían primero en el espejo y luego, ocho segundos más tarde, veían esas acciones reflejadas retransmitidas en el vídeo. «Tiempo presente» era la acción inmediata del espectador, que luego era captada por el espejo y el vídeo por alternación. Los espectadores, por consiguiente, verían delante de ellos lo que habían recientemente interpretado, pero también sabían que todas las acciones posteriores aparecerían en el vídeo como «tiempo futuro».

La artista de la performance neoyorquina Trisha Brown añadió una dimensión adicional a la noción del espectador del cuerpo en el espacio. Obras como *Hombre bajando andando por el lado de un edificio* (1969) u *Hombre andando por una pared* (1970) fueron diseñados para desorientar el sentido de equilibrio gravitacional del público. La primera consistía en un hombre, con un equipo de montañismo, bajando andando por la fachada vertical de un edificio de siete pisos en la parte baja de Manhattan. La segunda, utilizando el mismo recurso mecánico, tuvo lugar en una galería del Whitney Museum, donde los intérpretes se movían a lo largo de la pared en ángulos rectos al público. Obras similares exploraron las posibilidades del movimiento en el es-
131, 132 pacio, en tanto que *Lugar* (1975) relacionaba los movimientos reales en el espacio con un plano bidimensional. La performance fue ideada completamente por medio de dibujos, y Brown trabajó en tres métodos de notación al mismo tiempo para lograr el efecto final: primero dibujó un cubo, luego escribió una secuencia de números basada en su nombre que después fue emparejada con las líneas de intersección del cubo. Ella y tres

bailarinas hicieron la coreografía de una obra determinada por el dibujo acabado.

También en Nueva York, Lucinda Childs creó varias performances de acuerdo con la notación cuidadosamente elaborada. *Cúmulos en los bordes para 20 líneas oblicuas* (1975) era una obra de ésas, donde cinco bailarinas recorrían grupos de diagonales de una parte a otra del espacio, explorando durante toda la danza las distintas combinaciones indicadas en el dibujo. De manera similar, Laura Dean y sus colegas siguieron precisos «modelos de fraseo» indicados en la partitura, como en *Danza de círculos* (1972).

La influencia de los exponentes de la danza nueva estadounidense se sintió en Inglaterra, donde el Ting Theatre of Mistakes creó un taller de colaboración en 1974 para continuar los experimentos anteriores. Reunieron las distintas nociones desarrolladas por los pioneros de la danza estadounidense desde las décadas de 1950 y 1960 en un manual, *Los elementos del performance art*, publicado en 1976. Uno de los pocos textos tan explícitos sobre la teoría y la práctica de la performance, el libro esbozaba una serie de ejercicios para intérpretes en potencia. *Una cascada* (1967), representada en el porche y una de las terrazas de la Hayward Gallery de Londres, ejemplificaba algunas de las nociones expresadas en el libro, como acciones orientadas a la tarea, teatro en redondo, o el uso de objetos como indicadores espaciales y temporales. Este trabajo en particular se desarrolló a partir del interés de la compañía por la estructuración de las performances de acuerdo con los llamados «métodos aditivos». Con los intérpretes situados en distintos niveles sobre un gran andamiaje, y sosteniendo recipientes, se transportaba agua hacia arriba y de nuevo hacia abajo, con lo que se creaba una serie de «cascadas», cada una de una hora de duración.

Ritual

A diferencia de las performances que se ocupaban de las propiedades formales del cuerpo en el espacio y el tiempo, otras fueron mucho más emotivas y expresionistas en cuanto a su naturaleza. Las del artista austríaco Hermann Nitsch, comenzadas en 1962 y que implicaban ritual y sangre, fueron descritas como «una manera estética de orar». Los antiguos ritos dionisíacos y cristianos fueron representados de nuevo en un contexto moderno, supuestamente ejemplificando la noción de Aristóteles de la catarsis a través del miedo, el terror y la compasión. Nitsch veía estas orgías rituales como una extensión de la action painting, recordando la indicación del futurista Carrà: uno debe pintar, como los borrachos cantan y vomitan, sonidos, ruidos y olores.

Sus proyectos de *Orgías, Misterios, Teatro* se repitieron a intervalos regula- *133*
res durante toda la década de 1970. Una acción típica duraba varias horas: solía comenzar con el sonido de música estrepitosa —«el éxtasis creado por el ruido creado más fuerte posible»— seguido por Nitsch dando órdenes para que la ceremonia comenzara. Los ayudantes llevaban al escenario un cordero sacrificado, cabeza abajo como si estuviera crucificado. Luego se sacaban las entrañas al animal; las tripas y cubos de sangre se vertían por encima de una

133 Hermann Nitsch, *(Aktion) Acción 48*, representada en el Munich Modernes Theater, 1974

mujer o un hombre desnudos, mientras que el animal desangrado era colgado por encima de sus cabezas. Tales actividades procedían de la creencia de Nitsch de que los instintos agresivos de la humanidad habían sido reprimidos y silenciados a través de los medios de comunicación. Incluso el ritual de matar animales, tan natural para el hombre primitivo, había sido apartado de la experiencia de los tiempos modernos. Estos actos rituales eran un medio de liberar la energía reprimida además de un acto de purificación y redención a través del sufrimiento.

El «accionismo» vienés, según otro artista de la performance ritual, Otto Mühl, fue «no sólo una forma de arte, sino por encima de todo una actitud existencial», una descripción apropiada para las obras de Günter Brus, Arnulf Rainer y Valie Export. Común a estas acciones era la autoexpresión dramática del artista, la intensidad de la cual recordaba a los pintores expresionistas vieneses de cincuenta años antes. De manera no sorprendente, otra característica de los artistas de la acción vienesa era su interés por la psicología; los estudios de Sigmund Freud y Wilhelm Reich condujeron a performances que se ocupaban especialmente del arte como terapia. Arnulf Rainer, por ejemplo, recreó los gestos del demente. En Innsbruck, Rudolf Schwartzkogler creó lo que llamó «desnudos artísticos — similares a una destrucción»;

pero sus automutilaciones parecidas a la destrucción finalmente lo llevaron a la muerte en 1969.

En París, los cortes autoinfligidos de Gina Pane en la espalda, cara y manos no fueron menos peligrosos. Al igual que Nitsch, ella creía que el dolor ritual tenía un efecto purificador: tal obra era necesaria «para llegar a una sociedad anestesiada». Utilizando sangre, fuego, leche y la recreación del dolor como «elementos» de sus performances, tuvo éxito —en sus propias palabras— «al hacer que el público comprendiera desde el principio que mi cuerpo es mi material artístico». Una obra típica *El condicionante* (primera parte de "Auto-retrato(s)", 1972), consistía en Pane tumbada en una cama de hierro con pocos travesaños, debajo de los cuales ardían quince largas velas.

Buscando de manera similar comprender el dolor ritual de maltratarse a uno mismo, en particular como se aprecia por parte de los pacientes psicológicamente trastornados, y la desconexión que se produce entre el cuerpo y el yo, Marina Abramovic creó en Belgrado obras igualmente horrendas. En 1974, en una obra titulada *Ritmo O*, permitió que una sala llena de espectadores de una galería de Nápoles la maltratara a voluntad durante seis horas, utilizando instrumentos de dolor y placer que habían sido colocados para que los usaran cuando quisieran. A la tercera hora, sus ropas habían sido cortadas de su cuerpo con hojas de afeitar, su piel acuchillada; un arma cargada sujeta a su cabeza finalmente provocó la lucha entre sus atormentadores, lo que llevó el procedimiento a una desconcertante interrupción. Continuó explorando esta agresión pasiva entre individuos en obras posteriores realizadas con el artista Ulay, que se convirtió en su colaborador en 1975. Juntos exploraron el dolor y la resistencia de las relaciones, entre ellos mismos, y entre ellos mismos y el público. *Imponderabilia* (1977) consistía en sus dos cuerpos desnudos, de pie uno frente al otro contra el marco de una puerta; el público estaba obligado a entrar al lugar de la exposición a través del pequeño espacio que quedaba entre sus cuerpos. Otra obra, *Relación en movimiento* (1977), consistía en Ulay conduciendo un coche durante dieciséis horas en un pequeño círculo, mientras que Marina, también en el coche, anunciaba el número de círculos por un altavoz.

Las acciones de Stuart Brisley en Londres fueron igualmente una respuesta a lo que consideraba era la anestesia y la alienación de la sociedad. *Y para hoy, nada* (1972) tuvo lugar en un cuarto de baño oscurecido en Gallery House, Londres, en una bañera llena de líquido negro y escombros flotando en la cual Brisley estuvo tendido durante dos semanas. Según Brisley, la obra estaba inspirada por su angustia por la despolitización del individuo, que temía que llevaría a la decadencia de las relaciones tanto individuales como sociales. Reindeer Werk, el nombre para una pareja de jóvenes artistas de la performance de Londres, estaban igualmente preocupados por sentimientos similares: sus demostraciones de lo que llamaron *Tierra del comportamiento*, en el Butler's Wharf de Londres en 1977, no fueron diferentes de la obra de Rainer en Viena; en ella recrearon los gestos de marginados sociales: el loco, el alcohólico, el holgazán.

La elección de los prototipos rituales llevó a muy diferentes clases de performances. En tanto que las acciones vienesas estaban de acuerdo con los in-

134 Joan Jonas, *Embudo*, 1974, representada en la Universidad de Massachusetts

tereses expresionistas y psicológicos durante tanto tiempo considerados una característica vienesa, la obra de algunos artistas de la performance estadounidense reflejaban sensibilidades mucho menos conocidas, las de los indios norteamericanos. La obra de Joan Jonas se remitía a las ceremonias religiosas de las tribus zuñi y hopi de la costa del Pacífico, la zona donde ella creció. Estos ritos antiguos tenían lugar al pie de las colinas en las cuales vivía la tribu y eran dirigidos por el chamán de la tribu.

En la obra de Nueva York de Jonas *Demora demora* (1972), el público estaba similarmente situado a una distancia por encima de la performance. Desde lo alto de un edificio de cinco pisos con desván, observaban treinta performances dispersas por los solares vacíos de la ciudad, que estaban marcados con grandes letreros que indicaban el número de pasos que los separaban del edificio con desván. Los intérpretes golpeaban bloques de madera, el eco de los cuales proporcionaba la única conexión entre el público y los intérpretes. Jonas incorporó la dilatada sensación de aire libre, tan característica de las ceremonias indias, en obras de interior utilizando espejos y vídeo para pro-
134 porcionar la ilusión de espacio profundo. *Embudo* (1974) se veía simultáneamente en la realidad y en una imagen controlada. Las cortinas dividían la habitación en tres caracteres espaciales distintos, cada uno de los cuales contenía accesorios: un gran embudo de papel, dos barras paralelas de gimnasia y un aro. Otras obras de interior como la anterior *Telepatía visual de la miel orgánica* (1972) mantenía la cualidad mística de las piezas de interior mediante el uso de máscaras, tocados de plumas de pavo real, ornamentos y trajes.

Las performances de Tina Girouard también estaban construidas en torno de los trajes y ceremonias inspiradas por las fiestas del Mardi Gras (ella había nacido en el sur de Estados Unidos) y los ritos indios hopi. Combinando elementos de estos precedentes ceremoniales, Girouard presentó *Rueda catalina* (1977) en el New Orleans Museum of Art. En esta obra, varios intérpretes trazaron un cuadrado en el suelo de la entrada principal del museo, utilizando tela para separar el cuadrado en cuatro secciones que representaban animal, vegetal, mineral y otro llamado «personas». Lentamente los intérpretes añadían ceremoniosamente telas y varios accesorios, transformando el dibujo existente en lo que el artista consideraba «una serie de imágenes arquetípicas del mundo». Girouard intentaba que las acciones rituales colocaran a los actores en un contexto «simbólico del universo» en el espíritu de las ceremonias indias, y al hacerlo así crear precedentes para las versiones de los tiempos actuales.

Escultura viva

Gran parte de la obra de performance originada en un marco conceptual no era divertida, a pesar de las intenciones a menudo paradójicas de los artistas. Los primeros signos de humor y sátira surgieron en Inglaterra.

En 1969 Gilbert and George eran estudiantes en la Escuela de Arte de St Martin's de Londres. Junto con otros artistas jóvenes como Richard Long, Hamish Fulton y John Hilliard, estos estudiantes de St Martin's con el tiempo iban a convertirse en el centro del arte conceptual inglés. Gilbert and George personificaron la idea de arte; ellos mismos se convirtieron en arte al declararse «escultura viva». La primera «escultura cantante» *Underneath the* 135
Arches, representada en 1969, consistía en los dos artistas —con las caras pintadas de dorado, vestidos con trajes corrientes, uno llevando un bastón y el otro un guante— moviéndose de una manera mecánica, como de títere, encima de una pequeña mesa durante más o menos seis minutos con el acompañamiento de la canción del mismo título de Flanagan y Allen.

Al igual que Manzoni, la ironía inherente a centrar la obra de arte en sus propias personas y convertirse ellos mismos en el objeto de arte era al mismo tiempo un medio serio de manipular o hacer observaciones sobre ideas tradicionales acerca del arte. En la dedicatoria escrita para *Underneath the Arches* («La más inteligente fascinante seria y hermosa obra de arte que usted jamás ha visto») esbozaban «Las leyes de los escultores»: «1. Esté siempre elegantemente vestido, muy acicalado relajadamente amistoso y manteniendo completamente el control. 2. Haga que el mundo crea en usted y pague mucho por este privilegio. 3. Nunca se preocupe por la discusión y la crítica de valor pero manténgase completamente respetuoso y tranquilo. 4. El Señor todavía cincela, así que no abandone su banco durante mucho tiempo». De manera que para Gilbert and George no había separación alguna entre sus actividades como escultores y sus actividades en la vida real. La multitud de poemas y declaraciones, como «Estar con el arte es todo lo que pedimos», enfatizan esta cuestión: impresos en papel parecido a pergamino y siempre llevando su insignia oficial —un monograma que recuerda a uno real por encima de su

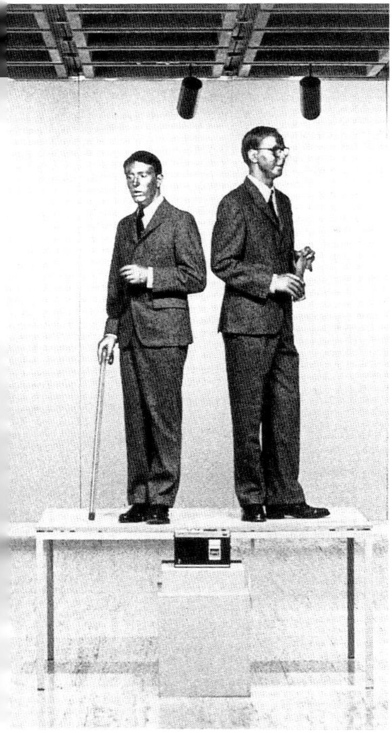

135 Gilbert and George, *Underneath the Arches*, representada por primera vez en Londres, 1969

136 Gilbert and George, *La escultura roja*, representada por primera vez en Tokyo, 1975

logotipo «Art for All» («Arte para todos»)— estas declaraciones proporcionaban una clave para las intenciones de su escultura única que interpretaron durante varios años, casi inalterado, en Inglaterra, y en Estados Unidos en 1971.

Otra obra temprana, *La comida* (14 de mayo de 1969), había expresado de manera similar su preocupación por eliminar la separación entre vida y arte. En las invitaciones que se habían enviado a mil personas se leía: «Isabella Beeton y Doreen Mariott prepararán una comida para los dos escultores, Gilbert and George, y su invitado, el señor David Hockney, el pintor. Richard West será su camarero. Cenarán en la hermosa sala de música Hellicars' en "Ripley", Sunridge Avenue, Bromley, Kent. Cien tiques de souvenir tornasolados numerados y firmados se encuentran ahora disponibles a tres guineas cada uno. Esperamos que usted pueda estar presente en este importante acontecimiento de arte». Richard West era el mayordomo de lord Snowdon, e Isabella Beeton, según se dice, una parienta lejana de la gastrónoma victoriana, la señorita Beeton, cuyas suntuosas recetas se utilizaron. Una elaborada comida se sirvió al número final de treinta invitados, que comieron tranquilamente durante un período de una hora y veinte minutos. David Hockney, tras alabar a Gilbert and George por ser «surrealistas maravillosos, terriblemente buenos», añadió: «Pienso que lo que están haciendo es una extensión de la idea de que cualquiera puede ser un artista, que lo que ellos dicen o hacen puede ser arte. El arte conceptual se anticipa a su tiempo, ampliando horizontes».

Las obras subsiguientes estaban basadas de manera similar en actividades cotidianas: *Escultura bebedora* los llevó a los pubs de la zona del este de Londres, y picnics en discretas orillas de ríos se convirtieron en el tema de sus grandes dibujos pastorales y obras fotográficas, expuestos en medio de sus lentamente desarrolladas esculturas vivas. Su obra *La escultura roja* (1975), re- *136*
presentada por primera vez en Tokyo, duraba noventa minutos y fue quizá su más «abstracto», y su último, trabajo de performance. Con las caras y las manos pintadas de un rojo brillante, las dos figuras se movían en posturas realizadas a ritmo lento en intrincada relación con declaraciones como de mando que estaban grabadas en cintas y reproducidas en un magnetófono.

El atractivo seductor de uno mismo convirtiéndose en objeto de arte, que motivó numerosos vástagos de escultura viva, fue en parte el resultado del hechizo del mundo del rock de la década de 1960; el cantante neoyorquino Lou Reed, y el grupo inglés Roxy Music, por ejemplo, estaban creando cuadros vivos ensordecedores tanto en el escenario como fuera de él. La relación entre los dos fue realzada en una exposición llamada «Transformismo» (1974) en el Kunstmuseum, Lucerna, que incluía obras de los artistas Urs Lüthi, Katharina Sieverding y Luciano Castelli. El «arte del transformismo» también hacía referencia a la noción de androginismo que resulta de la sugerencia de las feministas de que los roles femenino y masculino tradicionales podían —al menos en cuanto al aspecto— igualarse. De modo que Lüthi, un artista de Zurich bajo y regordete personificaba a su alta, delgada y hermosa amiga Manon con la ayuda de un pesado maquillaje y las mejillas chupadas, en una serie de performances de posturas ella y él, según todas las apariencias, eran intercambiables. La ambivalencia era, decía él, el más importante aspecto creativo de sus obras, como se ve en *Autorretrato* (1973). De manera similar, los artistas de Düsseldorf Sieverding y Klaus Mettig esperaban, en *Motor-Kamera* (1973), llegar a un «intercambio de identificación» representando series de situaciones domésticas para las cuales estaban vestidos y maquillados para parecer extraordinariamente iguales. En Lucerna, Castelli creó environments exóticos como *Solario de performance* (1975), en la cual estaba tumbado rodeado por una parafernalia de vestuario de travestí, caja de maquillaje y álbum de fotografías.

Otro vástago de la escultura viva fue menos narcisista: algunos artistas exploraron las cualidades formales de posturas y gestos en una serie de cuadros vivos. En Italia, Jannis Kounellis presentó obras que combinaban escultura animada e inanimada: *Mesa* (1973) consistía en una mesa sembrada de *137*
fragmentos de una antigua escultura romana de Apolo, cerca de la cual estaba sentado un hombre que llevaba en la cara una máscara de Apolo. Según Kounellis, ésta y otras tituladas «performances congeladas» —algunas de las cuales incluían caballos vivos— eran un medio de ejemplificar metafórica-

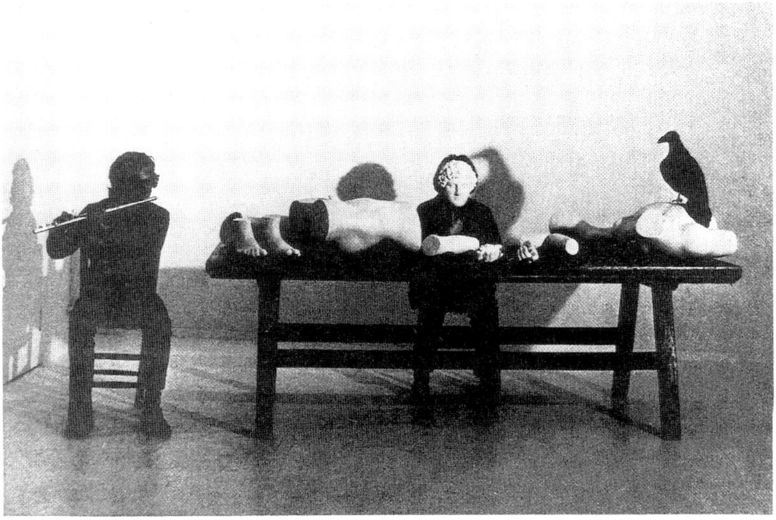

137 Jannis Kounellis, *Mesa*, 1973

mente la complejidad de ideas y sensaciones representadas en el arte durante toda la historia del arte. Consideraba que el friso del Partenón era una «performance congelada». Cada pintura o escultura en la historia del arte, decía, contenía «la historia de soledad de un alma sola» y sus cuadros vivos intenta-
138 ban analizar la naturaleza de una «visión singular». El artista romano Luigi Ontani retrató tales «visiones» en una serie de performances en las cuales él personificaba figuras de las pinturas clásicas; incluían *San Sebastián* (1973) (según Guido Reni) y *Après J. L. David* (1974). Algunas de sus reencarnaciones estaban basadas en figuras históricas: en su primera visita a Nueva York en 1974, viajó con un traje recreado a partir de dibujos de Cristóbal Colón.

139 *Cuadro vivo de conducta par* (1976), de Scott Burton, para dos intérpretes masculinos, en el Guggenheim Museum de Nueva York, era una performance de una hora de duración compuesta de aproximadamente ochenta posturas estáticas mantenidas durante unos segundos cada una. Cada postura demostraba el vocabulario del llamado lenguaje corporal de Burton —«establecimiento del rol», «apaciguamiento», «desasimiento», etc.— y era seguida por un apagón; vistas desde una distancia de dieciocho metros, las figuras parecían engañosamente esculturas. También en 1976, en The Clocktower de Nueva York, una artista establecida en Estados Unidos con el nombre de Colette estaba tumbada desnuda en un lujoso entorno de seis metros por seis
140 metros de seda estrujada en *Sueño verdadero*, un «cuadro vivo dormido» que duraba varias horas.

138 Luigi Ontani, *Don Quijote*, 1974

139 Scott Burton, *Cuadro vivo de conducta par*, 1976. Cuadro n.º 47 de una performance en cinco partes compuesta de ochenta cuadros vivos silenciosos. Representada por primera vez en el Solomon Guggenheim Museum, Nueva York, 24 de febrero-4 de abril de 1976

140 Colette, *Sueño verdadero*, representada por primera vez en The Clocktower, Nueva York, diciembre de 1975

Autobiografía

El examen de las apariencias y los gestos, además de la investigación analítica de la tenue línea entre el arte de una artista y su vida, se convirtió en el contenido de un gran cuerpo de obra a la cual se hace referencia de manera aproximada como «autobiográfica». De este modo, varios artistas recrearon episodios de su propia vida, manipulando y transformando el material en una serie de performances por medio de filme, vídeo, sonido y soliloquio. La artista neoyorquina Laurie Anderson utilizó la «autobiografia» para significar el tiempo hasta la representación real de la performance, de manera que la obra a menudo incluía una descripción de su propia realización. En una pieza de cuarenta y cinco mi-
142 nutos titulada *Por momentos,* representada en el festival de la performance del Whitney Museum en 1976, ella explicaba las intenciones originales de la obra mientras que al mismo tiempo presentaba los resultados finales. Explicó al público cómo había esperado presentar un filme de embarcaciones navegando por el río Hudson, y pasó a describir las dificultades que había encontrado en el proceso de filmación. La grabación de la banda sonora se hizo de manera similar a cómo Anderson señaló las inevitables deficiencias de utilizar material autobiográfico. Ya no había un pasado sino dos: «está lo que sucedió y está lo que yo dije y escribí que sucedió», lo que hacía borrosa la distinción entre performance y realidad. Por supuesto, convirtió esta dificultad en una canción: «Arte e ilusión, ilusión y arte/¿estás realmente aquí o es sólo arte?/¿Estoy realmente aquí o es sólo arte?».

Después de *Por momentos,* la obra de Anderson se orientó más hacia lo musical y, con Bob Bialecki, construyó una variedad de instrumentos músicos para performances subsiguientes. En una ocasión reemplazó la crin del arco de su violín por una cinta grabada, tocando frases pregrabadas en una cabeza de audio montada en el cuerpo del violín. Cada paso del arco correspondía a una palabra de la frase de la cinta. Algunas veces, no obstante, la frase quedaba intencionadamante incompleta de manera que, por ejemplo, la famosa cita de Lenin «La ética es la estética del futuro» se convirtió en *La ética es la estética de la minoría [Ethics is the Aesthetics of the Few(ture)]* (como Anderson tituló su obra de 1976). Luego experimentó con las maneras en que las palabras grabadas sonaban al revés, de modo que «Lao Tse» [Lao-Tzu], al revés auditivamente, se convirtió en «¿Quién eres?» [Who are you?]. Estos palíndromos auditivos fueron representados en The Kitchen Center for Video and Music como parte de su *Canciones para líneas/Canciones para ondas* (1977).

Al igual que las de Anderson, las performances de Julia Heywrad contenían un considerable material procedente de su propia infancia, pero en tanto que Anderson había nacido en Chicago, Heyward había crecido en los estados del sur y era hija de un pastor presbiteriano. Rastros de ese pasado permanecieron en el estilo y el contenido de sus performances además de en su actitud hacia la performance misma. Por una parte, adoptó el característico ritmo de salmodia del ministro del sur en sus monólogos y, por la otra, describió el asistir a una performance como «equivalente a ir a la iglesia; en ambas una se vuelve irritada, agitada, reaprovisionada».

141 Julia Heyward, *¡Chócala! ¡Papaíto! ¡Chócala!*, Judson Church, 8 de enero de 1976. «Esta obra aislaba una parte del cuerpo, un brazo, y daba su historia mediante la descripción de su función y su eventual suerte. Su función era estrechar la mano, como parte de un hombre que era un empleado público (ministro). A la larga el brazo cogía una enfermedad nerviosa...»

142 Laurie Anderson, *Por momentos*, 1976, interpretada en un plato giratorio de «viofonógrafo» sobre un violín, con una aguja montada en mitad del arco. En la performance Anderson acompaña su interpretación del «viofonógrafo» con su propio canto. La performance también incluye secuencias de filmes y secciones habladas

143 Adrian Piper, *Algunas superficies reflejadas*, representada en el Whitney Museum, febrero de 1976

Aunque sus anteriores performances de Nueva York, como *¡Es un sol! o*
141 *Fama por asociación* (1975) en el Kitchen y *¡Chócala! ¡Papaíto! ¡Chócala!* (1976) en la Judson Memorial Church, se remitían ambas a su vida y relaciones en el sur, Heyward pronto se cansó de los límites de la autobiografía. *Cabezas de dios* (1976), en el Whitney Museum, fue una reacción contra ese género y al mismo tiempo contra todas las convenciones y las instituciones que las reforzaban: el estado, la familia, el museo de arte. Por medio de separar al público en «chicos» a la izquierda y «chicas» a la derecha, irónicamente enfatizaba los roles sociales de los hombres y las mujeres. Luego mostró trozos de filmes del monte Rushmore (símbolo del estado) y muñecas decapitadas (la muerte de la vida familiar). Paseándose arriba y abajo por el pasillo formado por el público separado, arrojaba su voz —como una ventrílocua— criticando el museo de arte: «Dios habla ahora... esta chica está muerta... dios habla por medio de ella... dios dice nada de dólares para los artistas, nada de exposiciones de arte». En *Éste es mi período azul* (1977), representada en el Artists Space, examinaba los efectos de la televisión y su poder para «colectivizar el subconsciente — alrededor del reloj — en su propio hogar» con igual ironía. La obra, dijo ella, utilizaba «desplazamiento de sonidos», «técnicas visuales y de público subliminales» además de «lenguaje y gesto corporal» con el fin de «manipular al público emocional y cerebralmente».

Esta fascinación por la performance como un medio para incrementar la conciencia del público de sus situaciones como víctimas de manipulación — ya sea por los medios de comunicación o por los intérpretes mismos— tam-
143 bién aparecía en *Algunas superficies reflejadas*, representada en 1976 en el Whitney Museum. Vestida con ropas negras, con la cara blanca, bigote falso y gafas de sol bailaba en la luz de un solo reflector al ritmo de la canción *Respect* mientras que su voz grabada contaba la historia de cómo había trabajado de chica gogó en un bar de la parte baja de la ciudad. Luego una voz de hombre criticaba severamente sus movimientos, que ella alteraba de acuerdo con las indicaciones de él. Por último, la luz se apagaba y la pequeña figura danzante se veía brevemente en una pantalla de vídeo cercana, como si diera a entender que finalmente había sido aceptable para la radiodifusión pública.

Las performances autobiográficas eran fáciles de seguir y el hecho de que los artistas revelaran información íntima acerca de ellos mismos establecieron una empatía particular entre el intérprete y el público. Así, esta clase de representación llegó a ser popular, aunque el contenido autobiográfico no fuera necesariamente genuino; de hecho, muchos artistas se opusieron a ser clasificados como artistas de la performance autobiográfica, pero no obstante continuaron confiando en la complacencia del público para simpatizar con sus intenciones. El hecho de coincidir con el poderoso movimiento feminista por toda Europa y Estados Unidos hizo posible que muchas artistas de la performance trataran asuntos que habían sido relativamente poco explorados por sus homólogos hombres. Por ejemplo, la artista alemana Ulrike Rosenbach, vestida con leotardos blancos, de manera espectacular arrojaba flechas a un blanco de virgen-con-el-niño en una obra titulada *No crean que soy una amazona* delante de un público numeroso en la Bienal de París de 1975. Este ataque simbólico a la tradicional supresión de las mujeres y la perspectiva

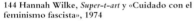

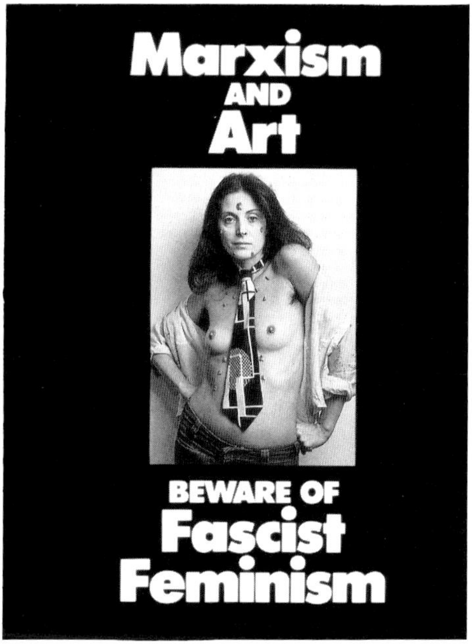

144 Hannah Wilke, *Super-t-art* y «Cuidado con el feminismo fascista», 1974

145 Rebecca Horn, *Unicornio*, 1971

esencialmente patriarcal del cristianismo fue presagiado por la representación de Hannah Wilke de ella misma como un Cristo femenino en *Super-t-art* (1974), como parte del espectáculo colectivo *Sopa y tarta* de Jean Dupuy en el Kitchen. El despliegue desinhibido de Wilke de su hermoso cuerpo que se refería a un cartel que ella hizo en esa misma época, titulado «Cuidado con el feminismo fascista», que advertía de los peligros de una cierta clase de puritanismo feminista que militaba contra las mujeres mismas, su sensualidad y el placer de sus propios cuerpos. *144*

Antes aún, otra artista alemana, Rebecca Horn, había ideado una serie de «modelos de rituales de interacción»: instrumentos especialmente hechos para adaptarse al cuerpo, el cual al usarlo generaba esa sensualidad. *Cornucopia-sesión de espiritismo para dos pechos* (1970) era un objeto en forma de cuerno hecho de fieltro que se ataba al pecho de una mujer, conectando los pechos con la boca. El traje para *Unicornio* (1971) era una serie de bandas blancas atadas por toda una figura femenina desnuda que llevaba el cuerno de un unicornio sobre la cabeza. Vestida de este modo, la figura caminaba a través de un parque en las primeras horas de la mañana como desafiando al espectador a ignorar su hermosa presencia. *Abanico de cuerpo mecánico* (1974), construida para cuerpos masculinos y femeninos, extendía las líneas del cuerpo en dos grandes semicírculos de tela, radiando y definiendo un espacio del cuerpo de los individuos. La rotación lenta de los abanicos separados revelaba *145* y ocultaba distintas partes del cuerpo con cada giro, mientras que una rotación rápida creaba un círculo transparente de luz.

Los asuntos tratados en muchas de estas performances fueron a menudo agrupados como arte feminista por los críticos que buscaban una manera fácil de categorizar el material, e incluso de socavar las intenciones serias de la obra. No obstante, la revolución social exigida por el feminismo tenía tanto que ver con los hombres como con las mujeres y algunas performances fueron construidas bajo esta luz. *Transformación: Claudia* (1973) era un comentario general tanto sobre el poder y el dinero como sobre el rol de las mujeres en la jerarquía creada por el poder y el dinero. Comenzaba con un caro almuerzo para una pequeña fiesta en el elegante y exclusivo Palm Court Restaurant en el Hotel Plaza de Nueva York, seguido por un recorrido por las galerías del Soho en la parte baja de la ciudad. Luego improvisaban diálogos y conductas que «tipificaban el modelo a imitar de la "mujer poderosa" mientras ella ha sido culturalmente estereotipada por las revistas de modas, la televisión y el cine». La obra, decían las artistas, planteaba preguntas acerca del conflicto entre los estereotipos y la realidad: «¿Puede una mujer ser femenina y poderosa al mismo tiempo?, o ¿es la mujer poderosa deseable?».

Esta pregunta del poder fue considerada desde un punto de vista completamente diferente en *Notas de prostitución* (1975), realizada por la artista californiana Suzanne Lacey en Los Ángeles. Encargada por Jim Woods del Studio Watts Workshop y consistente en extensos datos sobre prostitución, registrada durante un período de cuatro meses y presentada en los mapas de diez ciudades grandes, la obra intentaba «incrementar la conciencia y comprensión de quienes estaban en la vida de la prostitución». Los datos, dijo Lacey, «reflejaban una actitud subyacente de la sociedad hacia las mujeres, además de la experiencia común del tratamiento por parte de la sociedad».

En tanto que algunos artistas crearon performances que elevaban el nivel de conciencia del público, otros trataban fantasías y sueños privados. *Magnolia* (1976) de Susan Rusell, en el Artists Space de Nueva York, era una historia visual de treinta minutos de los sueños de una belleza del sur, una sección de la cual mostraba a Russell sentada delante de un filme de fondo de un campo de hierba agitada por el viento, su chal de plumas de avestruz agitado por un ventilador. *Ceremonias de sueños* y *Cartografía de sueños* (ambas de 1974), de la artista londinense Susan Hiller, fueron creadas mediante seminarios de sueños reales, realizados con un grupo de amigos en el campo abierto alrededor de una casa de labranza. Los miembros del grupo soñaban juntos cada noche durante un período de varios días, y comentaban e ilustraban sus sueños cada mañana al despertarse. La artista californiana Eleanor Antin ilustró sus propios sueños en la forma de varias performances donde, con la ayuda de trajes y maquillaje, se convertía en uno de los personajes de sus fantasías. *La bailarina y el vagabundo* (1974), *Las aventuras de una enfermera* (1974) y *El rey* (1975) (que celebraba el nacimiento de su yo masculino mediante la aplicación, pelo a pelo, de una barba falsa) fueron cada una un medio, dijo ella, de extender los límites de su propia personalidad.

La imitación, el material autobiográfico y onírico, el volver a representar gestos del pasado; todos abrieron la performance a una amplia variedad de interpretación. El artista parisiense Christian Boltansky, vestido con un traje viejo, presentaba camafeos de su propia infancia en una serie de obras como *Mi madre cosía*, en la cual él mismo cosía delante de una pintura intencionadamente infantil de la chimenea del hogar de su familia. En Londres, Marc Chaimowicz apareció con la cara pintada de dorado en una reconstrucción de su propia habitación en *Cuadro vivo de mesa* (1974) en el Garage. La performance de quince minutos era, dijo él, una reproducción de la sensibilidad femenina: «Delicadeza, misterio, sensualidad, sensibilidad y, por encima de todo, humildad».

Estilo de vida: ¡esto es espectáculo!

La naturaleza intimista y confesional de gran parte de la performance llamada autobiográfica había roto el predominio de los asuntos cerebrales y didácticos asociados a la performance orientada a lo conceptual. Esos artistas más jóvenes que rechazaron separar el mundo del arte de su propio período cultural —desde el mundo de la música rock, el extravagante cine de Hollywood (y el estilo de vida que éste sugería), el culebrón televisivo o el cabaré— realizaron una amplia variedad de obras que fueron, por encima de todo, decididamente espectáculo.

Según el artista escocés establecido en Londres Brue McLean, la clave para el espectáculo era el estilo y la clave del estilo era la postura perfecta. De modo que en 1972 fundó un grupo (con Paul Richards y Ron Carra) llamado Nice Style, The World's First Pose Band. La preparación preliminar para su obra se presentó en forma de 999 propuestas para fragmentos de posturas, en una autoproclamada retrospectiva en la Tate Gallery. Obras como *Camarero, camarero, hay una escultura en mi sopa, fragmento, Los tontos entran precipitadamente en Nueva York y crean el arte nuevo, fragmento* o *Llevando a una línea de paseo, fragmento*, publicadas en un libro negro y colocados como una alfombra de libros en el suelo, apuntaban a la clase de humor satírico que emplearía la Pose Band. La n.º 383 de las propuestas de McLean, *Quien ríe último hace la mejor escultura*, no dejaba dudas acerca de las intenciones del nuevo grupo.

Después de años de preparación y performances de preestreno en varios lugares de Londres, la Pose Band presentó una conferencia sobre «Postura contemporánea» (1973) en el Royal College of Art Gallery de Londres. Pronunciada por un conferenciante elegantemente vestido y con un tartamudeo muy notorio, estaba ilustrada por miembros del grupo vestidos de diversos modos con trajes espaciales plateados (inflados con un secador de pelo), indumentaria exótica y una distintiva gabardina cruzada. Las «posturas perfectas» que el conferenciante analizaba detenidamente eran demostradas con la ayuda de «moldes de posturas» o «modificantes físicos» (prendas de vestir con posturas incorporadas) construidas especialmente e instrumentos de medición gigantes que aseguraban la exactitud de un ángulo del codo o una cabeza inclinada. La discreta gabardina usada por uno del grupo era en efecto una pista iconográfica para todo estudiante de la postura: hacía referencia al héroe indiscutible del grupo, Victor Mature. Un poco en serio y un poco en broma, McLean explicó que Mature, «un mal actor confeso con 150 filmes para demostrarlo», se consideraba a sí mismo el producto de un estilo: «nada existe en el filme verdadero excepto el estilo». De hecho, dijo, Mature tenía más o menos quince gestos desde el tic de una ceja hasta el movimiento de un hombro mientras que su principal instrumento de estilo era su omnipresente gabardina. *Crisis de arruga* (1973) era un filme de performance en homenaje a la gabardina de Mature.

Durante todo 1973 y 1974 el grupo continuó la «investigación» de la postura, y presentó los resultados en divertidas performances en Londres; cada una tenía un título apropiadamente estrafalario *La postura que tomamos para lo más alto, ultracongelador* (1973), tuvo lugar en una sala de banquetes en el Hanover Grand, junto a Regent Street; *Visto desde el costado* (1973) era un filme de cuarenta minutos que se ocupaba «de los problemas del mal estilo, la superficialidad y la codicia en una sociedad que mantiene una postura para ser
146 muy importante»; y *En lo alto de un palacio barroco* (1974) era una comedia sobre «posturas de entrada y de salida». Para 1975 Nice Style se había disuelto, pero las propias performances siguientes de McLean continuaron caracterizándose por su inimitable humor y posturas escandalosas. Más aún, el aspecto irónico de su obra, al igual que toda sátira, tenía su lado serio: lo que se satirizaba era siempre arte.

De manera similar, el grupo General Idea (Jorge Zontal, A. A. Bronson y Felix Partz), fundado en Toronto en 1968, parodiaba la naturaleza demasiado seria del mundo del arte. Sus intenciones, decían ellos, eran ser «ricos — encantadores — y artistas» de manera que fundaron una revista, *File*, descrita por un crítico como «Dadá canadiense todo envuelto en una réplica en papel satinado a tamaño exacto de *Life*», en la cual los artistas se presentaban al estilo de las estrellas de Hollywood. En un número declararon que todas sus

146 Nice Style, The World's First Pose Band, ***En lo alto de un palacio barroco*****, representada en el Garage, Londres, 1974**

147 Cartel para *Obrando de acuerdo con las reglas* de General Idea, 1975

148 Traje de ciega veneciana (diseñado por General Idea) haciendo su interpretación en las pistas de esquí de Lake Louise, Alberta, 1977

performances serían de hecho ensayos para un *Espectáculo de la señorita General Idea* que tendría lugar en 1984. *Formación del público* (1975) consistió en el público «obrando de acuerdo con las reglas» de aplauso, risa y aclamaciones cuando el grupo le señalaba que debía hacerlo, y *Obrando de acuerdo con las reglas* se convirtió en el título del ensayo de una performance en la Art Gallery de Ontario en 1975, donde preestrenaron modelos del edificio propuesto que alojaría el futuro espectáculo en *Seis ciegas venecianas*: seis mujeres con trajes en forma de conos que sugerían el nuevo edificio, que descendían por una rampa al ritmo de los sonidos de una banda de rock en vivo. Luego los modelos hicieron giras por grandes almacenes, solares de la ciudad y pistas de esquí, «poniendo a prueba el nuevo edificio en la línea del horizonte». *147* *148*

Otros artistas hicieron también performances de trajes: Vincent Trasov caminó por las calles de Vancouver en 1974 como el Sr. Cacahuete con una cáscara de cacahuete, monóculo, guantes blancos y chistera, haciendo campaña a favor del cargo de alcalde; en la misma ciudad, Dr Brute, también conocido como Eric Metcalfe, apareció con trajes hechos de manchas de leopardo de su colección premiada llamada *Bienes raíces del leopardo* (1974); el artista de San Francisco Paul Cotton interpretó una performance como un *150*

149 Pat Oleszko, *Abrigo de brazos* (veintiséis brazos), 1976

150 Vincent Trasov como el Sr. Cacahuete, Vancouver, 197

conejito con sus genitales empolvados de rosa sobresaliendo del traje lanudo en Documenta (1972), y la artista neoyorquina Pat Oleszko apareció en un
149 programa de performances, «Alinearse», en el Museum of Modern Art (1976) con su *Abrigo de brazos*: un abrigo de veintiséis brazos.

Los artistas de la performance se inspiraron en todos los aspectos del espectáculo para la estructura de sus obras. Muchos se orientaron hacia las técnicas del cabaré y el teatro de variedades como medio para transmitir sus ideas, de manera muy similar a como los dadaístas y futuristas habían hecho antes: *Ralston Farina haciendo una demostración de pintura con sopa de pollo con fideos/tomate de Campbell* (1977) fue una de las muchas muestras mágicas de Farina en las que utilizó «arte» como accesorios, y donde la intención, decía, era una investigación de «tiempo y medida del tiempo». De manera similar, *Cuarto espectáculo* de Stuart Sherman, en el Whitney Museum (1976), fue representado a la manera de un showman ambulante: hacía almohadas, tiradores de puertas, sombreros de safari, guitarras y palas a partir de cajas de cartón y luego procedía a demostrar la «personalidad» de cada objeto por medio de gestos y sonido producido en un magnetófono cercano.

Hacia mediados de la década de 1970, un considerable número de artistas de la performance habían entrado en el campo del espectáculo, haciendo performances de artistas cada vez más populares con grandes cantidades de gente. Se organizaron festivales y shows de grupos, algunos de varios días de duración. *El show de la performance* (1975), en Southampton, Inglaterra, reunió a muchos artistas británicos, entre ellos Rose English, Sally Potter y Clare Weston, mientras que en Nueva York Jean Dupuy organizó varias veladas de performances con hasta treinta artistas anunciados para cada programa. Uno de esos actos fue *Tres noches en un escenario giratorio* (1976) en la Judson Memorial Church; otro fue *Ojetes* (1977), para el cual veinte artistas fueron separados en dos filas de barracas de lona construidas en el desván de Broadway del propio Dupuy. Los visitantes miraban a través de ojetes metálicos, subiéndose a escaleras de mano para alcanzar las barracas superiores para ver las obras de artistas como Charlemagne Palestine, Olga Adorno, Pooh Kaye, Alison Knowles y el propio Dupuy, reducidos a escala para encajar en las condiciones de «show de máquinas de un penique». Más aún, para satisfacer la nueva demanda, galerías como The Kitchen Center for Video and Music y Artists Space en Nueva York, De Appel en Amsterdam y Acme en Londres, llegaron a dedicarse específicamente a la representación de performances. Los agentes de contratación se ajustaron al número cada vez mayor de performances, y creció el interés en la historia del medio: en Nueva York se representaron reconstrucciones de performances futuristas, dadaístas, constructivistas y de la Bauhaus, además de reconstrucciones de trabajos más recientes, como una velada completa de actos de Fluxus.

La estética punki

El reconocimiento oficial de museos y galerías incitó a muchos artistas jóvenes a encontrar lugares de reunión menos tranquilos para su obra. Históricamente, los artistas de la performance siempre habían estado libres de toda dependencia del reconocimiento del *establishment* para sus actividades y, además, habían actuado resueltamente contra el estancamiento y el academicismo asociado a ese *establishment*. A mediados de la década de 1970 fue de nuevo la música rock la que sugirió una salida. Para entonces el rock había experimentado una interesante transición desde la música sumamente sofisticada de la década de 1960 y comienzos de la de 1970 a la música que era intencional y agresivamente amateur. El rock punki en sus primeras etapas —alrededor de 1975 en Inglaterra y poco después en Estados Unidos— fue inventado por «músicos» jóvenes, sin formación e inexpertos, que tocaban las canciones de sus héroes de la década de 1960 con total descuido de las cualidades convencionales del ritmo, el tono o la coherencia musical. Enseguida los roqueros punkis estaban escribiendo sus propias letras perversas (que, en Inglaterra, eran a menudo la expresión de jóvenes de la clase obrera en paro) e idearon métodos igualmente escandalosos de presentación: la nueva estética, como lo demostraron los Sex Pistols o The Clash, se caracterizó por pantalones rasgados, estrafalario pelo despeinado y adornos de imperdibles, hojas de afeitar y tatuajes corporales.

En Londres, Cosey Fanni Tutti y Genesis P. Orridge alternaron entre performances de arte, como COUM Transmissions, y performances punkis, como Throbbing Gristle. Fue como COUM que provocaron un escándalo

151 en Londres en 1976; su exposición «Prostitución» en el Institute of Contemporary Arts, consistía en documentación de las actividades de Cosey como modelo para una revista pornográfica, provocó un escándalo en la prensa y el Parlamento. A pesar de la advertencia en la invitación de que no se admitiría a los menores de dieciocho años, la prensa se sintió ultrajada y acusó al Arts Council (que patrocinaba en parte el Institute of Contemporary Arts) de despilfarrar el dinero público. Con posterioridad se prohibió de manera no oficial a COUM exponer en las galerías de Inglaterra, y lo mismo se hizo con Sex Pistols al año siguiente, cuando las emisoras de radio incluyeron sus discos en la lista negra.

El precedente de estudiantes de arte convertidos en «músicos» había sido establecido antes de éste por estrellas como John Lennon, Bryan Ferry y Brian Eno, y por grupos como The Moodies, con su parodia satírica de los blues melancólicos de la década de 1950, y The Kipper Kids, con su imitación sádica de los «boy scouts», desnudos de cintura para abajo y bebiendo whisky, que tuvieron apariciones regulares en lugares como el Royal College of Art Gallery y el Garage, en Londres. En Nueva York, el club de rock punki CBGB's fue frecuentado por una generación de artistas jóvenes que pronto fundaron sus propias bandas y se unieron a la nuela ola. Alan Suicide (también conocido como Alan Vega), artista en neón y electrónica, y el músico de jazz Martin Rev interpretaron su «música de ecos» en CBGB's, a menudo se anunciaron en el mismo programa que The Erasers, otro grupo de artistas convertidos en punkis en 1977.

Para muchos artistas la transición del punki del arte al antiarte no fue absoluta, puesto que todavía consideraban que la mayor parte de su obra era performance de artistas. No obstante, la estética punki tiene un efecto en la obra de muchos artistas de la performance: Diego Cortez habitualmente interpretaba con su equipo de chaqueta de cuero, el pelo liso y brillante peinado hacia atrás y gafas de sol oscuras, mientras que Robin Winters arrojaba porros de marihuana al público como un gesto preliminar a su *El hombre mejor contratado del estado* (1976) y acababa la performance de media hora con un suicidio fingido. El espíritu de muchas de estas obras era subversivo y cínico; en varios aspectos se acercaba mucho a algunas performances futuristas, puesto que rechazaban los valores y las ideas del *establishment*, exigiendo que el arte del futuro fuera algo completamente integrado en la vida.

Esta generación de artistas de casi treinta años, que comenzaron a interpretar públicamente en 1976 o 1977, tenían claramente una visión de la realidad y el arte que ya era completamente diferente de la obra de los artistas sólo unos pocos años mayores. Su nuevo estilo de performance, en tanto que refleja la estética punki, con sus actitudes anarquistas y abiertamente sádicas y eróticas, eran, al mismo tiempo, una sofisticada mezcla de precedentes de performances recientes con sus estilos de vida y sensibilidades propios. *Preestreno para Lou y Walter* (1977) de Jill Kroesen en el Artists Space, fue estructurada con gente, personajes y emociones orquestadas de la misma manera que un compositor manipula el timbre y el tono. A pesar de estas consideraciones formales, el contenido de la obra era decididamente parecido al punki: era el relato de una comunidad de granjeros rústicos que desahogaban su frustra-

151 COUM Trnsmissions, «Prostitución», en el Institute of Contemporary Art, Londres, 1976

ción por habérseles impedido fornicar con las ovejas locales bailando zapateado. Como los personajes «Share-If» (sheriff) y «If Be I» (FBI) zapateaban su rutina, los andróginos amantes Lou y Walter cantaban canciones como *Sueño pederasta* o *Celebraciones de sadomasoquismo*, completando el argumento: «Oh, Walter, sólo soy una pequeña Lou/Oh, Walter, estoy tan enamorada de ti [...]. Oh, Walter, aprieta el puño no te corras dentro/Oh, Walter, no laceres mi piel».

Algunos de los artistas de la generación más joven también comenzaron a utilizar la performance en conjunción con la cinematografía, la pintura y la escultura. En Nueva York, Jack Goldstein, un realizador de filmes y discos inusuales como *Murder* y *Burning Forest*, representó una obra titulada *Dos esgrimidores* (1978), en la cual dos figuras fantasmales esgrimían en la oscuridad, sus cuerpos blancos iluminados por una luz fluorescente, con su disco del mismo nombre. Robert Longo adaptó el espíritu de su «fotografía sólida» —relieves pintados hechos a partir de dibujos derivados de fotogramas de filmes— a un tríptico de performance, *Distancia de sonidos de un hombre bueno.* 152
Una obra de siete minutos montada delante de una pared y representada en plataformas escalonadas, unía tres imágenes esculturales que recordaban los relieves murales de Longo: dos luchadores musculosos se agarraban fuertemente bajo un reflector sobre un disco que giraba lentamente a la izquierda del espectador, y una figura femenina vestida de blanco cantaba un fragmen-

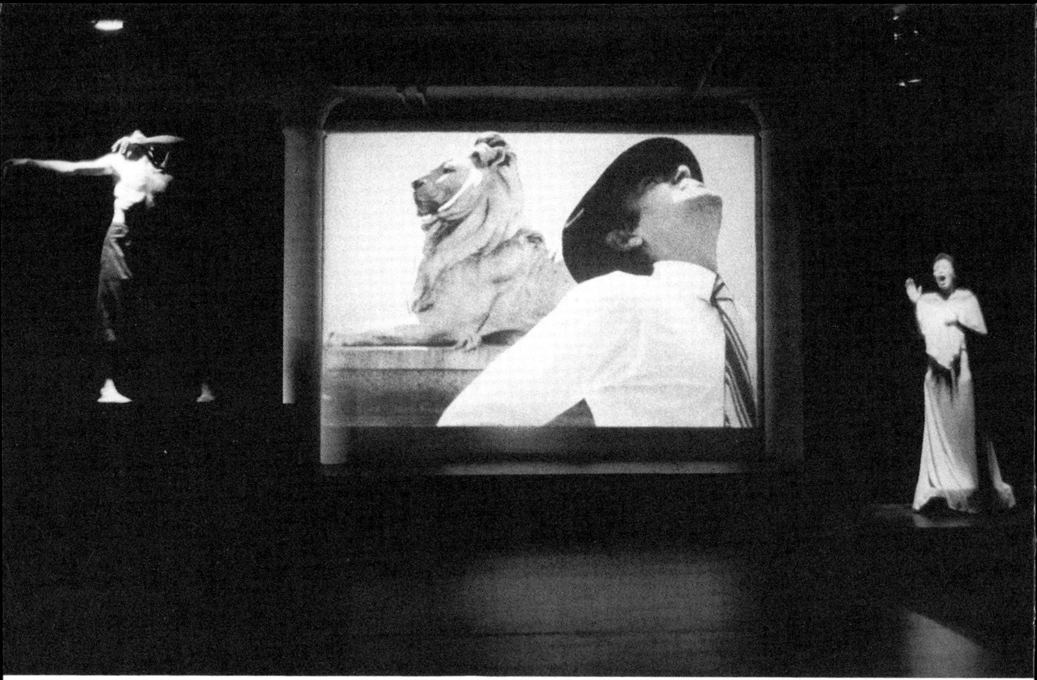

152 Robert Longo, ***Distancia de sonidos de un hombre bueno*****, 1978**

to de una ópera a la derecha, mientras que un filme de la cabeza de un hombre (que mostraba un extraordinario parecido con el fragmento del filme a partir del cual estaba hecho uno de los relieves pintados) delante de una estatua de un león, aparecía en el «panel» central.

El margen de la performance

Durante la década de 1970, mientras un considerable número de artistas más jóvenes pasaban directamente de la escuela de arte a la performance como su medio elegido, un número cada vez mayor de dramaturgos y músicos de Estados Unidos también trabajaron directamente en el contexto de la performance, como habían hecho los bailarines y músicos que dominaron la década de 1960: Terry Riley, Phil Glass, Steve Reich, Alvin Lucier y Charlemagne Palestino, por ejemplo. Los jóvenes artistas de la performance utilizaron la música como el elemento principal de su obra, como Connie Beckley, de orientación «clásica», o grupos «New Wave» como Peter Gordon y su Love of Life Orchestra, The Theoretical Girls o The Gynecologists, también aparecieron en los lugares del reunión del performance art como el Kitchen y Artist Space.

Mientras tanto, en otra zona, los grandes espectáculos de Robert Wilson y Richard Foreman mostraban cuán lejos podían llevarse algunas de las ideas corrientes de la performance cuando se representaban a gran escala. *La vida y la época de Sigmund Freud* (1969) de doce horas de duración, *La vida y la época*

de Iósif Stalin (1972), *Una carta para la reina Victoria* (1974) y *Einstein en la playa* 154, 155
(1976) de Wilson se inspiraban principalmente en artistas y bailarines para el reparto (su trabajo en el teatro y la danza se había visto enriquecido por sus antecedentes en arte y arquitectura), dieron por resultado una obra gigantesca: una verdadera *Gesamtkunstwerke* wagneriana. El Ontological-Hysteric Theater de Foreman (representado en su propio desván de Broadway en la parte baja de la ciudad) reflejó las preocupaciones del performance art además del teatro de vanguardia.

Mientras que las performances eran por lo general actos únicos y breves, mínimamente ensayados y que duraban más o menos de diez a quince minutos, las obras ambiciosas de Wilson y Foreman pasaban por varios meses de ensayos, duraban desde al menos dos horas hasta doce, en el caso de Wilson, y tenían repeticiones durante varios meses. Tales obras representaban un desarrollo del teatro experimental estadounidense a partir de The Living Theatre y The Bread and Puppet Theatre y mostraban las influencias de Artaud y Brecht (en los espectáculos de Foreman) o los dramas musicales de Wagner (en los de Wilson), y también habían asimilado ideas de Cage, Cunningham, danza nueva y performance art. El trabajo que aquí se denomina el margen de la performance es una síntesis de estas corrientes.

Llamado «Teatro de las imágenes» por el crítico neoyorquino Bonnie Marranca, el margen de la performance era no literario: un teatro dominado por las imágenes visuales. La ausencia de una narración sencilla y diálogo, argumento, personaje y decorado como un lugar «realista», enfatizaba el «cuadro del escenario». Las palabras pronunciadas se centraban en la manera de presentación por parte de los intérpretes y en la percepción del público *al mismo tiempo*. En *Condescendiendo con las masas: una tergiversación* (1975), la voz grabada de Foreman hablaba directamente al público asegurándose de que cada sección era «correctamente» interpretada a medida que ocurría. De manera similar, en su *Libro de esplendores: segunda parte (libro de palancas) acción a* 153
distancia (1976), la acción era representada e interpretada simultáneamente. Mientras la primera actriz, Rhoda (Kate Manheim), pasaba de secuencia a secuencia, su voz grabada formulaba preguntas que el autor sin duda se habría preguntado mientras escribía: «¿Por qué me sorprendo cuando escribo y no cuando hablo?», «¿Cuántas ideas nuevas puede introducir en su cabeza al mismo tiempo?», a las cuales ella respondía: «No son ideas nuevas, sino nuevos lugares para poner ideas».

Este *lugar* era el teatro inusual de Foreman. En su prefacio a *Condescendiendo con las masas*, escribió: «La obra evolucionó durante sus dos meses de ensayos de tal modo que se le hicieron pequeñas ciertas características del bastante inusual espacio de la representación del desván del Ontological-Hysterical Theater». Éste consistía en una habitación estrecha, la zona del escenario y la del público eran ambas de sólo poco más de cuatro metros de anchura. El escenario tenía casi veintitrés metros de profundidad, los primeros seis metros estaban al nivel del suelo, los siguientes nueve metros tenían una inclinación pronunciada, para finalmente nivelarse a más o menos un metro ochenta de altura durante la profundidad restante. Paredes correderas entraban desde el costado del escenario, lo que proporcionaba una serie de

153 Richard Foreman, ***Libro de esplendores: segunda parte (libro de palancas) acción a distancia,*** **1976**

rápidas alteraciones del espacio. Este espacio especialmente construido determinaba el aspecto pictórico de la obra: objetos y actores aparecían en una serie de cuadros vivos estilizados, forzando al público a contemplar cada movimiento dentro del marco del cuadro del escenario.

Estos cuadros vivos visuales estaban acompañados por «cuadros vivos auditivos»: sonido que surgía de altavoces estéreos circundantes. La superposición de Foreman de voces y sonidos grabados a la acción intentaba penetrar la conciencia del público: las voces que llenaban el espacio eran el autor pensando en voz alta, ni más ni menos. Estos indicios de las intenciones detrás de la obra —presentados dentro de la obra— tenían la intención de provocar similares preguntas inconscientes en el público. De este modo, el Teatro de las imágenes concedió una importancia considerable a la *psicología* de hacer arte.

Robert Wilson utilizó la psicología personal de un adolescente autista, Christopher Knowles, como material en sus espectáculos. Tras haber colaborado con Knowles durante muchos años, Wilson pareció asociar su mundo de extraordinaria fantasía y el uso del lenguaje con el preconsciente y la inocencia. Más aún, el lenguaje de Knowles estaba notablemente cerca de las «palabras en libertad» tan admiradas por los futuristas, y sugirió a Wilson un estilo de diálogo. De manera que en lugar de considerar el autismo de

Knowles un obstáculo para la expresión en un mundo normal, Wilson utilizó la fenomenología del autismo como material estético.

Los textos de los espectáculos de Wilson eran escritos en colaboración con la compañía, incluyendo errores ortográficos, gramática y puntuación incorrecta como un medio de no hacer caso al uso y significado convencionales de las palabras. Las secciones habladas eran intencionalmente irracionales o, a la inversa, tan «racional» como todo pensamiento inconsciente. Así, por ejemplo, un pasaje de *Una carta para la reina Victoria* decía: *154*

1. MANDA LE GUSTA UN BUEN CHISTE SABES. ELLA UNA ABOGADA TAMBIÉN
2. DEJA FREGAR ALGUNOS PLATOS
1. ¿QUÉ HACES QUERIDA MÍA?
2. OH ELLA ES UNA ASISTENTA SOCIAL
1. LO BELLO PONE A PRUEBA LA GRACIA
2. MANDA NO HAY ACCIDENTES

(acto I, sección 2)

Se hacía referencia a los intérpretes mediante números en lugar de nombres, y a menudo aparecían objetos (cisterna, roca, lechuga, cocodrilo) que aparentemente carecían de relación con la acción en el escenario. Las obras no tenían comienzo ni fin en el sentido tradicional, sino que eran una serie de declamaciones, danzas, cuadros vivos y sonido de asociaciones oníricas o libres, cada una de las cuales podía tener su propio tema breve, pero que no estaban necesariamente relacionadas con la siguiente. Cada sección servía de imagen, de medio por el cual el dramaturgo expresaba una sensibilidad particular

154 Robert Wilson, ***Una carta para la reina Victoria*****, 1974**

cuyo punto de partida podía ser evidente, o no, para el público. Por ejemplo,
154 en su prefacio a *Una carta para la reina Victoria*, Wilson señaló que la obra surgía «de algo que vi y algo que alguien dijo». Describía las fuentes del material temático además de las visuales, explicando que su primera decisión para establecer la «arquitectura» del escenario en diagonales estaba confirmada en dos circunstancias fortuitas. Primero había visto una fotografía de Cindy Lubar, «llevando un trozo de muselina colgado en forma triangular con un agujero para la cabeza. Parecía un sobre». Wilson vio esto como un grupo de diagonales colocadas en un triángulo. Luego alguien mencionó en la conversación un cuello de camisa, que él se dio cuenta de que tenía la misma forma que un sobre. De acuerdo con esto el escenario se dividió en secciones diagonales y los actores representaban a lo largo de esas diagonales en el primer acto. El título y las primeras líneas del espectáculo procedían de una copia de una carta enviada realmente a la reina Victoria («me gustó porque era el lenguaje del siglo XIX»): «Aunque de ningún modo poseído del honor de una presentación, y de hecho infinitamente alejado de ser digno de él, sí, singularmente inadecuado para la exposición a la brillantez de vuestro sol...».

155 *Einstein en la playa*, representada por primera vez en julio de 1976 en el Festival de Aviñón y luego en la Bienal de Venecia y en una extensa gira europea (pero no en Inglaterra), fue finalmente representada en el Metropolitan Opera House de Nueva York. Derivada de conversaciones e imágenes que se habían estado tramando en la mente de Wilson durante algún tiempo y que expresaban su fascinación por el efecto de las teorías de la relatividad de Einstein en el mundo contemporáneo. Un espectáculo de proporciones extraordinarias, la representación de cinco horas de duración reunió al músico Philip Glass y su compañía, los bailarines Lucinda Childs y Andrews deGroat (que hizo la coreografía de la obra), Sheryl Sutton y muchos otros, todos los cuales trabajaron con Wilson desde la etapa de la escritura del guión. Decorados elaborados representaban un castillo surrealista, una sala de tribunal, una estación de ferrocarril y una playa, con torres, un enorme rayo de luz que colgaba por encima del centro del escenario en un punto, y una «fábrica» de ciencia-ficción con luces parpadeantes y símbolos de ordenador. Eran todos diseños del propio Wilson. La extraordinaria música de Glass, que era en parte electrónica, contribuía a la primordial continuidad de la obra, en tanto que una de las secuencias de danza de Childs, en que ella se paseaba rígidamente de un lado a otro de la misma diagonal durante más de media hora, hipnotizaba al público.

Wilson describió ambas obras como óperas, y su «unificación de las artes» en estas representaciones ofrecía un equivalente moderno a las aspiraciones de Wagner. Unió los talentos de algunos de los más inventivos intérpretes del arte, utilizando los medios de comunicación más «tradicionales» de teatro, filme, pintura y escultura. Su obra de 1977 *Estoy sentado en mi patio aparece este tipo y pienso que estoy alucinando* es más compacta y escueta, en ella se abstiene de la extravagancia de las «óperas» anteriores. No obstante, el margen de la performance, en tanto que estaba suspendido entre la performance de artistas y el teatro de vanguardia, fue el producto de ambos.

155 La escena final de *Einstein en la playa* de Wilson, 1976

Al mismo tiempo, los requisitos extremadamente elaborados y a gran escala de empresas como las de Wilson hacían que su obra pareciera mucho más tradicional que la mayor parte del performance art. De hecho, si su escala era sintomática de la incrementada importancia de la performance a fines de la década de 1970, este aspecto abiertamente teatral también indicó una nueva dirección para la década de 1980. Wilson no sólo dirigió obras teatrales utilizando textos preexistentes, como en su ópera con el compositor Gavin Bryars de *Medea* (1981) de Eurípides, o en *La máquina de Hamlet* (1986) de Heiner Muller, pero el texto en sí mismo comenzó a desempeñar un papel significativo, aunque todavía algo abstruso, en sus nuevas representaciones. Wilson declaró que sus intenciones eran llegar a un público más amplio, crear obras «en la escala del extenso teatro popular».

La generación de los medios de comunicación

En 1979, el desplazamiento de la performance hacia la cultura popular se reflejó en el mundo del arte en general, de manera que a comienzos de la nueva década la oscilación proverbial del péndulo fue completa; en otras palabras, el idealismo antiestablishment de la década de 1960 y comienzos de la de 1970 había sido categóricamente rechazado. Un espíritu completamente diferente de pragmatismo, empresariado y profesionalismo, por completo ajenos a la historia de la vanguardia, comenzó a hacerse aparente. De manera bastante interesante, la generación que creó este cambio radical de postura en su mayor parte comprendía estudiantes de artistas conceptuales que comprendieron los análisis de sus mentores del consumismo y los medios de comunicación, pero rompieron la norma cardinal del arte conceptual, del concepto por encima del producto, pasando de la performance y el arte conceptual a la pintura. Las nuevas pinturas eran a menudo completamente tradicionales —muchas eran figurativas y/o expresionistas en cuanto al contenido—, aunque a veces estaban llenas de imágenes de los medios de comunicación. En respuesta a esta obra asequible y osada, unos pocos propietarios de galerías y sus clientes recientemente ricos, además del ocasional equipo de relaciones públicas, introdujeron una generación nueva y muy joven de artistas en el mercado del arte; al cabo de muy pocos años, en 1982, algunos artistas se convirtieron de desconocidos que luchan por sobresalir en opulentas estrellas del arte. De este modo el mundo del arte de la década de 1980, en Nueva York en particular, fue criticado por su desproporcionada atención al «bombo publicitario» y el negocio comercial del arte.

El artista como celebridad de la década de 1980 casi llegó a reemplazar a la estrella del rock de la década de 1970, aunque la mística del artista como mensajero cultural sugería un papel más del *establishment* que el que había desempeñado la estrella del rock. De hecho, este volver al redil de la burguesía tenía tanto que ver con una época política abrumadoramente conservadora como con la llegada de la época de la generación de los medios de comunicación. Criados a base de televisión las veinticuatro horas del día y una dieta cultural de filmes de la serie B y «rock and roll», los artistas de la performance de la década de 1980 interpretaron que el antiguo grito para derribar las barreras entre vida y arte era cuestión de derribar las barreras entre arte y los medios de comunicación, también expresado como un conflicto entre arte bueno y arte malo. Una obra principal que marcó un hito al cruzar estos
156 márgenes fue *Estados Unidos* de Laurie Anderson, una obra de ocho horas de duración consistente en canción, narración y prestidigitación, representada en la Brooklyn Academy of Music en 1982 (de hecho fue una amalgama de cortas historias visuales y musicales creadas durante seis años). *Estados Unidos* era un paisaje aplanado que la evolución de los medios de comunicación había dejado atrás: cuadros dibujados a mano y proyectados, fotografías tomadas de la pantalla del televisor ampliadas y filme truncado formaban telones de fondo de tamaño de ópera para canciones acerca de la vida como un «circuito cerraaaado». Ella cantaba y decía una canción de amor *Dejemos que* $x = x$, por medio de un vocalizador que hacía que su voz sonara como la de un robot sugiriendo una mezcla melancólica de emociones con habilidad tecnológica. *Oh Superman*, una canción en mitad del show, era una petición de socorro contra la manipulación de la controladora cultura de los medios de comunicación; era el grito de una generación agotada por el artificio de los medios de comunicación.

La encantadora presencia escénica de Anderson y su obsesión por la «comunicación» fueron cualidades que le permitieron llegar a los públicos más extensos posibles. De hecho, en 1981 había firmado un contrato con la Warner Brothers (E.U.A.) para seis discos de modo que, por lo que al público se

156 Laurie Anderson, *Estados Unidos partes 1 y 2*, en la Brooklyn Academy of Music, 1980

refería, *Estados Unidos* marcó el comienzo de la «presentación en sociedad» de la performance en la cultura de masas. Pues aunque a fines de la década de 1970 la performance había sido aceptada como medio por derecho propio por parte de la jerarquía institucional del mundo del arte, a comienzos de la de 1980 entró en el mundo comercial.

Otros dos artistas de Nueva York establecieron precedentes para esta traspaso. Eric Bogosian y Michael Smith comenzaron ambos como números cómicos a fines de la década de 1970 en los clubes nocturnos a altas horas de la noche del Lower Manhattan, y ambos al cabo de cinco años aparecieron con gran éxito en el «otro lado» mientras que conservaron el paradójico título de artistas de la performance. Además, su temprano logro animó a muchas discotecas que abrieron durante los siguientes cinco años a representar performances como espectáculo nocturno y de este modo produjeron un nuevo género: el cabaré de artistas.

Eric Bogosian, un actor formado en la representación en el contexto del arte, comenzó en la tradición de intérpretes en solitario, tomando como modelos a Lenny Bruce, Brother Theodore y Laurie Anderson. Creó una serie de personajes surgidos de los guiones de radio, televisión y cabaré; comenzando en 1979 con «Ricky Paul» —un beligerante actor machista con un pervertido y antiguo humor verde— añadió nuevos retratos que a mediados de la década de 1980 abarcaban un museo de pintura de tipos masculinos estadounidenses: enojado, a menudo violento o desesperanzadamente deprimido. Representados en poderosas performances en solitario con títulos como *Interior de los hombres* (1981) o *Bebiendo en Estados Unidos* (1985/86), eran una diatriba acumulativa contra una sociedad deshumanizada. Interesado tanto por la forma como por el contenido, el retrato de Bogosian tomó lo mejor de la performance, su enfoque imaginista y las apropiaciones de los medios de comunicación que estaban de moda en ese momento, y lo emparejó con la fineza y la confianza del actor sumamente hábil. Su enfoque era «enmarcar» cada personaje, enfatizando los clichés y convenciones de las técnicas de actuación manipuladoras, mientras que al mismo tiempo construía «cuadros» rígidos y aislados que reflejaban las preocupaciones similares de sus pares de las bellas artes. Esta combinación, como sucedió con Anderson, atrajo la atención de los partidarios de más allá de la parte baja de Nueva York, de modo que en 1982 Bogosian, como escritor y como actor, había conseguido productores, al año siguiente una prestigiosa compañía de agentes, y al año después de esto, contratos de cine y televisión.

El traspaso de Michael Smith no fue tan completo como el de Bogosian, pero él fue un ejemplo temprano del artista/actor de la performance que, de maneras muy diferentes, caracterizó la dirección general del arte a comienzos de la década de 1980. Con su persona escénica Mike, Smith trabajaba en el límite entre performance y televisión, haciendo cintas de vídeo y performances que eran una combinación de ambas. En *La casa de Mike* (1982), representada en el Whitney Museum, se construyó un estudio de televisión —con camerino y pequeña cocina para los actores— cuyo centro era una «sala de estar». En lugar de interpretar en persona, Smith aparecía en una cinta de media hora en el televisor de la «sala de estar»; *Comienza en el hogar* mostraba a Mike hablando por teléfono con su detestable «productor» Bob (en realidad la voz de Bogosian), discutiendo la posibilidad de un importante show de comedia de televisión.

Este cuadro del artista de la performance soñando en llegar a ser una celebridad en el mundo de los medios de comunicación, captó perfectamente la

157 *Página anterior*: Ann Magnusson, *Especial de Navidad*, representado en The Kitchen Center, Nueva York, 1981

158 Eric Bogosian en una performance de cabaré temprana como «Ricky Paul», en el efímero Snafu Club, Nueva York, agosto de 1980

159 Karen Finlay se sobreexcita en contra de la domesticidad urbana en *Estado constante de deseo*, una performance teatral en solitario en The Kitchen Center, Nueva York, 1986

160 Tom Murrin en su *Diosa de la luna llena*, un acto ágil de menos de diez minutos, que usaba para su traje material «encontrado en la calle», representado en PS 122, Nueva York, 1983

ambivalencia del artista de la performance: cómo hacer el paso sin perder la integridad y la protección —explorar un nuevo territorio estético— del mundo del arte. Ser descubiertos por los medios de comunicación no era la única meta de los nuevos actores de la performance que representaban todas las noches en los clubes del East Village en la parte baja de Manhattan como The Pyramid, 8 BC, The Limbo Lounge o el Wow Café, y la propia vitrina «institucional» del East Village, PS 122 (los principales presentadores del cabaré de artistas entre 1980 y 1985). Más bien, estos artistas eligieron abrir nuevos caminos distanciados de los lugares de reunión y los intérpretes más establecidos. Hacían obras toscas y ligeramente esbozadas que exploraban los límites entre la televisión y la vida real, sin sugerir que estuvieran decididos por ninguno de las dos. Carroñeros de los medios de comunicación pospunki y conocedores de la cultura de masas, crearon su propia versión del cabaré de arte con algunas atractivas combinaciones de energía y estilo pasadas de moda de los shows televisivos y de vodevil favoritos, salpicada aquí y allí con un poco de sordidez que era suficiente para la parodia.

A pesar de las posibilidades de trabajar en escenarios donde había pocas garantías de un público atento, y del hecho de que los clubes estaban intentando obtener ganancias, que presionaban a los artistas para que tuvieran éxito real en su misión de atraer al público en general, muchos artistas hicieron un trabajo fascinante. John Kelly creó minidramatizaciones de la biogra-
159 fía dominada por la angustia del artista Egon Schiele; Karen Finlay desafió la pasividad del público con amenazantes temas de exceso y privación sexual, y
157 Anne Magnusson aparecía como diversas estrellas de los culebrones televisivos. Otros, como The Alien Comic (Tom Murrin) y Ethyl Eichelberg, poseían años de experiencia en el teatro experimental para usar inexplorados y
160 vigorosos lugares de reunión para su nueva obra. Lo cómico de Murrin consistía en ser un cuentista muy ágil de sagas del East Village, mientras que Eichelberger llevó el acto del transformismo más allá de sus preocupaciones por el travestismo hasta el campo de la novela y la sátira con su colección de divas histéricas e históricas desde Nefertiti y Clitemnestra hasta Isabel I, Carlota de México y Catalina la Grande. De hecho, para muchos las peculiaridades de la performance de clubes proporcionaban límites útiles: el resultado era una obra inusualmente penetrante en su enfoque y lúcida en su ejecución.

John Jesurun, un cineasta, escultor y ex ayudante de dirección de realización de televisión, sacó provecho de esa clase de escenario; le gustaban las «circunstancias reales» (un club comercial) y las personas del público «real» que eran, como él, miembros de la generación de los medios de comunicación. Su *Chang en una luna vacía* (junio de 1982-83) era un «serial del filme vivo», presentado en episodios semanales en The Pyramid Club, que utilizaba técnicas de escenificación adaptadas del cine: panorámicas, flashbacks y cortes. Jesurun no simplemente obtuvo fotografías de los medios de comunicación ni acercó el arte a la corriente principal de la cultura; más bien entró directamente en el filme y la televisión, oponiendo las realidades del celuloide y las de carne y hueso o, como Jesurun explicaba, «la yuxtaposición de
161 decir la verdad y decir mentiras». En *Sueño profundo* (1985), por ejemplo, cuatro personajes comenzaban en el escenario mientras que dos aparecían

161 El teatro de alta tecnología de John Jesurun altera los límites entre los medios de comunicación y la vida real. En *Sueño profundo*, representada en La Mamma, Nueva York, en 1986, un muchacho joven es encarcelado en el filme para nunca regresar a la carne

más grandes que el tamaño natural en pantallas suspendidas en cada extremo del espacio de la representación. Uno tras otro, cada uno era absorbido en el filme, como los genios a través del cuello de una botella, hasta que quedaba una figura solitaria para manejar y sostener el proyector. En *Agua brava* (1986) actores vivos y «cabezas parlantes», en veinticuatro monitores de circuito cerrado rodeando al público, se enzarzaban en una batalla verbal de noventa minutos acerca de la ilusión y la realidad. Cronometrada como el «tic-toc» de un metrónomo de manera que el diálogo en vivo y el grabado se entretejían perfectamente, el «teatro de vídeo» de Jesurun era un importante indicador del tiempo; pues su drama de alta tecnología era tanto un ejemplo de la mentalidad de los medios de comunicación dominantes como de la nueva teatralidad de la performance.

Hacia el teatro

A mediados de la década de 1980, la contundente aceptación de la performance como «espectáculo de vanguardia» de moda y divertido (la *People Magazine*, de tirada masiva, la llamó *la* forma de arte de la década de 1980) se debió en su mayor parte al giro de la performance hacia los medios de comunicación y hacia el espectáculo desde más o menos 1979 en adelante. Más asequible, el nuevo trabajo prestó atención a la decoración —trajes, decorados e iluminación— y a los vehículos más tradicionales y familiares como el cabaré, el vodevil, el teatro y la ópera. En escalas grande o pequeña —en un teatro de ópera como la Brooklyn Academy of Music o en un «escenario abierto» íntimo como los Riverside Studios de Londres— la dramatización de efectos era una parte importante de la totalidad. Es interesante señalar que la performance vino a llenar el hueco entre espectáculo y teatro y en ciertos casos de hecho revitalizó el teatro y la ópera.

En efecto, el regreso a las bellas artes tradicionales por una parte, y la explotación del arte teatral tradicional por la otra permitió a los artistas de la performance tomar algo prestado de ambos para crear un nuevo híbrido. El «teatro nuevo» obtuvo licencia para incluir todos los medios de comunicación, usar la danza o el sonido para redondear una idea, o empalmar un filme
162 en medio de un texto, como en *El país de los sueños arde* (1986) del Squat Theater. A la inversa, se había dado a la «performance nueva» licencia para adquirir elegancia, estructura y narración, como en *Café Viena* (1984) que, además de su escenario inusualmente en capas (quitadas, cuña a cuña a medida que la acción progresaba), tenía un guión hecho y derecho como su aspecto más inusual. Otras obras, incluida la gira autobiográfica de paisajes del pasado de Spalding Grey, como *Nadando hasta Camboya* (1984) y *Trilogía* (1973-) de Grey y Elizabeth Le Comte, inicialmente representada en The Perfomung Garage (un teatro experimental), más tarde se vieron tan a menudo en la performance como en el circuito teatral.

En Bélgica, las performances sumamente teatrales de Jan Fabre, como
163 *Esto es teatro como era de esperar y prever* (1983) o *El poder de la locura teatral*

162 *El país de los sueños arde,* 1986, del Squat Theatre, escrito por Stephan Balint, comenzaba con un filme que representaba la mudanza de una muchacha joven a su primer departamento, y finalizaba con una redención urbana en un escenario de «filme de suspense»

163 Jan Fabre, *El poder de la locura teatral*, 1986, un melodrama sumamente estilizado de la novela y la violencia sexual de la década de 1980 delante de un telón de fondo en el cual se proyectaban diapositivas de pinturas manieristas

(1986), mezclaba la actuación abiertamente expresionista con la violencia, tanto física como metafísica, además de tomar imágenes de artistas como Kounellis y Marcel Broodthaers. Sumamente escenificada, de acción, llena de tensión y a menudo repugnate —en una escena de *El poder de la locura teatral* las ranas, que daban saltos por el escenario, fueron cubiertas con sábanas blancas y luego aparentemente pisoteadas por los actores, dejando el lino manchado de sangre en el escenario— la obra de Fabre era un híbrido de recortes visuales de performance y retratos climáticos de estados psicológicos tomados de la literatura y el teatro.

En Italia, varios jóvenes entre veinte y veinticinco años habían crecido a expensas de Fellini, importaciones de filmes y de televisión estadounidenses y frecuentes apariciones de Robert Wilson (cuya obra se vio de manera mucho más regular y completa en Europa que en su Estados Unidos natal), además de los rumores y las poco frecuentes apariciones de Laurie Anderson. Estos nuevos artistas fueron los creadores entusiastas de un género apodado Nuova spettacolarita por la prensa, o Teatro de los medios de comunicación por sus defensores. En Roma y Nápoles, donde estaban establecidos los dos grupos más activos (La Gaia Scienza y Falso movimento), los espectáculos de las propias ciudades formaron el telón de fondo de su obra temprana. Falso movimento, formado en 1977, primero creó actos cortos e instalaciones que se interesaban por el lenguaje y el filme y estaba de acuerdo con una estética de la década de 1970. Para 1980, también se habían decantado de manera enfática hacia el teatro, utilizando el escenario de proscenio como un am-

plio panorama para sus «paisajes metropolitanos», con referencias de medios de comunicación de todas clases. Dispuesta a «convertir el escenario mismo en una pantalla», *Tango glaciale* (1982), que duraba una hora, utilizó varios estilos diferentes dentro de un solo espacio teatral (representando los diferentes niveles y partes de una casa, piscina y jardín incluidos). Desde referencias griegas clásicas hasta una secuencia romántica en la cual el marinero de Gene Kelly de *Un día en Nueva York* tocaba al lado del saxofonista de Robert de Niro de *New York, New York*, su obra pretendía establecer imágenes arquetí-
164 picas contemporáneas dentro del gran marco del escenario. *Otelo* (1984), una obra con el compositor Peter Gordon, tenía como punto de partida la ópera de Giuseppe Verdi más bien que el texto de Shakespeare. Pero la performance no se parecía a ninguna de las dos. Sólo la partitura de Gordon se elaboró sobre su precedente histórico, tomando los elementos populares del compositor anterior para empalmar sus melodías con grandes efectos acústicos y collages electrónicos en una mezcla deslumbrante de sonidos viejos y nuevos. Las imágenes cambiantes eran tan fílmicas como siempre: esta vez, *Casablanca*, *Querelle* de Fassbinder y *Amarcord* fueron utilizados para cuadros evocativos.

La Gaia Scienza, igualmente entusiasta en sus colaboraciones y en sus eclécticas referencias al filme, la arquitectura, la danza y el reciente performance art, estaba más coreográficamente orientada que Falso movimento. Movimiento mímico y mecánico, como de títeres, trajes de trampantojo, accesorios de tamaño extraordinario y diseño de iluminación orquestado, además de decorados que se daban vuelta del revés, crearon las bases para su teatro visual. *Cuori strappati* (*Corazones desgarrados*, 1984), una obra de una hora de duración, con música de Winston Tong y Bruce Geduldi, era una obra teatral sobre tiras de filmes y payasadas de películas mudas.

Asimismo, los principales centros europeos presenciaron una rápida prosperidad de la performance-teatro. Los artistas respondieron al medio completamente sin límites de la performance, y tomaron ánimos de lo que era entonces una aceptable introducción de elementos teatrales que hicieron posible llegar a un público más amplio. En Polonia, la Akademia Ruchu, sus siete miembros influidos por la seminal obra política y expresionista de Tadeuz Kantor en la década de 1970, también realizó performances teatrales. Comprensiblemente menos afectada por los medios de comunicación que sus contemporáneos en otros países, la Akademia Ruchu no obstante desplegó una sensación de historia del filme europeo, armonizando ideas y movimiento. En Occidente, aparecieron en el Almeida Theatre, Londres, en octubre de 1986 con dos piezas, *Sueño* y *Cartago*. En España, por otra parte, La Fura dels Baus había florecido en el escenario político recientemente liberado. Compuesta de doce actores, incluidos pintores, músicos, profesionales e intérpretes inexpertos, ha producido obras como *Suz o suz* (1986) y *Acciones* (1986) que exploran atrevidas y provocativas escenas bacanales de violencia, muerte y vida posterior que recuerdan las grandes pinturas españolas del siglo XVII en cuanto a sus paisajes dramáticos e intensidad religiosa, y con débiles rastros de imágenes de filmes surrealistas como las de Buñuel. Arianne Minuschkin y Théâtre Soleil en Francia, tan provocativos en la década de 1970,

164 Falso movimento, *Otelo*, representada por primera vez en el Castel sant'Elmo de Nápoles, 1982. Fue un tributo del «teatro de los medios de comunicación» a la ópera de Giuseppe Verdi, que convirtió el escenario en una pantalla, con fotografías, filmes y decorados dentro de los decorados

en la de 1980 se habían reinspirado en la performance, y el grupo Epigonen en Bélgica había producido un impacto igualmente dinámico.

Así, la división entre teatro tradicional y performance se volvió borrosa, hasta el extremo de que incluso los críticos teatrales comenzaron a cubrir performances, aunque hasta 1979 la habían ignorado casi por completo, dejando sus reseñas a los críticos de bellas artes o de música de vanguardia. No obstante, se vieron forzados a reconocer que el material y sus aplicaciones habían surgido del performance art y que el dramaturgo/intérprete estaba de hecho formado como un artista, pues no había un movimiento comparable en el teatro corriente al cual se pudiera atribuir la energía de la nueva obra. Asimismo, no había habido una revolución dentro de la ópera para sugerir que el ímpetu para las muchas óperas nuevas, con su audaz arquitectura visual e intrincada música nueva, había llegado de otra fuente que la historia reciente de la performance.

Pues fue *Einstein en la playa* (1976) de Robert Wilson y Philip Glass la que *155*
para la década de 1980 había inspirado varias óperas nuevas y *Gesamtkunstwerke*, comenzando con la propia *Saty_graha* (1982) y *Akhenatón* (1984) de Glass, dirigidas ambas por Achim Freyer, el dinámico director de la Stuttgart Opera House. El mismo director presentó las dos últimas y *Einstein* en 1987 como una trilogía. El renacimiento la tragedia griega de Bob Telson y Lee
Breuer, en *Gospel en Colonus* (1984), fue interpretado como una reunión *167*
llena de canciones, palmas y glorioso gospel; la controvertida historia de Malcolm X se contaba en una dramática canción del compositor de música nueva Anthony Davis en el espectáculo *X* (1986). En una vena totalmente diferente, Richard Foreman creó su propio musical burlón acerca de la década de 1980, *El nacimiento de un poeta* (1985), en una colaboración con el es- *166*

critor Kathy Acker, el pintor David Salle y el compositor Peter Gordon.
74, 76 Debía tanto a *Relâche* de Picabia —luces brillantes cegaban al público y los intérpretes conducían carritos de golf por el escenario— como al musical de la década de 1960 *Hair*: los protagonistas con pantalones de pata de elefante, el pelo largo y cinta en la cabeza cantaban sobre sexo y arte, pero con el cinismo de los consumidores de la década de 1980, y en la prosa a menudo obscena de Acker. *El nacimiento de un poeta* fue brillantemente empaquetado en un escenario que cambiaba su aspecto aproximadamente cada cinco minutos y era una respuesta directa al entusiasmo de la década de 1980 por las colaboraciones, de hecho por los vehículos en los cuales los artistas populares y que llaman la atención, confiando en su colaboración, podían crear un acto excitante.

En tanto que el término ópera no podía siempre aplicarse de manera estricta a estos musicales de teatro visual, su opulencia fue de hecho operística, y proporcionó un contexto para un material vocal inusual y renombrados cantantes de ópera. *Gran día por la mañana* (1982), de Robert Wilson, una colaboración con la famosa soprano estadounidense Jessye Norman, era una representación escenificada de espirituales negros. Jessye Norman estaba sentada delante de una serie de cuadros vivos cambiantes que habían sido diseñados, explicó Wilson, «de modo que lo visual nos ayuda a oír y el canto nos
165 ayuda a ver». Por contraste, *Las guerras civiles: un árbol se mide mejor cuando está caído* (1984), con Philip Glass y otros compositores y David Byrne de Talking Heads, fue una gran ópera; concebida como un espectáculo de doce horas cuyas partes separadas habían sido diseñadas para cinco países, cuyas contribuciones reflejaban (Países Bajos, Alemania, Japón, Italia y Estados Unidos), estaba destinada al Festival Olímpico de las Artes de Los Ángeles.

165 Una escena de *Las guerras civiles: un árbol se mide mejor cuando está caído*, 1984, de Robert Wilson; la sección de Rotterdam

166 *El nacimiento de un poeta*, 1985, de Richard Foreman, con su texto que rayaba en lo obsceno, sus imágenes surrealistas y la indignación del locuaz público, sugería el espíritu de *Relâche* de Picabia

167 *Gospel en Colonus*, 1984, Bob Telson y Lee Breuer, unía el teatro clásico con las poderosas forma y canción del gospel estadounidense

Aunque nunca fue representada toda junta, sus partes individuales ofrecían un monumental libro de imágenes de la Guerra de Secesión estadounidense, combinadas, por ejemplo, con fotografías contemporáneas de guerreros samuráis japoneses. Era un tablero de historia visual de movimiento lento poblado de hombres y mujeres de la altura de edificios, personajes históricos como el general Lee, Enrique IV, Karl Marx y Mata Hari, y animales del arca: elefante, jirafa, cebra y tigre. Wilson quería que su «historia del mundo» llegara a un público grande y popular. «Es decir a la manera de los conciertos de rock —señaló Wilson, recordando su primera asistencia a un concierto de rock—. Son la gran ópera de nuestro tiempo.»

Teatro de danza

No resulta sorprendente que la danza corriera pareja con estos desarrollos alejándose de los apuntalamientos intelectuales de los experimentos de la década de 1970 para hacer una obra que era mucho más tradicional y entretenida. Con un renovado interés por los cuerpos altamente entrenados, los trajes hermosos, la iluminación y los telones de fondo, además de una narración, los nuevos coreógrafos tomaron lo que habían aprendido de la generación precedente y combinaron esas lecciones en «acumulación», movimiento natural y coreografía de dibujos geométricos con las técnicas de la danza clásica y movimientos reconocibles apropiados de un extenso espectro de danza. De la década de 1970 también conservaron la práctica de trabajar estrechamente con artistas y músicos, lo que significaba tener decorados elaboradamente pintados diseñados por artistas de la «generación de los medios de comunicación» y música rítmicamente cargada que era una mezcla de punki, pop y música en serie.

Karole Armitage, formada por Cunningham y Balanchine, tipificó este estado de ánimo extrovertido. Con sus miembros largos y el cuerpo perfectamente armonizado, se unió al músico y compositor Rhys Chatham y sus «guitarras fuera de tono» para crear una pieza de danza que captó la sensibili-
168 dad del momento. *Clasicismo drástico* (1980) —una colaboración que incluía a Charles Atlas, a quien se debió el decorado— fue una mezcla de estéticas punki/new wave, con su desaseado atractivo, sofisticación pop y cuadro de los colores de negros, púrpuras salpicaduras de verde y anaranjado fosforescentes. También fue un equilibrio de enfoques clásico y anarquista tanto a la danza como a la música: bailarines y músicos literalmente chocaban en el escenario, los bailarines rebotaban contra los músicos que apenas podían mantenerse firmes aunque al mismo tiempo creaban a golpes una pared de sonido y obligaban a los bailarines a crear movimientos «más ruidosos» (una mezcla de los de Cunningham y los de Balanchine) para equiparar la creciente intensidad de la música. De manera similar, Molissa Fenley sacó la danza de su estética mínima y la introdujo directamente en la década de 1980 con un movimiento rápido e incesante diseñado para cuerpos entrenados como el suyo —igual gimnasta que bailarina— en obras como *Vigorizador* (1980), un discurso de torbellinos acerca de la colocación de brazos, cabezas y manos. En
169 *Hemisferios* (1983), se apropiaba de un banco de imágenes de movimientos de

168 Karole Armitage, *Clasicismo drástico*, 1980, con Rhys Chatham

169 La combinación de Molissa Fenley de alta velocidad y coreografía basada en la forma del cuerpo se ve aquí en *Hemisferios*, 1983

danza que sugerían un jeroglífico egipcio o un friso de guerreros griegos; las palmas se volvían hacia arriba como en la danza clásica india, o un codo se curvaba como en una reverencia balinesa, mientras que el movimiento de la cadera podía recordar una samba popular. Acompañada con música especialmente compuesta por Anthony Davis, *Hemisferios* (haciendo referencia al cerebro) de Fenley, se proponía ser una reconciliación de opuestos: presente y pasado, analítica e intuitiva, clasica además de moderna. La cualidad totalmente física de la obra la hizo tanto exigente para los especialistas en danza como deliciosa para un público más amplio.

Para Bill T. Jones y Arnie Zane, otra manera de llegar al público en general era romper aún un tabú más de la década de 1970, el de la pareja. Buscaron dar una nueva forma al *pas de deux*, la piedra angular de la danza clásica, y la propia asociación de ellos dos proporcionó la clave: alto, con una estructura ósea cincelada como una escultura africana de madera, Jones colocaba un pie encima de Zane, que tanto en cuanto a la personalidad como a la forma sugería un personaje de vodevil de Buster Keaton. Jones era un bailarín muy entrenado y lírico y Zane un fotógrafo que se dedicó a la danza cuando tenía veinticinco años. Su coreografía combinada era de dibujo de movimiento y efectos teatrales elaborados, en tanto que la relación que su pareja sugería daba a su material temprano un íntimo carácter autobiográfico. No obstante,

170 *Prados secretos*, 1984, de Bill T. Jones y Arnie Zane, con Jones como la criatura creada por el profesor loco (Zane), fue indicativa de un regreso a la narración y el decorado en la danza de la década de 1980

170 obras como *Prados secretos* (1984), trascendieron lo personal: contaba con una compañía de catorce bailarines, una narración que incluía a un profesor loco y sus monos en una playa cubierta de palmeras, creada por el artista de los medios de comunicación Keith Harring; una partitura estrafalaria y circense de Peter Gordon y prendas de vestir sumamente estilizadas del diseñador Willi Smith. Con estos avíos cruzó el puente Bueno-Malo que une la diversidad de la vanguardia con la danza moderna estadounidense asequible, como la de Jerome Robbins o Twyla Tharpe. Para estos coreógrafos, «informar la cultura popular» era una meta importante, «no que la cultura pop nos informe», argüían, y *Prados secretos* reclamaba con vivacidad ser un ejemplo de pop de vanguardia.

Muchos bailarines, por otra parte, continuaron el trabajo con las mismas esotéricas líneas directrices establecidas por la generación precedente, aunque añadieron vestuario, iluminación y temas dramáticos a sus creaciones. Ishmael Houston Jones utilizó la improvisación como un motivo coreográfico clave en obras como *Sueños de cowboys y escaleras de mano* (1984), que creó con el artista Fred Holland; Jane Comfort en *Amor de televisión* (1985) utilizó repeticiones de su firma, y su fascinación por el lenguaje como la corriente submarina rítmica para su danza, en una parodia de los programas de entrevistas de la televisión. Blondell Cummings en *El arte de la guerra/9 situaciones* (1984) mezcló silencio y sonido, gestos, vídeo y textos pregrabados en danzas semiautobiográficas e íntimas que ilustraban aspectos de la cultura y el feminismo negros, mientras que hacía referencia a un libro del mismo título escrito en el siglo VI a. de J. C. Tim Miller recreó viñetas de su juventud, como *Ayudas mutuas* (1986), donde la danza se utilizaba para resaltar o disipar estados emocionales o para unir el gesto de un cuerpo al otro. Por el contrario, Stephanie Skura cubrió todo el territorio de la danza con parodias de su historia reciente: *Estudio de estilos* (1985) era casi un concurso de conocimientos generales, con movimientos imitados de los coreógrafos de las décadas de 1970 y 1980 como temas de su acertijo.

El último teatro de danza fue el de Pina Bausch y su Tanztheater Wuppertal. Al adoptar el permisivo vocabulario de la década de 1970 como su norma —desde el ballet clásico a los movimientos naturales y repeticiones— Bausch inventó aventuras en el teatro visual en la escala de la de Robert Wilson. Esto lo mezcló con la clase de expresionismo estático asociado al drama de Europa del norte (con precedentes alemanes como Bertolt Brecht, Mary Wigman y Kurt Joos), introduciendo así el teatro dramático y convincente que también era danza dramática y visceral. Los dramas de danza de Bausch exploraban en detalles insignificantes las dinámicas entre mujeres y hombres —extáticas, combativas y eternamente interdependientes— en varios lenguajes corporales determinados por los miembros notablemente individuales de su compañía. Las mujeres —de cabello largo, fuertes y exóticas, y en muchas formas y tamaños diferentes— y los hombres —igualmente variados en volumen y aspecto— hacían movimientos que eran repetitivos, obsesivos y meticulosos. Se agotaban durante horas como discursos de comportamiento entre los dos sexos. Caminando, bailando, cayendo, contoneándose o simplemente sentándose, mujeres y hombres se mantienen firmes y se empujan, se acarician y atormentan mutuamente en escenarios extraordinarios. En *Auf dem Gebirge hat man ein Geschrei gehort* (*En la montaña se oyó un grito*, 1984) el
escenario era centímetros de espesor de basura. En *Arien* (1979) era centíme- 171
tros de profundidad de agua. En *Kontakthof* (1978), un salón de baile de cielo raso alto era el escenario para una coreografía hipnotizadora construida a partir de gestos detenidamente observados de mujeres y hombres cohibidos, arreglarse la corbata/arreglarse el tirante del sostén, tirar hacia abajo la cha-

171 *Kontakthof*, 1978, de Pina Bausch, tenía hombres y mujeres en formación de línea como parte de una coreografía repetitiva que era un elaborado estudio de los cotidianos gestos inseguros

queta/comprobar la enagua, tocar una ceja/ajustar un mechón de pelo, y así sucesivamente, hasta que el ciclo de movimientos, infinita y rítmicamente repetido, primero por las mujeres, luego por los hombres, y juntos en varias combinaciones, crearon un momento deslumbrante.

Con una intensidad ritual que hacía pensar en el body art de la década de 1960, y con simbolismo atribuido a materiales como la tierra y el agua, el teatro de danza de Bausch era la antítesis de la obra consciente de los problemas relativos a los medios de comunicación procedente de Estados Unidos. Lentos, penetrantes, casi fúnebres, en marrones, negros, cremas y grises, sus bailarines renunciaban a lo fácilmente asequible y a los placeres instantáneos. Igualmente eterna y físicamente infatigable era el teatro de danza japonés Butoh, un término casi intraducible que significa más o menos «danza negra» o «paso negro». Era una forma de danza de movimientos en cámara lenta y gestos exagerados, algunas veces yuxtapuestos con música incongruentemente horrorosa o representada en completo silencio. Austera y misteriosa, la meta similar al zen de los intérpretes de butoh era lograr la iluminación espiritual a través de un riguroso entrenamiento físico. A menudo estaban desnudos, con la piel sucia con arcilla blanca o cenicienta, y la impresión resultante dada por estas figuras inmóviles y retorcidas se debía a que eran en parte fetos, en parte momias, que simbolizaban así el tema elegido de butoh del espacio entre el nacimiento y la muerte. Intrincadamente atado a las antiguas tradiciones japonesas —tanto sacerdotal, como en las danzas de bugaku, como mágicamente teatral, como en nō—, exponentes como Min Tanaka, Sankai Juku y Kazuo Ono en Japón, o Eiko, Komo, Poppo y los Gogo Boys en

172 El grupo japonés de butoh, Sankai Juku, en *Kinkan Shonen,* en su visita a Nueva York en 1984

Nueva York, tienen en común su fascinación por el cuerpo como instrumento de metamorfosis trascendental. Una obra de Sankai Juku titulada *Jomon Sho* (*Homenaje a la prehistoria: ceremonia para dos arco iris y dos grandes círculos*, 1984), en siete partes, es un ciclo de acontecimientos de cataclismos de la vida dispuestos al azar. Los miembros del grupo aparecen primero *172*
como cuatro bolas amorfas descendidas desde el cielo raso del teatro y a la larga se desenmarañan hasta ser hombres completamente crecidos colgados cabeza abajo de una cuerda, que sugiere tanto un cordón umbilical como un dogal. Graciosas y grotescas —otra sección *To Ji* (*Enfermedad incurable*), tenía a los intérpretes impulsándose por el escenario, sin miembros en sacos con aletas—, estas performances rituales y solemnes hacían referencia a un gran cuerpo de obras icónicas, tanto orientales como occidentales, que con su poderosa presencia física intentaban revelar elementos espirituales en el paisaje visual.

Arte vivo

Los intentos por comercializar la performance estilo cabaré los hicieron, durante comienzos de la década de 1980, las grandes compañías de televisión y de cine, en particular en Nueva York, pero no menos que en Sydney y Montreal. Sin embargo, en Inglaterra la performance provocativamente conservó su manifiesto de ser arte vivo hecho por artistas buenos. Allí, varios artistas trabajaron sobre el tema de la poderosa «escultura viva» de Gilbert and George, aunque sus motivos estaban basados en un interés totalmente distinto y de la década de 1980: el papel de la pintura en el arte de fines del siglo XX. *Las pinturas vivas* (1986), una serie de obras de Stephen Taylor Woo- *173*
drow, se desarrollaron a través del compromiso de Woodrow hacia el arte vivo como el único medio contemporáneo eficaz. Por lo tanto, la pintura viva (como opuesta a muerta) comprendía tres figuras sujetas a la pared, pintadas por completo de gris o negro, desde el pelo hasta los zapatos y los calcetines, y con más aspecto de friso escultural en un gran edificio público que una pintura verdadera, su sorprendente rigidez durante una representación de seis u ocho horas se rompía de tanto en tanto, como cuando una figura masculina doblaba la cintura para tocar la cabeza de un transeúnte. Monumentales y a pesar de todo pictoricistas —los pliegues de sus abrigos tenían tanta cantidad de pintura que arrojaban sombras como las de una pintura de trampantojo—, estas «pinturas» figurativas estaban completamente de acuerdo con la preocupación del arte del momento por las pinturas aisladas e icónicas. *La conversión del posmodernismo* de Raymond O'Daly era igualmente *2*
monumental y equilibrada, y similarmente rígida en su énfasis en el formalismo de la pintura (en su caso, en el dibujo lineal como el esqueleto subyacente de la pintura). Su representación de ocho horas intentaba enfatizar la «rigidez de la pintura y el dibujo» y dar una sensación de una pintura «estando siempre allí, en la pared». Como parte del mismo Festival de Arte Vivo en los Riverside Studios, Londres, en el verano de 1986 donde aparecían las figuras de Woodrow, el cuadro vivo de O'Daly comprendía dos figuras vestidas de blanco «perfiladas» en negro, que estaban colocados como pliegues alrededor

de un caballo de poliestireno, la disposición de los cuales se basaba en *La conversión de san Pablo* de Caravaggio. Además, el título de O'Daly, también tomado de Caravaggio, era una referencia irónica a lo que él consideraba eran las conversiones pararreligiosas por parte tanto de los artistas como de los críticos a la actualmente de moda escuela del posmodernismo.

Igualmente desdeñosa de la relación simbiótica entre pintura y comercio, y de la dirección de la performance apartándose del arte hacia el teatro y el cabaré, se sentía Miranda Payne, una tercera participante en el Festival de Arte Vivo. La principal intención de Payne fue destacar el proceso de hacer una pintura; ponerse ella misma en la pared de una galería fue una manera enfática de devolver la atención a la performance en el contexto del arte, en tanto que protestaba contra la actitud de objeto-en-venta que había suplan-
174 tado la experimentación de la década de 1970. *Santa Gárgola* (1986), la inspiración de cuyo título la tuvo cuando contemplaba desde abajo las figuras piadosas encaramadas en lo alto sobre pilares en una iglesia, fue una «demostración» de una hora de duración de una pintura. Comenzando con una pared en blanco, una caja de cartón en la mano, procedía a colgar las herramientas de su profesión (tijeras, cuchillos, un martillo) en ganchos y a desenmarañar una fotografía de una pintura en la cual, una vez prendida con chinchetas a la pared, ella luego «entraba». Encaramada en un pedestal montado, representaba el paradójico y a menudo absurdo papel de la figura en la pintura.

Pintores activos y pinturas de acción, estas obras eran explícitas en su exploración de las pinturas como objetos vivos y visuales colgados de una pared, e implícitas en su análisis del contundente regreso a la pintura. De este modo, los artistas insistieron en devolver la performance al contexto del arte, lejos de las salidas más teatrales y pop. No obstante, en Inglaterra y otros lugares muchos artistas ignoraron ambas tendencias y continuaron haciendo diversas obras basadas en las de la década de 1970: Anne Bean y Paul Burwell con sus Bow Gamelan (música hecha de objetos encontrados y sonidos, como petardos), o Sylvia Zinarek con sus elegantes solos sobre el arte de ha-

173 *Las pinturas vivas* de Stephen Taylor Woodrow estaban sujetas a una pared, por encima de las cabezas de los visitantes al Festival de Arte Vivo, Riverside Studios, Londres, agosto de 1986

174 Miranda Payne suspendida de una pared en su obra *Santa Gárgola*, representada en el Festival de Arte Vivo, Riverside Studios, Londres, agosto de 1986

blar inglés, o Anne Wilson y Marty St James con su dúo sobre la vida de las parejas.

Identidades

La década de 1980 concluyó con trastornos políticos y económicos que tuvieron un impacto enorme en los desarrollos culturales en todo el mundo; se hundió Wall Street, cayó el muro de Berlín, los estudiantes lucharon sin éxito por la democracia en China, Nelson Mandela fue liberado de una prisión surafricana. Al mismo tiempo las minorías insistían cada vez más en cuestiones de identidad étnica y multiculturalismo.

Aunque algunos artistas utilizaron el término «multiculturalismo» con inquietud, adquirió una importante dimensión cultural en los escritos de la *intelligentsia* afroestadounidense, incluidos académicos prominentes como Cornel West o Henry Gates Jr. Los artistas utilizaban cada vez más la performance para estudiar sus raíces culturales. En Nueva York, en 1990, «El show de la década» en el New Museum, Studio Museum of Harlem y el Museum of Contemporary Hispanic Art hizo un estudio de la amplia gama de identidades étnicas de Estados Unidos que habían encontrado identidad
175 artística en la década de 1980. Las fotografías que la cubana de nacimiento Ana Mendieta hizo de sus performances ritualistas basadas en el espiritualismo afrocubano de la santería estaban entre las muchas performances, instalaciones y obras de arte incluidas en la exposición en toda la ciudad como fue *Corazones destrozados* (1990), una colaboración de teatro-danza entre el artista de instalaciones y la coreógrafa Merian Soto.

En 1991 y 1992 los festivales de Next Wave en la Brooklyn Academy of Music reflejaron el entusiasmo por hacer popular este tema. Hubo una producción a gran escala, *Las pipas del poder* (1990) de Spider Woman Theater, un grupo amerindio, y obras de tamaño normal de Urban Bush Women y la Compañía de Bill T. Jones y Arnie Zane, David Rousseve y Garth Fagan. Estos coreógrafos se centraron sobre todo en las tradiciones de los relatos de la diáspora de los negros en tanto cultura popular afroestadounidense; Urban Bush Women reconstruyó una danza circular llamada «el grito» a partir de dibujos y descripciones de danzas comunales de los barrios de esclavos del Sur, mientras que Rousseve mezcló textos hablados, espirituales negros, rap y jazz para contar dos décadas de historia familiar.

En Londres, una serie de performances *Dejad que continúe: la política de la performance negra* en el ICA en 1994, demostró un creciente reconocimiento de la naturaleza multicultural de la población británica. «Los artistas negros participan en el arte vivo», explicó la comisaria Catherine Ugwu, «porque es uno de los pocos espacios disponibles para expresar ideas de identidad complejas.» Éstos eran híbridos animados, combinaciones transculturales, como un tradicional sari indio del sur que vestía la artista de performances individuales Maya Chowdhry, y una clásica bailarina de *bharata natyam* con malla de gimnasia y una camiseta de colores vivos con uno de los collages de danza de Shobana Jeyasingh, ellas mismas una mezcla de movimientos de danza clásica india y danza moderna. El grupo de Keith Kahn y Ali Zaidi,

Moti Roti, enfatiza el choque de estilos y formas de arte poscoloniales; un crítico se refirió a su carnaval callejero a gran escala *Disfraces voladores, tumbas flotantes* (1991), que incluía cientos de artistas de disciplinas y formaciones diferentes, como un encuentro entre «filme y teatro, drama popular y gran arte, hindi/urdu e inglés; música y fotografía».

El mexicano de nacimiento establecido en Los Ángeles Guillermo Gómez-Peña, un fundador de Border Art Workshop/Taller de Arte Fronterizo en 1985, provocativamente personificó lo que en la moderna teoría crítica llegó a llamarse «el otro»; con los bigotes morenos y los mechones negros sueltos de un conquistador mexicano realizó sus representaciones satíricas desde el punto de vista del «otro». *Dos amerindios sin descubrir* (1992-1994), una colaboración con el escritor estadounidense de origen cubano Coco Fusco, era un «diorama vivo» en el cual dos artistas —vestidos con tocados de plumas, faldas de paja, petos y muñequeras de estilo azteca— se exhibían en una jaula, una referencia a la práctica del siglo XIX de exponer indígenas de África o América.

La oleada de una conciencia de lo latino inspiró a muchos artistas de la performance, entre ellos la parodista de cabaré estadounidense de origen cubano Carmelita Tropicana (Alina Troyana), el activista de la performance

175 Ana Mendieta, *Muerte de un pollo*, noviembre de 1972. Mendieta comenzó sus performances ritualistas (que hacían referencia a su infancia cubana) cuando aún era estudiante en la Universidad de Iowa

Papo Colo, además de la escena llena de energía en torno de Nuyorican Poet's Café en el East Village de Nueva York. Nuevas publicaciones cubrieron la historia del performance art en América Latina, lo que introdujo un público mucho mayor para las obras de artistas brasileños, mexicanos y cubanos como Lygia Clark, Helio Oiticica o Leandro Soto y al mismo tiempo proporcionó la comprensión de la rica conciencia mitológica y política en el núcleo de su obra.

La identidad de «otredad» también proporcionó una plataforma para grupos marginales: gays, lesbianas, trabajadores del sexo, travestidos, incluso los enfermos crónicos y los minusválidos desarrollaron material de performance que fue, con toda intención, profundamente perturbador. Un importante grupo activista ACT UP (AIDS Coalition to Unleash Power [Coalición del Sida para Desencadenar el Poder], creado en 1987 centralizó la atención pública en la crisis de salud. Su aluvión de acciones incluyeron interrumpir la Bolsa de Nueva York, tumbarse fingiendo estar muertos en los escalones de las compañías farmacéuticas. Reza Abdoh, supuesto «segundón, marica, seropositivo, artista de color, nacido en Irán y educado en Londres y Los Ángeles», creó complejos acontecimientos teatrales sobre diez plataformas fragmentadas en un gran almacén del West Side de Manhattan. Su última obra
176 antes de morir de sida a los treinta y cinco años, en 1995, fue *Citas de una ciudad en ruinas* una yuxtaposición de cinco cuadros vivos y proyecciones de filmes que representaban las ciudades de Nueva York, Los Ángeles y Sarajevo «en ruinas» y el deterioro de cuerpos «en ruinas» a causa del sida.

El hecho de mostrar públicamente el sexo y la muerte y otras preocupaciones fue una declaración de solidaridad artística contra la violenta reacción conservadora de comienzos de la década de 1990. El material era sin la menor duda impactante incluso para el público más emancipado. Bob Flanagan, que padecía fibrosis quística, aguantaba horas de terapia física insoportable en una cama de hospital en *Horas de visita*, una instalación en el Santa Monica Museum of Art in California (1992). Hombres que hacían *strip-tease*, reinonas y toxicómanos participaron en *Mártires y santos* (1993) de Ron Athey, una obra de una hora de duración, heridas autoinfligidas tan espantosas que varias personas del público se desmayaban. En 1996 Elke Kristufek, tumbado en una bañera, se masturbaba con un vibrador en una habitación de paredes de cristal en la Kunsthalle de Viena a la vista de cientos de visitantes a la galería. Era el cambio en su contexto, desde el club especializado en sadomasoquismo o un hospital hasta locales del mundo del arte, con titulares referentes al tema, reseñas, público en general y críticos teóricamente favorables que llegaron a dominar un debate académico sobre el performance art, en particular en Estados Unidos, pero también en Europa.

Incluso como «performance extrema» llegó a ser un tema para la especulación teórica; el monólogo del performance art que había comenzado a fines de la década de 1970 con la obra de Bogosian, Finley y Gray aumentó su popularidad a lo largo dos décadas, por lo que se convirtió en la forma de performance que se mantuvo más tiempo y fue más dominante en Estados Unidos. Su estructura franca explica su accesibilidad para el público y su atractivo para un amplio espectro de artistas que introdujeron elementos propios. Por ejemplo, Danny Hoch añadió pantomima y música a sus retratos verbales de los personajes de la urbanización de su infancia. Anna Devere Smith utilizó sencillos accesorios, como un sombrero o unas gafas, para indicar diferentes personajes en sus «documentales vivos» de acontecimientos reales; dos obras teatrales unipersonales, *Fuegos en el espejo: cumbres coronadas, Brooklyn y otras identidades* (1992) y *Los Ángeles crepuscular* (1992), se basaban en conflictos raciales en las calles de Nueva York y Los Ángeles, y eran el producto de extensiva investigación, entrevistas con testigos grabadas en cinta y guiones cuidadosamente escritos.

176 Reza Abdoh, *Citas de una ciudad en ruinas*, Nueva York, 1994. El espectáculo de ritmo trepidante de Abdoh tenía lugar en varios escenarios, lo que obligaba al público a ir siguiendo la acción de uno a otro

A fines de la década de 1980 y comienzos de la de 1990 la performance se utilizaba con frecuencia como forma de protesta social, pero fue la afluencia desde los ex países comunistas al Oeste lo que hizo evidente que en el Este el performance art había funcionado casi exclusivamente como forma de oposición política en los años de represión. Espectáculos privados en apartamentos, solares de ciudad vacíos o centros de estudiantes servían de válvulas de escape contra la restricción de la libertad de expresión y movimiento.
177 En 1985 el artista checo Tomas Ruller se salvó de una condena de prisión cuando su abogado utilizó el término «artista de la performance» (y la edición original de 1979 de este libro) en una corte de Praga para defender sus acciones como arte con contenido político, más bien que como protesta política por sí misma. «El hecho de que todas las formas de actividad artística hayan sido sancionadas por organizaciones del Partido en los comités nacionales pertinentes habla por sí mismo», escribió un crítico checo.

Con la constante amenaza de la vigilancia policial, la censura y el arresto no resulta sorprendente que la mayor parte del arte de protesta esté relacionado con el cuerpo. Un artista podría actuar en cualquier parte, sin materiales ni taller y la obra no dejaría huellas. Las acciones ritualizadas de Abramović en Yugoslavia a comienzos de la década de 1970 o los acontecimientos erotizados de Vlasta Delimar en Zagreb, como *Boda* (1982), que exploraba la ideología sexista, o la *Olimpia* (1996), basada en la pintura de Manet, de la artista polaca Katarzina Kozra, que la mostraba en una cama de hospital después de someterse a quimioterapia, enfatizaba la autonomía de la artista, un logro en países que durante más de medio siglo habían rechazado el individualismo en su totalidad. En la década de 1990 la decepción de la *perestroika* en la Unión Soviética, la guerra de los Balcanes y el caos sociopolítico generaron un estado de ánimo de cinismo destructivo. Las apariciones del ruso Oleg Kulik en galerías y museos haciendo el papel de un perro, con un collar de perro, ladrando, olfateando a los visitantes y en ocasiones encerrado en una jaula eran representaciones muy inusuales de la opinión del artista sobre la relación entre el Este y el Oeste, en especial el sentimiento de inferioridad de los orientales después de la caída del muro. «Puede decirse que el Oeste encuentra un placer estético al observar el 'perro' ruso, pero sólo a condición de que no se comporte verdaderamente como un perro», escribió un crítico. En el siglo XXI los artistas rusos jóvenes están conectados al mundo del arte global a través de Internet. Combinan una visión irónica de su propia historia con un entusiasmo por las tecnologías futuristas, a las que se denomina «clasicismo digital». Los miembros de un grupo de performance de música tecno llamado Novia Akademia aparecieron en un festival en San Petersburgo vestidos con trajes rusos del siglo XIX. «La identidad oriental en el performance art», escribió la crítica Zdenka Badovinac, «se debate entre las particularidades locales y una cantidad de identidades dispersas en espacios virtuales, entre la estrella roja del comunismo y la nueva estrella amarilla de la Comunidad Europea.»

177 Tomas Ruller, *8.8.88*, 1988. Ruller alcanzó la mayoría de edad en la Checoslovaquia anterior a la revolución de terciopelo y sus performances a menudo hacen referencia a la represión política de esos tiempos. Esta obra conmemoraba la invasión rusa de 1968

Los nuevos europeos

La performance en la Comunidad Europea de la década de 1990 estuvo dominada en su mayor parte tanto por financiaciones federales que pretendían elevar el status cultural de las ciudades capitales como por la maduración de los artistas cuya formación se basaba en un amplio conocimiento de la vanguardia de las décadas de 1970 y 1980. La energía de esta obra contó con el estímulo de la disponibilidad de una red de teatros bien organizada, que incluía el Kaaitheater de Bruselas, el Theater am Turm de Frankfurt y el Hebbel de Berlín, y los festivales y conferencias que tenían lugar en torno a ellos.

Bélgica produjo una Nueva Ola que incluía a Jan Fabre, Anne Teresa De Keersmaeker, Jan Lauwers y Alain Platel. Contaron con apoyo económico *178* desde los inicios de sus carreras: De Keersmaeker sólo tenía veintitrés años cuando formó su compañía Rosas en 1983, que debutó ese mismo año en el Kaaitheater, y treinta y dos cuando se la convirtió en compañía residente en el Théâtre Royale de la Monnaie de Bruselas. Estos artistas se encontraban en la posición única de crear material nuevo para la impresionante arquitectura de los teatros estatales consolidados. La coreografía atlética y las atrevidas creaciones visuales de Keersmaeker, acompañadas por músicos en el escenario estaban concebidas para llenar sus espaciosos escenarios. La obra innovadora y experimental nunca antes había parecido tan grande, tan elegante.

Notablemente seguros en muchas disciplinas, estos artistas realizaron una performance-teatro que reflejaba el entusiasmo de una Unión Europea que acababa de ponerse en funcionamiento. Fabre creó una ópera trilingüe de seis horas en tres partes, *Los pareceres de Helena Troubleyn* (1992), y la Needcompany de Lauwers representó *Canción matinal* (1998) en francés, flamenco e inglés, incorporando textos literarios, comentario político, coreografía evocativa y una selección de música corriente, ecléctica tanto geográfica como musicalmente. Les Ballets Contemporaines de Belgique de Platel incluían a algunos bailarines que habían estudiado ballet y otros que jamás habían estudiado danza, además de niños de todas las edades, en obras que examinaban la confrontación entre generaciones. Visualmente asombroso en su escenario de una pista de coches de choque en Gante, y su tema del despertar sexual de la adolescencia, *Bernadetje* (1996) fue una colaboración con el escritor y director Arne Sierens.

De manera inusual, la Nueva Ola belga apoyó a los coreógrafos estadounidenses jóvenes, como el iconoclasta radical Mark Morris, que en 1988 fue nombrado director de danza de La Monnaie, cargo que mantuvo durante tres años llenos de producciones y la compañía de danza de Meg Stuart, Damaged Goods, a la cual en 1999 se nombró para una residencia en el Kaaitheater. Conocida por sus colaboraciones a mediados de la década con el artista del vídeo arte Gary Hill y la artista de la performance y la instalación Ann Hamilton y por su «estudio de figuras» —performances en solitario que se centraban en los minuciosos detalles de movimiento de una sola parte del cuerpo— *Ropa suave (primer boceto)*, 2000, de Stuart, tenía una estética de alta tecnología. Sus gestos casi invisibles, realizados en una serie

de movimientos de expansión-retracción, se parecían a las formas mutantes en una pantalla de ordenador.

En Francia esta fascinación por la física del cuerpo y su traducción en danza la inspiraron los primeros proyectos de la historia de la danza de la década de 1960, en particular las exploraciones del Judson Dance Group y la idiosincrásica coreografía de Yvonne Rainer. Su sencillo procedimiento para destilar la danza hasta su esencia resultó especialmente atractivo para esta generación de coreógrafos, incluidos Jérôme Bel, Xavier Le Roy y el grupo Quattuor Albrecht Knust, educados en las teorías deconstructivistas de Derrida, Foucault y Deleuze. En 1996 Le Roy trabajó con el grupo de Albrecht Knust en una recreación de *Proyecto continuo - modificado a diario*, de 1970, de Yvonne Rainer, además de una obra de Steve Paxton de 1968, *Amante satisfactorio*.

Este movimiento anticoreografía se componía de bailarines que consideraban que el cuerpo era, primero y por encima de todo, una acumulación de signos y partes. Crearon espectáculos en los cuales la danza casi desaparecía. En *Jérôme Bel* (1955) cuatro bailarines desnudos escribían con tiza so- 179
bre una pizarra sus nombres, fecha de nacimiento, peso, estatura y número de la Seguridad Social y luego pasaban a señalar pecas, protuberancias, músculos y tendones, estirando y plegando la piel como si fueran un sobre. En *Autoinacabado* (1999) colocaba su cuerpo de manera que pareciera un torso sin cabeza apoyado en un trípode de brazos y piernas. Myriam Gourfink, vestida de látex rojo se tumbaba en el suelo para examinar estados del peso

178 Anna Teresa De Keersmaeker, *Rosas Danst Rosas*, 1983. Esta obra temprana tenía elementos que se convertirían en la marca de fábrica de la coreógrafa: una percepción dinámica de la música contemporánea, la enérgica capacidad física de sus bailarinas y la fascinación por las sillas

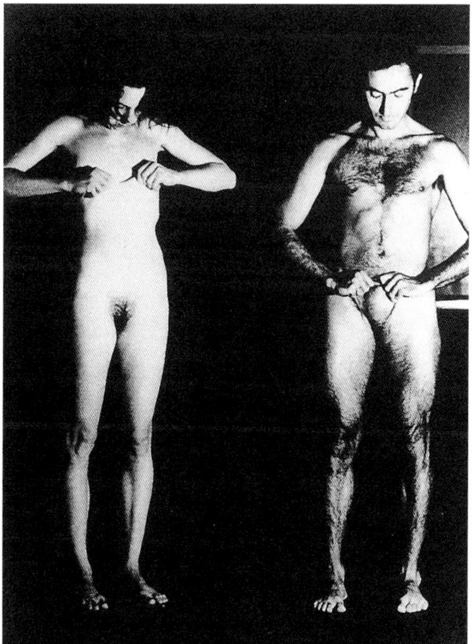

179 Jérôme Bel *Jérôme Bel*, Wiener Festwochen, Viena. Los intérpretes examinan la materia principal de los bailarines —la piel y los huesos— en obras que «deconstruyen» la naturaleza del movimiento

del cuerpo; en *Waw* (1998) demostraba desequilibrios entre tensión muscular y relajación, movimiento y flacidez, mientras que alrededor de ella sonaba estridentemente música que Jean-Louis Norscq mezclaba en vivo.

La combinación de humor y energía intelectual en esta obra igualaba la de los artistas visuales y de la performance franceses. Las ropas y objetos de Marie-Ange Guilleminot hechos por encargo hacen participar físicamente al espectador: en *Le Geste* (1994), por ejemplo, estaba oculta detrás de una pared en una estación de autobuses de Tel Aviv y asomaba las manos a través de unos agujeros para dar un apretón de manos o hacer una caricia a los transeúntes. Fabrice Hybert transformó el Pabellón Francés en la Bienal de Venecia en un estudio de realización de televisión para *Eau d'or eau dort odor* (1977), con instalaciones técnicas incluidas, un salón de recepción para personas importantes de la prensa, salas de maquillaje y de descanso, y un plató central donde los espectadores podían ver lo que se grababa ese día. Natacha Lesueur realizó «retratos vegetales» que hacían referencia a las obsesiones de las mujeres con la comida y la belleza; éstos eran fotografías de ella misma con partes de su cuerpo decorado con gelatina: en una aparecía con la cabeza rapada con un casco de rodajas de pepino, en otra de espaguetis y zana-
180 horias. Pierrick Sorin creó disparatadas parodias de vídeo del cine mudo que recuerdan a Buster Keaton o Charlie Chaplin —una obra en especial prosaica se titula *No me he quitado las zapatillas, de modo que puedo ir a la panadería* (1993)— que también aprovechaba un largo linaje de humor conceptual, desde John Baldesari hasta Annete Messager y Christian Boltanski.

Al no estar ya preocupados por las barreras entre gran arte y arte inferior, las presentaciones en museos de estos artistas de fines de la década de 1990 con frecuencia recordaban cuartos de juegos informales o una habitación en ruinas. El neoyorquino tailandés de nacimiento Rirkrit Tirivanija, por ejemplo, en 1994, en una galería de Lucerna, construyó una cocina y daba de comer a los visitantes, y también un estudio de grabación en el cual los espectadores podían tocar instrumentos musicales, como en su escultura
181 de Münster en 1997. En 1991 el italiano de nacimiento Maurizio Cattelan instaló un futbolín hecho por encargo para dos equipos de once jugadores en varias galerías de arte y museos. El berlinés John Bock creó una serie de pequeñas habitaciones interconectadas decoradas con libros de cómics, juguetes y monitores de vídeo para el escenario de performances improvisadas en la Bienal de Venecia de 1999. Estas esculturas sociales tienen mucho que ver con las obras orientadas hacia lo conceptual de la década de 1970 de Acconci, Nauman, Beuys, Jonas y Graham. En cambio, para sus sucesores de la década de 1990 esa interactividad, los restos del pop y la apropiación de la historia de la performance se aceptaban como vocabulario del arte contemporáneo.

En el Reino Unido existía desde mucho antes una preocupación similar por el humor en el arte, pero como mordaz crítica cultural. «En Gran Bretaña es tradición disfrutar de la abyección», comentó el escultor Jake Chapman en respuesta a una pregunta acerca de la «britanidad» del arte británico en la década de 1990, y es esta mezcla de desaprobación y seguridad en sí mismo, un residuo de colonialismo y distinciones de clases que subrayaba la

180 Natacha Lesueur, *Áspics*, 1999. Lesueur utilizó comida (aquí espaguetis y zanahorias) como decoración del cuerpo en una serie de «autorretratos»

181 *AC Fornitore Sud contra Cesena, 12 a 47, encuentro de futbolín entre dos equipos de fútbol*, 1991, en la Galleria d'Arte Moderna, Bolonia

comedia humanista de la mayor parte de la performance post-Thatcher. *Vida diaria*, de Bobby Baker, una serie de dibujos, instalaciones y performances que transformaba las tareas rutinarias —desempaquetar comestibles, ahuecar almohadas— en conmovedoras ceremonias artísticas, comenzaba cuando invitaba al reducido público a su propia cocina para *El show de la cocina: una docena de acciones de cocina hechas públicas*. Vestida con su identificativo uniforme blanco —«cuando llevo una bata pierdo mi cara y mi voz»— celebra la «cotidianidad» de la vida y vuelve borrosos los límites entre drama ultrarrealista y domesticidad surrealista. A esta obra siguió *Cómo hacer la compra* (1993), un curso sobre el arte de la compra en el supermercado.

A diferencia del uso que Baker hace del humor como catarsis, otros artistas convirtieron experiencias angustiosas en performances. Las acciones ritualistas del escocés de nacimiento residente en Belfast Alastair MacLennan, como *Días y noches* (1981), en la cual se paseó por el perímetro de la galería durante seis días y seis noches, evocaba la angustia de años de vivir en medio de un conflicto político explosivo. Las performances de Mona Hatoum, nacida en Beirut, eran para recordar al público «las diferentes realidades que la gente tiene que vivir» en las zonas en guerra de todo el mundo; en *La mesa de negociaciones* (1983), está tumbada sobre una mesa, cubierta de sangre y entrañas de animales, envuelta en una bolsa de plástico transparente y teatralmente iluminada por una sola luz.

La intensidad de los artistas en solitario como Hatoum y MacLennan contribuyó a la enérgica erupción de un nuevo arte británico en la década

182 Bobby Baker, *Cómo hacer la compra*, 1993, un curso sobre el arte de la compra en el supermercado

183 Desperate Optimists, *Play-boy*, 1998-1999. Motivado por las tensiones entre lengua y memoria, este show basado en el texto es típico de la obra políticamente mordaz de Desperate Optimists

de 1990, e igual de importantes fueron los muchos grupos de performance de la década de 1990. Como era de esperar, dada la importancia de un teatro inventivo y en continua evolución, desde el teatro de agitación política y el radical teatro en la calle de la década de 1960 hasta el teatro vibrante y de alto nivel intelectual basado en textos de la actualidad, muchos de los intérpretes que se pasaron al arte vivo lo hicieron con experiencia en estudios teatrales. Formaron equipo con otros procedentes de una variedad de disciplinas y produjeron un cuerpo de material interdisciplinario distintivo. Station House Opera y Forces Entertainment establecieron los estándares para grupos de la década de 1990 como Desperate Optimists, Reckless Sleepers *183*
y Blast Theory, todos dedicados a la obra a gran escala y de lugar concreto que se mantenía suspendida por encima del límite entre performance art y teatro, el primero con el énfasis puesto en las imágenes visuales y el último en los textos —hablados, grabados o proyectados—. Huelga decir que estos grupos innovadores utilizaron considerablemente los medios de comunicación. «Nuestra obra resulta comprensible para cualquiera que haya sido criado en una casa con la televisión encendida», se lee en una declaración de Forces Entertainment.

Los nuevos medios de comunicación y la performance

En los primeros años de la década de 1990 los entresijos de inventar maneras de incorporar la tecnología al escenario estaba en su mayor parte en manos de artistas experimentados, como Elizabeth LeComte (del Wooster Group) y Robert Ashley que continuó desarrollando técnicas establecidas en sus obras seminales de la década de 1970. *Emperador Jones* (1994), del Wooster Group, según O'Neill, o *Casa/Luces* (1997), según Gertrude Stein, usó la tecnología para «mediatizar» textos teatrales, mientras que *Polvo* (1999), de Ashley, una ópera de medios de comunicación de noventa minutos limitada a una habitación, la usó para transmitir mensajes de amor y soledad. La convirtió en optimista el conmovedor estribillo del septuagenario Ashley: «Quiero enamorarme sólo una vez más».

Estos precedentes inspiraron a un número cada vez mayor de grupos de teatro de nuevos medios de comunicación que usaban la tecnología no sólo como un recurso ilusorio, sino como una técnica para propagar información y crear sobre el escenario paisajes conceptualmente provocativos. *Siete brazos del río Ota* (1994-1996) era una epopeya de siete horas de duración que combinaba proyecciones computarizadas, secuencias de filmes y acciones y estilos de interpretación desde el butoh hasta el kabuki y los títeres banraku. Dumb Type, un colectivo de artistas, arquitectos y compositores japoneses, creó una distintiva estética de alta tecnología que proporcionaba una matriz de realidad virtual para que los intérpretes pasaran a través de ella; mientras que la Asociación de Constructores en colaboración con los arquitectos neoyorquinos Elizabeth Diller y Ricardo Scarfidio realizaron espacios teatrales tridimensionales creados por ordenador, proyecciones de filmes y efectos de sonido. *Jet-lag* (1999) investigó «el borrado del tiempo y la compresión de la geografía» en dos historias seguidas que rastreaban la misteriosa trayectoria de tres viajeros: uno por mar y dos por aire. En ambas texto y tecnología proporcionaban una estructura rítmica subyacente a la obra.

Los vídeos performances de la década de 1990 con frecuencia se representaban en privado, expuestos en instalaciones y considerados extensiones de las actuaciones en vivo. Estas obras nada tenían de la intención didáctica del material anterior de Jonas o Peter Campus, que investigaron el cuerpo del artista en el espacio y el tiempo dentro de un marco decididamente conceptual. En cambio, los vídeos de Matthew Barney o Paul McCarthy comenzaban con su muy original lectura de la cultura de masas y la geografía estadounidenses contemporáneas expresadas como narraciones disyuntivas, fantásticas y llenas de imágenes. *Envoltura: control del dibujo 7* (1993) de Barney, expuesto sobre un montón de monitores colocados en alto en el centro de una galería del Whitney Museum, Nueva York, era un despliegue de la imaginación hiperrealista de Barney, que tenía más que ver con su propia visión *fin-de-siècle* de los humanos como invenciones híbridas que con cualquier ejercicio formal de percepción espacial. Exquisitamente disfrazados de hombres-animales de pezuña hendida, Barney y varios intérpretes evocaron un mundo de protagonistas de cuentos de hadas con gran carga sexual cuya
184 misteriosa progenie aparecía en una serie de filmes performances, *Cremásteres 1-6* (1995-2002). En una vena por completo diferente, las primeras performances y los posteriores performances-vídeos de McCarthy (dejó de hacer performances en vivo en 1984) revelaban su fascinación por la escatológica fantasía infantil que lo volvía loco. En *Hamburguesa mandona* (1991), utilizó su parafernalia de ketchup, mobiliario, muñecas, leche y mayonesa y llevaba puesta una máscara de Alfred E. Neuman e iba vestido de cocinero para crear una performance grotescamente satírica. «Mi obra procede de la televisión de los críos en Los Ángeles», dijo a manera de explicación.

La puesta en escena de argumentos extravagantes para grandes trabajos fotográficos fue una poderosa atracción para los artistas de la generación que siguió a la de Cinti Herman. Se realizaban disfraces, escenarios de ensueños,

184 Matthew Barney, *Cremaster 2* (1999). Aún se representa. La fantasmagórica imaginación de Barney estalla en este filme cargado de sexualidad, situado en las llanuras del Medio Oeste estadounidense. Para los artistas, sus circunvoluciones sirven tanto de escultura como de performance

mundos habitados por gnomos y centauros modernos con la clase de atención al detalle alegórico más generalmente asociada a los victorianos del siglo XIX. Los fantaseadores de comienzos del siglo XXI Vanessa Beecroft, *185* Mariko Mori o Yasumasa Morimura enfocan la performance viva, las proyecciones de vídeo y la fotografía con el profesionalismo de los directores de arte comerciales: ellos suelen maquillar a los artistas e iluminar a los diseñadores para crear performances y fotografías performances que hagan comentarios acerca de la alta costura y la historia del arte. Una atención similar a la producción puede encontrarse en la obra de Claude Campler o Patty Chang. Sus cuadros vivos combinan un conocimiento de la historia del performance art y una estrecha proximidad a las sensibilidades visuales de sus iguales de las bellas artes. En *Manta, la superficie de ella* (1997) se evidencian los conocimientos que Wampler tiene de butoh, ópera e interpretación. Para darse el gusto, invitó a ocho artistas, incluido Paul McCarthy y los diseñadores Viktor y Rolf, a que cada uno escribiera diez minutos del guión de su performance. *XM* (1997) de Chang mezclaba la crispación del «arte de re- *186* sistencia» de la década de 1970 con la serenidad de un fotograma de un filme de Sherman. Chang estuvo de pie durante varias horas en una galería de Nueva York vestida con un traje gris entallado con las mangas cosidas a los

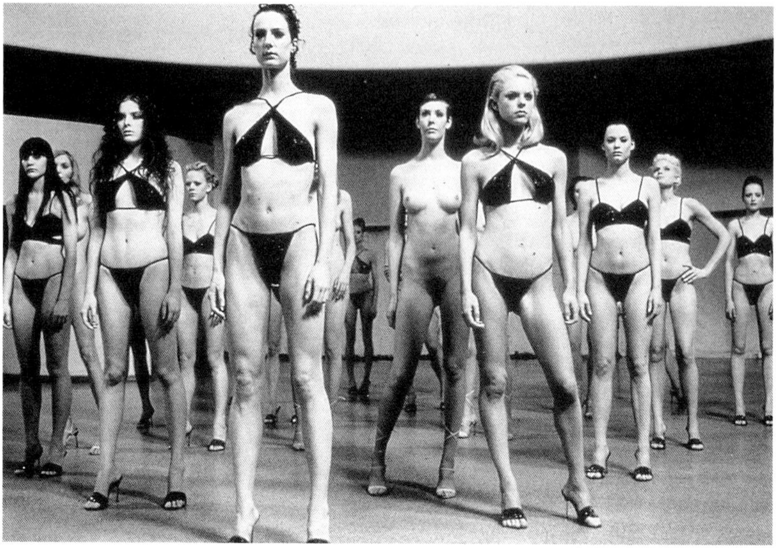

185 Vanessa Beecroft, *SHOW (VB 35)*, 1998, un cuadro vivo que duraba 2.30 horas, con 20 modelos, 15 en bikini y 5 llevando sólo tacones de 10 centímetros, Guggenheim Museum, Nueva York

186 Patty Chang, *XM*. La obra de resistencia en solitario de Chang formaba parte de una instalación y programa de 22 obras de artistas jóvenes que en 1997 representaron simultáneamente en Exit Art durante cuatro horas cada sábado por la noche

delanteros y las medias cosidas entre sí mientras un aparato dental mantenía su boca abierta. El ambiguo mensaje feminista se hacía aún más estrafalario cuando la brillante saliva chorreaba de su boca al canesú y los zapatos.

Esta centralidad en la figura humana se evidencia con toda claridad en las instalaciones cinemáticas de artistas como Shirin Neshat, Steve McQueen, Gillian Wearing y Sam Taylor Wood. Sus filmes limitados al espacio de una habitación tienen que ver tanto con la creación de superficies con textura que envuelven al público como con la coreografía y la estructura del filme, y es la abrumadora presencia de las figuras lentas y de tamaño mayor que el natural lo que vincula esta obra con los últimos treinta años de la historia de la performance. Observar la proyección sin fin en blanco y negro de *El Oso* (1993) de McQueen de dos hombres desnudos enzarzados en un combate de boxeo, o *Brontosaurio* (1995) de Sam Taylor Wood de un solo hombre desnudo bailando desenfrenadamente a su propio ritmo, recuerda las performances de Acconci, Abramović o Nauman, aunque su escala monumental les da una cualidad como de mural. Por el contrario, los equipos de vídeo digitales que caben en la palma de la mano usan la cámara como una extensión del cuerpo, muy a la manera en que lo hacían Jonas y Dan Graham en la década de 1970. Kristin Lucas lleva su cámara hi-8 y filma la vida en las calles a medida que se mueve por Nueva York o Tokio mientras que la ex cantante pop y artista del vídeo Popolotti Rist sujeta la suya a una larga jirafa y filma desde lo alto mientras compra en un supermercado en Zurich. Ambas artistas reflejan, e implícitamente critican, la cacofonía de la metrópoli saturada de medios de comunicación.

Gran parte de esta obra muestra lo imperceptible que es la transición entre la performance viva y los medios de comunicación grabados, que refuerza el fácil acceso a los ordenadores, la transmisión digital de imágenes alrededor del mundo a través de Internet, la rápida polinización cruzada de estilos entre performance, hilo musical, publicidad y moda. En este sistema infinitamente conectado, con su capacidad para transmitir sonido, imágenes en movimiento e involucrar al público en intercambios de tiempo real, algunos artistas y presentadores están viendo Internet como un apasionante nuevo punto de reunión para el performance art. Franklin Furnace conserva un sitio en Nueva York para los experimentos de performance, mientras que varios artistas, Bobby Baker o el australiano Stelarc, han creado sus propias páginas web. Además, el correo electrónico ha creado una red de información mundial sobre el performance art: Lee Bul en Corea, Momoyo Torimitsu en Japón, Kendal Greers en Suráfrica, Zang Huan en China, Tania Bruguera en Cuba y muchos otros son accesibles directa e instantáneamente a través de la web.

La performance hoy en día

El aumento exponencial del número de artistas de la performance en casi todos los continentes, la cantidad de libros y cursos académicos nuevos sobre el tema y los muchos museos de arte contemporáneo que abren sus puertas a los medios de comunicación en vivo, son una clara señal de que en los primeros años del siglo XXI el performance art es una fuerza tan impulsora como lo había sido cuando los futuristas italianos lo usaron para capturar la velocidad y la energía del recién iniciado siglo XX. El performance art de hoy en día es un espejo de la trepidante sensibilidad de la industria de las comunicaciones, pero también es un antídoto para los efectos distanciadores de la tecnología. Pues es la propia presencia del artista de la performance en tiempo real, de los intérpretes en vivo «deteniendo el tiempo», lo que da al medio su posición central, su «cualidad de vivo» también explica su atractivo para el público que sigue el arte moderno en los nuevos museos, donde establecer un vínculo con artistas de verdad es tan deseable como la contemplación de las obras de arte. Al mismo tiempo estas instituciones están desarrollando nuevas prácticas de conservación para explicar la importancia del performance art en la historia del pasado.

El performance art se ha convertido en un comodín que sirve para las presentaciones en vivo —desde las instalaciones interactivas en los museos hasta pases de moda concebidos de maneras muy imaginativas, y en las discotecas fiestas que protagonizan los pinchadiscos— que obligan a los espectadores y a los críticos por igual a desenmarañar las estrategias conceptuales de cada uno, probar si encajan en los estudios de la performance o en los análisis de la más convencional cultura popular. En los círculos académicos los expertos están elaborando un vocabulario para el análisis crítico además de bases teóricas para el debate; por ejemplo, el término «performativo» usado para definir el vínculo sin mediación alguna entre el espectador y el intérprete, también se interrelacionan estudios de arquitectura, semiótica, antropología y género. Este escrutinio relativamente nuevo del material de la performance que está realizando un número cada vez mayor de investigadores, ha llevado al performance art desde los márgenes de la historia del arte hacia el centro de un discurso intelectual más amplio.

En el pasado la historia del performance art aparecía como una serie de olas, venía y se iba, y algunas veces parecía bastante oscuro o inactivo mientras que diferentes cuestiones han sido el foco del mundo del arte. En cada regreso ha tenido un aspecto muy distinto del de sus manifestaciones anteriores. Sin embargo, desde la década de 1970 su historia ha sido más continua; en lugar de desahuciar la performance después de un breve período de intensa implicación y avance hacia una obra madura en pintura o escultura, como hicieron los futuristas en la década de 1910, Rauschenberg y Oldenburg en la de 1960, o Acconci y Oppenheim en la de 1970, numerosos artistas como Monk y Anderson han trabajado exclusivamente en la performance y construyeron un cuerpo de obra a lo largo de décadas. Lo que se evalúa en el contexto de la disciplina comparativamente nueva de la historia del performance art. No obstante, a pesar de su popularidad en la década de 1980 (un filme de Hollywood de mediados de la década presentó en los créditos a un «artista de la performance»), y su preponderancia en la de 1990, el performance art continúa siendo una forma reflexiva y volátil que los artistas usan para responder al cambio. Como la extraordinaria variedad de datos de esta larga, compleja y fascinante historia lo demuestra, el performance art aún hoy se escapa a toda definición y sigue siendo tan impredecible y provocativo como siempre.

Bibliografía escogida

Capítulo 1: Futurismo

APOLLONIO, Umbro, ed., *Futurist Manifestos*, Londres y Nueva York, 1973.

CARRIERI, Raffaele, Futurism, Milán, 1963.

CLOUGH, Rosa Trillo, *Futurism-the Story of a Modern Art Mouvement. A New Appraisal*, Nueva York, 1961.

CRAIG, Gordon, «Futurismo and the Theatre», *The Mask* (Florencia), enero de 1914, pp. 194-200.

Futurism and the Arts, A Bibliography 1959-73, compilada por Jean Pierre Andreoli de Villers, Toronto, 1975.

Futurismo 1909-1919, catálogo de exposición, Royal Academy of Arts, Londres, 1972-73.

KIRBY, E. T., *Total Theatre*, Nueva York, 1969.

KIRBY, Michael, *Futurist Performance*, Nueva York, 1971.

Lacerba, (Florencia), publ. 1913-15.

LISTA, Giovanni, *Théâtre futuriste italien*, Lausana, 1976.

MARINETTI, Filippo Tommaso, *Selected writings*, ed. R. W. Flint, Nueva York, 1971.

MARINETTI, Filippo Tommaso, *Teatro F. T. Marinetti*, ed. Giovanni Calendoli (3 vols.), Roma, 1969.

MARTIN, Marianne W., *Futurist Art and Theory, 1909-1915*, Oxford, 1968.

RISCHBIETER, Henning, *Art and the Stage in the Twentieth Century*, Greenwich, Connecticut, 1969.

RUSSOLO, Luigi, *The Art of Noise*, Nueva York, 1967.

TAYLOR, Joshua C., *Futurism*, Nueva York, 1961.

Capítulo 2: Futurismo y constructivismo rusos

Art in Revolition: Soviet Art and Design Since 1917, catálogo de exposición, Arts Council/Hayward Gallery, Londres, 1971.

BANHAM, Reyner, *Theory and Design in the First Machine Age*, Londres, 1960.

BANN, Stephen, ed., *The Tradition of Constructivism*, Londres, 1974.

BARR, Alfred H. Jr., «The "LEFF" and Soviet Art», *Transition*, (Nueva York), n.º 14, otoño de 1928, pp. 267-70.

BOWLT, John E., *Russian Art 1875-1975*, Austin, Texas, 1976.

BOWLT, John E., «Russian Art in the 1920», *Soviet Studies*, (Glasgow), vol. 22, n.º 4, abril de 1971, pp. 574-94.

BOWLT, John E., *Russian Art of the Avant-Garde. Theory and Criticism 1902-1934*, Nueva York, 1976.

CARTER, Huntly, *The New Spirit in the Russian Theatre, 1917-1928*, Londres, Nueva York y París, 1929.

CARTER, Huntly, *The New Theatre and Cinema of Soviet Russia, 1917-1923*, Londres, 1924.

Diaghilev and Russian Stage Designers: a Loan Exhibition of Stage and Costume Designs from the Collection of Mr. and Mrs. N. Lobanov-Rostovsky, introducción de John E. Bowlt, Washington, D.C., 1972.

The Drama Review, otoño de 1971 (T-52) y marzo de 1973 (T-57).

DREIER, Katherine, *Burliuk*, Nueva York, 1944.

FÜLÖP-MILLER, René, *The Mind and Face of Bolshevism*, Londres y Nueva York, 1927.

GIBIAN, George, y TJALSMA, H.W., eds., *Russian Modernism. Culture and the Avant-Garde 1900-1930*, Cornell, 1976.

GORDON, Mel, «Foregger and the Mastfor», manuscrito inédito ed. en *The Drama Review*, marzo de 1975 (T-65).

GRAY, Camilla, «The Genesis of Socialist Realism», *Soviet Survey* (Londres), n.º 27, enero-marzo de 1959, pp. 32-39.

GRAY, Camilla, *The Great Experiment. Russian Art 1863-1922*, Londres y Nueva York, 1962. Reimpreso como *The Russian Experiment in Art 1863-1922*, Londres y Nueva York, 1970.

GREGOR, Josef y FÜLÖP-MILLER, *The Russian Theatre*, Filadelfia, 1929. Orig. alemán, Zurich, 1928.

HIGGENS, Andrew, «Art and Politics in the Russian Revolution», *Studio International* (Londres), vol. clxxx, n.º 927, noviembre de 1970, pp. 164-67; n.º 929, diciembre de 1970, pp. 224-27.

HOOVER, Marjorie L., *Meyerhold. The Art of Conscious Theatre*, Amherst, 1974.

LEYDA, Jay, *Kino: A History of the Russian and Soviet Film*, Londres y Nueva York, 1960.

MARKOV, Vladimir, *Russian Futurism: A History*, Berkeley, California, 1968.

MEYERHOLD, V., *Meyerhold on Theatre*, ed. E. Brown, Londres y Nueva York, 1969.

SAYLER, O. M., *The Russian Theatre Under the Revolution*, Nueva York y Londres, 1922.

SHKLOVSKY, Viktor, *Mayakovsky and his Circle*, Nueva York, 1971.

Capítulo 3 y 4: Dadá y Surrealismo

APOLLINAIRE, Guillaume, *Apollinaire on Art. Essays and Reviews 1902-1918*, ed. L. C. Breunig, Nueva York, 1972.

BALAKIAN, Anna, *André Breton*, Londres y Nueva York, 1971.

BALAKIAN, Anna, *Literary Origins of Surrealism*, Nueva York, 1947.

BALL, Hugo, *Flight Out of Time. A Dada Diary*, Nueva York, 1974.

BARR, Alfred H. Jr., *Cubism and Abstract Art*, Nueva York, 1936.

BARR, Alfred H. Jr., *Fantastic Art, Dada, Surrealism*, Nueva York, 1936.

BENEDIKT, Michael y WELL-WARTH, George E., *Modern French Theatre. The Avant-Garde, Dada and Surrealism*, Nueva York, 1966.

BRETON, André, *Manifestoes of Surrealism*, Ann Arbor, 1969. Orig. francés, 1946.

BRETON, André, *Surrealism and Painting*, Nueva York, 1972. Orig. francés, París, 1928.

Dada and Surrealism Reviewed, catálogo de exposición, Arts Council/Hayward Gallery, Londres, 1978.

HENNINGS, Emmy, «Das Cabaret Voltaire und die Galerie Dada», en P. Schifferli, ed.: *Die Geburt des Dada*, Zurich, 1957.

HUELSENBECK, Richard, *Memoirs of a Dada Drummer*, Nueva York, 1974.

JEAN, Marcel, *History of Surrealist Painting*, Londres, 1962. Orig. francés, París, 1959.

LIPPARD, Lucy, *Dada on Art*, Englewood Cliffs, Nueva Jersey, 1971.

MATTHEWS, John H., *Theatre in Dada y Surrealism*, Syracuse, Nueva York, 1974.

MELZER, Annabelle Henkin, *Latest Rage the Big Drum: Dada and Surrealist Performance*, Ann Arbor, 1981.

MINOTAURE, (París), 1933-39.

MOTHER WELL, Robert, ed., *The Dada Painters and Poets*, Nueva York, 1951.

NADEAU, Maurice, *The History of Surrealism*, Nueva York, 1965. Orig. francés, París, 1946-48.

POGGIOLI, Renato, *Theory of the Avant-Garde*, Cambridge, 1968.

RAYMOND, Marcel, *From Baudelaire to Surrealism*, Nueva York, 1950.

La Révolution Surréaliste (París), 1924-29.

RICHTER, Hans, *Dada. Art and Anti-Art*, Londres, 1965. Orig. alemán, Colonia, 1964.

RISCHBIETER, Henning, *Art and the Stage in the Twentieth Century*, Greenwich, Connecticut, 1969.

RUBIN, Willliam S., *Dada and Surrealist Art*, Nueva York, 1969.

RUBIN, William S., *Dada, Surrealism and Their Heritage*, Nueva York, 1968.

SANDROW, Nahma, *Surrealism. Theatre, Arts, Ideas*, Nueva York, 1972.

SHATTUCK, Roger, *The Banquet Years*, Nueva York, 1955.

STEINKE, Gerhardt Edward, *The Life and work of Hugo Ball*, La Haya, 1967.

Le Surréalisme au Service de la Révolution, (París), 1930-33.

WILLETT, John, *Expressionism*, Londres y Nueva York, 1970.

Capítulo 5: Bauhaus

Bauhaus 50 Years, catálogo de exposición, Royal Academy of Arts, Londres, 1968

CHENEY, Sheldon, *Modern Art and the Theatre*, Londres, 1921.

DUNCAN, Isadora, *The Art of the Dance*, Nueva York, 1928.

FUERST, Walter R. y HUME, Samuel J., *XXth Century Stage Decoration*, Londres, 1928.

GOLDBERG, RoseLee, «Oskar Schlemmer's Performance Art», *Artforum* (Nueva York), septiembre de 1977.

GROHMANN, Will, «Der Maler Oslar Schlemmer», *Des Neue Frankfurt*, vol. ii, abril de 1928, pp. 58-62.

GROPIUS, Walter, ed., *The Theatre of the Bauhaus*, Middletown, Connecticut, 1960. Orig. alemán (ed. O. Schlemmer), Munich, 1925.

HILDEBRANDT, Hans, *Oskar Schlemmer*, Munich, 1952.

HIRSCHFELD-MACK, Ludwig, *Farbenlichspiele*, Weimar, 1925.

LABAN, Rudolf von, *Die Welt des Tänzers*, Stuttgart, 1920.

Oskar Schlemmer und die Abstrakte Bühne, catálogo de exposición, Kunstgewerbemuseum, Zurich, 1961.

PÖRTNER, Paul, *Experiment Theatre*, Zurich, 1960.

SCHLEMMER, Oskar, *Man*, Cambridge, Massachusetts, 1971. Orig. alemán, Berlín, 1969.

SCHLEMMER, ed. tutelada, *The Letters and Diaries of Oskar Schlemmer*, Middletown, Connecticut, 1972. Orig. alemán, Munich, 1958.

WINGLER, Hans M., *Bauhaus*, Londres y Cambridge, Massachusetts, 1969. Orig. alemán, Bramsche, 1962.

Capítulo 6 y 7: Arte vivo, h. 1933 hasta el presente

ADRIAN, Götz, KONNERTZ, Winfried y THOMAS, Karin, *Joseph Beuys*, Colonia, 1973.

Art & Design, *Performance Art into the 90s*, Londres, 1994.

AUSLANDER, Philip, *Liveness: Performance in a Mediatized Culture*, Londres, 1999.

Avalanche Magazine (Nueva York), n.os 1-6, 1972-74.

BATTCOCK, Gregory, ed., *The New Art*, Nueva York, 1966.

BATTCOCK, Gregory y NICKAS, Robert, eds., *The Art of Performance: A Critical Anthology*, Nueva York, 1984.

BANES, Sally, *Greenwich Village 1953: Avant-Garde Performance and the Effervescent Body*, Durham, Carolina del Norte, 1993.

BANES, Sally, *Democracy's Body*, Durham, Carolina del Norte, 1993.

BENAMOU, Michael y CARAMMELLO Charles, eds., *Performance in Post Modern Culture*, Madison, Wisconsin, 1977.

BERGER, Maurice, *Minima Politics Performativity and Minimalism in Recent American Art*, Baltimore Fine Arts Gallery, University of Maryland, 1997.

BLESSING, Jennifer, *Rose is a Rose is a Rose: Gender Performance in Photography*, Nueva York, The Solomon R. Guggenheim Museum, 1997.

BODOVINAC, Zdenka, ed. *Body and the East: From the 1950's to the Present*, Cambridge, Massachusetts, 1998.

BONNEY, Jo., *Extreme Exposure: An Anthology of Solo Performance Texts from the 20th Century*, Nueva York, 2000.

BRECHT, George y FILIOU, Robert, *Games at the Cedilla, or the Cedilla Takes Off*, Nueva York, 1967.

BRECHT, Stephan, *The Theatre of Visions: Robert Wilson*, Frankfurt, 1979.

BRONSON, A. A. y GALE, Peggy, eds., *Performance by Artists*, Toronto, 1979.

CAGE, John, *Notations*, Nueva York, 1969.

CAGE, John, *Silence*, Middletown, Connecticut, 1963.

CAGE, John, *A Year from Monday*, Middletown, Connecticut, 1963.

CARLSON, Marvin, *Performance: A Critical Introduction*, Londres, 1996.

CARR. C., *On Edge: Performance at the End of the Twentieth Century*, Hanover, Connecticut, 1993.

CARTA ABIERTA, *Essays on Performance and Cultural Politicization* (Toronto), verano-otoño de 1983, n.os 5-6.

CELANT, Germano, *Records as Artwork 1959-1973*, Londres, 1973.

CHAMPAGNE, Leonora, ed. *Out From Under: Texts by Women Performance Artists*, Nueva York, 1990.

CHILDS, Nicky y WALWIN, Jeni, *A Split Second of Paradise: Live Art, Installation and Performance*, Londres, 1998.

CUNNINGHAM, Merce, *Changes: Notes on Choreography*, Nueva York, 1969.

DIAMOND, Elin, ed. *Performance & Cultural Politics*, Londres, 1996.

DUBERMAN, Martin, *Black Mountaint. An Exploration in Community*, Nueva York, 1972.

ETCHELLS, Tim, *Certain Fragments: Contemporary Performance & Forced Entertainment*, Londres, 1999.

FINLEY, Karen, *Shock Treatment*, San Francisco, 1990.

FORTI, Simone, *Handbook in Motion*, Halifax, Nueva EScocia, 1975.

FUCHS, Elinor, *The Death of Character, Perspectives on Theater after Modernism*, Bloomington, 1996.

FUSCO, Coco, *Corpus Delecti: Performance Art of the Americas*, Londres, 2000.

FUSCO, Coco, *English Is Broken Here: Notes on Cultural Fusion in the Americas*, Nueva York, 1995.

GOLDBERG, RoseLee, *High & Low: Modern Art and Popular Culture*, catálogo de exposición, Nueva York: Museum of Modern Art, 1990.

GOLDBERG, RoseLee, *Laurie Anderson*, Londres y Nueva York 2000.

GOLDBERG, RoseLee, *Performance: Live Art since the 50s*, Londres y Nueva York, 1998.

GRAHAM, Dan, *Rock My Religion: Writings and Art Projects 1955-1990*, Massachusetts Institute of Technology, 1993.

HANSEN, Al, *A Primer of Happening & Time-Space Art*, Nueva York, 1968.

HANSEN, Peter S., *An Introduction to Twentieth Century Music*, Boston, 2/1961.

HENRI, Adrian, *Environments and Happenings*, Londres, 1974.

HIGGINS, Dick, *Postface*, Nueva York, 1964.

High Performance (Los Ángeles), 1979.

HOWELL, Anthony, *The Analysis of Performance Art*, Países Bajos, 1999.

HUXLEY, Michael y WITTS, Noel, *The Twentieth Century Performance Art*, Londres, 1996.

JOHNSON, Ellen H., *Claes Oldenburg*, Harmondsworth and Baltimore, Maryland, 1971.

JOHNSON, Ellen H., *Modern Art and the Object*, Londres y Nueva York, 1976.

JONES, Amelia, *Body Art: Performing the Subject*, Mineapolis, 1998.

JOWITT, Deborah, ed., *Meredith Monk*, Baltimore, 1997.

KAPROW, Allan, *Assemblage, Environments & Happenings*, Nueva York, 1966.

KAYE, Nick, *Postmodernism and Performance*, Nueva York, 1994.

KERTESS, Kalus, «Ghandi in choral perspective (Saty-graha)». *Artforum* (Nueva York), octubre de 1980, pp. 48-55.

KIRBY, E. T., *Total Theatre*, Nueva York, 1969.

KIRBY, Michael, *The Act of Time*, Nueva York, 1969.

KIRBY, Michael y SCHECHNER, Richard, «An Interview». *Tulane Drama Review*, vols. x, n.° 2, invierno de 1965.

KOSTELANETZ, Richard, *John Cage*, Nueva York, 1970.

KOSTELANETZ, Richard, *The Theatre of Mixed Means*, Nueva York, 1968.

KULTERMANN, Udo, *Art-Events and Happenings*, Londres y Nueva York, 1971.

KUSPIT, Donald, «Dan Graham: Prometheus Mediabound», *Artforum* (Nueva York), febrero de 1984.

LIPPARD, Lucy, *Six Years. The Dematerialization of the Art Object from 1966-1972*, Nueva York, 1973.

LOEFFLER, Carl E. y TONG, Darlene, eds. *Performance Anthology: A Source book for a Decade of California Performance Art*, San Francisco, 1980.

LUBER, Heinrich, *Performance Index*, Basilea, 1995.

MCADAMS, Donna Ann, *Caught in the Act: A Look at Contemporary Multimedia Performance*, Nueva York, 1996.

MCEVILLEY, Tom, «Art in the Dark», *Artforum* (Nueva York), junio de 1983, pp. 62-71.

MARRANCA, Bonnie, ed., *The Theatre of Images*, Nueva York, 1977.

MARSH, Anne, *Body and Self: Performance Art in Australia 1959-92*, Oxford, 1993.

Musée d'Art Moderne de la Ville de Paris, *La Scène artistique au Royaume-Uni en 1995 de nouvelles aventures. Life live*, 1996-97.

Musées de Marseille, *L'Art au corps: le corps expose de Man Ray à nos jours*, catálogo de exposición, 1996.

Museum of Contemporary Art, Chicago, *Performance Anxiety*, catálogo de exposición, 1997.

Museum of Contemporary Hispanic Art, The Decade Show, *Frameworks of Identity in the 1980s,s* catálogo de exposición, 1990.

MEYER, Ursula, «How to Explain Pictures to a Dead Hare». *Art News*, enero de 1970.

NITSCH, Hermann, *Orgien, Mysterien, Theater, Orgies, Mysteries, Theatre* (alemán e inglés), Darmstadt, 1969.

O'DELL, Kathy, *Contract With the Skin: Masochism Performance Art and the 1970s*, Minneapolis, 1998.

OLDENBURG, Claes, *Raw Notes*, Halifax, Nueva Escocia, 1973.

OLDENBURG, Claes, *Store Days*, Nueva York, 1967.

PEINE, Otto y MACK, Heinz, *Zero*, Cambridge, Massachusetts, 1973, Orig. alemán, 1959.

Performance Magazine (Londres), junio de 1979.

PHELAN, Peggy, *Unmarked: The Politics of Performance*, Londres, 1993.

RAINER, Yvonne, *Work 1961-1973*. Halifax, Nueva Escocia y Nueva York, 1974.

RATCLIFFE, Carter, *Gilbert and George: The Complete Pictures 1971-1985*, Nueva York y Londres, 1986.

REISE, Barbara, «Presenting Gilbert and George the Living Sculptures», *Art News*, noviembre de 1971.

ROSE, Barbara, *American Art Since 1900*, Londres y Nueva York, 1967.

ROTH, Moira, ed., *The Amazing Decade: Women and Performance Art 1970-1980*, Los Ángeles, 1982.

RUSSELL, Mark, *Out of Character; Rants, Raves and Monologues from Today's Top Performance Artists*, Nueva York, 1997.

SANFORD, Mariellen R., *Happenings and Other Acts*, Londres, 1995.

SAYRE, Henry M., *The Objects of Performance*, Chicago, 1989.

SCHNEEMANN, Carolee, *More than Meat Joy: Complete Performance Works and Selected Writings*, Nueva York, 1979.

SCHIMMEL, Paul, *Out of Actions: Between Performance and the Object 1949-1979*, Museum of Contemporary Art, Los Ángeles, Londres y Nueva York, 1998.

SCHNEIDER, Rebecca, *The Explicit Body in Performance*, Londres, 1997.

SOHM, H. *Happening & Fluxus*, Colonia, 1970.

SHOWALTER, Elaine, *Hystories, Hysterical, Epidemics and Modern Media*, Neuva York, 1997.

Studio International, vol. clxxix, n.° 922, mayo de 1970; vol. cxci, n.° 979, enero-febrero de 1976; vol. cxcii, n.° 982; julio-agosto de 1976; vol. cxcii, n.° 984, noviembre-diciembre de 1976.

TAYLOR, Diana & VILLEGAS, Juan, eds., *Negotiating Performance: Gender, Sexuality, & Theatricality in Latino America*, Durham, 1994.

TOMKINS, Calvin, *The Bride and the Bachelors*, Londres y Nueva York, 1965.

UGWU, Catherine, ed. *Let's Get It On: The Politics of Black Performance*. Institute of Contemporary Arts, 1995.

VERGINE, Lea, *Body Art and Performance*, Milán, 2000.

Walker Art Center, *Art Performs Life: Merce Cunningham/Meredith Monk/Bill T. Jones*, catálogo de exposición, Minneapolis, 1998.

Walker Art Center, ed., John Hendricks, *In The Spirit of Fluxus*, catálogo de exposición, Minneapolis, 1993.

WALTHER, Franz Erhard, *Arbeiten 1969-1976*, catálogo de exposición, São Paulo, 1977.

Índice de nombres

Crédito de las fotografías

Foto © Claudio Abate *138*; Foto Olivier Barbier *179*; © 1999 Matthew Barney, production still, Foto Michael James O'Brien, cortesía de Barbara Gladstone *184*; © Vanessa Beecroft, cortesía de Deitch Projects, Nueva York, Foto Mario Sorrenti *185*; Foto Tom Carravaglia *170*; © Patty Chang, cortesía de la Jack Tilton Gallery *186*; Foto © 1985 Paula Court, Nueva York, *117*, © 1984 *152*, © 1981 *157*, © 1980 *158*, © 1984 *168*, © 1983 *169*, © 1994 *176*; Foto © Dance Museum Stockholm *75*; Foto Olf Dziadek *2*, *173*, *174*; Foto © Johan Elbers *154*, 1987 *171*; Foto Gianni Fiorito *164*; Cortesía de General Idea *147*; Foto cortesía de Gilbert and George *135*, *136*; Foto © Al Giese *118*; Foto Hervé Gloaguen, cortesía de Merce Cunningham *113*; Cortesía de Dan Graham *130*; Cortesía de Marian Goodman Gallery *181*; Solomon R. Guggenheim Museum, Nueva York, Foto Robert E. Mates, cortesía de Scott Burton *139*; Foto Hana Hamplova, cortesía de Tomas Ruller *177*; Foto Martha Holmes *110*; Foto © Rebecca Horn *145*; Foto © Alan Howley, cortesía de Desperate Optmists *183*; Foto Scott Hyde *109*; Foto © 1986 Jean Kallina *165*, *166*; Kiesler Archive, Colección Mars Frederick Kielser *100*; Giovanni Lista: *Futurisme*, L'Age d'Homme, Lausana 1973 *9*; Foto Nicholas Logsdail, cortesía de Dan Graham *129*; Foto Robert Longo *152*; Foto Wolfgang Lux *128*; Foto © 1986 Dona McAdams *159*, *160*; Foto Babette Mangolte *114*, *134*, *153*, *155*, (cortesía de Trisha Brown *131*, *132*); Foto Lizbeth Marano, cortesía de Julia Heyward *141*; Colección Mattioli, Milán 7; Cortesía del Patrimonio de Ana Mendieta y Galerie Lelong, Nueva York *175*; Musée d'Art et d'Histoire, Saint-Denis *71*; Museo Depero, Rovereto *18*, *19*; Foto Hans Namuth *118*; Foto National Film Archive, Londres *116*; New York Graphic Society Ltd, Greenwich, Connecticut *46*; Cortesía de Hermann Nitsch *133*; Foto Elizabeth Novick, cortesía de Robert Rauschenberg *112*; Cortesía de Pat Oleszko *149*; Cortesía de Luigi Ontani *138*; Cortesía de Dennis Oppenheim *126*; Foto Nicholas Peckham *115*; Foto Gerda Petterich, cortesía de Merce Cunningham *106*; Foto Kerri Pickett *162*; Colección Massimo Prampolini, Rome, Foto Guidotti-Grimoldi *17*; Colección privada, Roma *15*, *16*, *20*; Cortesía de Galerie Soardi, Niza, *180*; Foto Eric Shaal, Life Magazine © 1978 Time Inc. *105*; Foto © 1984 Beatriz Scholler *167*; Oskar Schlemmer Archiv, Staatsgalerie, Stuttgart, cortesía de Tut Schlemmer *1*, *87*, *90*, *98*; Foto © 1984 Patrick T. Sellito *163*; Foto Harry Shunk *119*, *121*; Foto Warren Silverman *143*; Foto © archives SNARK (archive Marker) *72*; Foto Herman Sorgeloos, *Rosas Album*, © Theater Instituut Nederland *178*; Colección Sprovieri, Roma *14*; Foto Bob Strazicich, cortesía de Image Bank *150*; Theatrical Museum, Leningrado *28*; Foto Caroline Tisdall *124*; Foto © 1984 Jack Vartoogian *174*; Cortesía de Wolf Vostell *111*; Foto cortesía de John Weber Gallery, Nueva York *125*; Foto Kirk Winslow *161*; Foto Andrew Whittuck *182*; Foto Les Wollam *144*.